무비 스님의 유마경 강설

상권

【 개정증보판 】

무비 스님의 유마경 강설

상권

구마라습鳩摩羅什 한역
무비 스님 강설

담앤북스

개정판 서문

이 책이 2012년에 처음으로 출판이 되었으나 편집과 체제와 내용들이 미흡한 점이 많아서 늘 마음에 남아 있었는데 『화엄경』 강설 81권을 거칠게나마 탐색하여 마치고 드디어 『유마경』 공부를 다시 시작하게 되었습니다. 그래서 개정판을 내어 미흡한 점을 다소 보완하고자 하였습니다.

『유마경』은 『화엄경』을 강의하거나 『법화경』을 강의하거나 언제나 빠지지 않고 자주 인용하는 아주 뛰어난 대승경전입니다. 또한 『화엄경』과 『법화경』과 『열반경』과 같이 가장 우수한 불교의 불이사상不二思想과 아울러 대승보살사상을 잘 선양하고 있는 경전입니다. 그래서 『유마경』을 소화엄小華嚴이라고도 합니다.

이와 같은 경전이므로 평소에 매우 애착하여 왔으며 오래전 한문교재를 몇 번 출판하였으며 강의도 몇 차례 하였습니다. 다만 마음에 드는 강설 책을 내지 못한 것이 아쉬움으로 남아 있었는데 이번에 인연이 되어 이렇게 개정판을 내게 되었습니다.

저의 주변에는 제가 하는 법공양의 취지를 잘 이해하고 물심양면으로 돕고자 하는 분들이 많으며 지식과 재능으로 보시하시는 분들도 적지 않아서 이와 같이 부처님의 법을 널리 펴는 데 아직은 마음도 바닥이 나지 않고 주머니도 바닥이 나지 않아 큰 어려움 없이 잘 진행이 되고 있습니다.

저의 법공양 운동에 여러 가지로 동참하신 모든 분들에게 일일이 방명芳名을 거론하지 못함을 죄송스럽게 생각하며, 이 자리를 빌려서 심심한 감사의 뜻을 전합니다. 고맙습니다.

2020년 2월 1일

신라 화엄종찰 금정산 범어사

如天 無比

초판 서문

불교에는 수많은 경전이 있다. 그리고 각 경전마다 대지大旨 또는 종지宗旨라고 하는 큰 주제가 있다.

옛 사람들은 『유마경』의 큰 뜻을 유마 거사의 침묵으로 표현되는 불이법문不二法門에 두었으나 필자는 "사람들이 아프니 나도 아프다. 생명들이 아프니 나도 아프다. 산천초목들이 아프니 나도 아프다."라는 가르침으로 그 큰 뜻을 삼는다. 불교 교리가 아무리 뛰어나다 한들 아파하는 생명들을 외면한다면 그 심오한 교리가 무슨 가치가 있으며 무슨 쓸데가 있겠는가.

그러나 『유마경』이 어찌 그와 같은 의미뿐이겠는가. 불교를 어설프게 공부한 사람들의 편협하고 치우친 안목을 여지없이 깨뜨리고, 허공처럼 드넓고 툭 터진 인간의 본성을 깨우치며, 대승불교의 근본과 줄기들을 총망라하여 불교공부의 진실로 돌아갈 바를 남김없이 제시하고 있다.

거기에 더하여 유마 거사가 한번 입을 열어 법을 설하면 그 화려하기가 저 『화엄경華嚴經』에 사양하지 않는다. 참으로 화려하다 못해 현란하다고 서슴없이 표현하는 까닭이 여기에 있다. 『유마경』을 읽다 보면 벌어진 입이 다물어지지 않는 이유가 그것이다.

필자는 2009년 10월 28일부터 3일간 서울에 있는 비구니회관 법융사에서 전국의 비구니 스님들과 신도님들을 대상으로 『유마경』 강설 법회를 하게 되었다. 청법請法의 부탁을 받고 법회를 준비하면서 '미리 번역과 강설을 했더라면 더 훌륭한 법회가 되었을 텐데.'라고 하는 생각을 하였는데 그때 그 마음이 지금에 이르러 이 강설을 쓰게 되었다.

유마 거사는 자신의 병고를 통하여 만고의 절창 『유마경』을 탄생시켰다. 그리고 천하의 둔재인 필자는 2003년 7월 25일부터 앓아 온 병고 덕분으로 하찮은 공부지만 불법에 대해서 그나마 좀 더 깊고 넓어지게 되었다. 생각해 보면 이 몹쓸 병고도 참으로 고마운 경책의 스승이며 선지식이다. 화중생연火中生蓮이라는 말 그대로 불꽃 속의 연꽃이요, 병고중病苦中의 공부다. 지금까지 10년째를 앓고 있으며 또한 세납 칠순을 맞는 해다. 필자는 자신의 병고 덕분에 유마 거사의 병고에 관한 경전을 강설하게 되었으니 이 또한 무슨 정해진 인연인가 하는 생각이 든다. 인생사 세상사가 모두 인연이라 하던가.

병고를 이기려고 진통제 삼아 한 줄 한 줄 써 내려간 것이 이렇게 출판을 하기에 이르렀으니 방울물이 바위를 뚫는다는 이치가 실로 헛말이 아님을 알겠다.

그동안 내가 앓는 병고 때문에 알게 모르게 고생한 사람들도 많고 음으로 양으로 도움을 주신 분들도 대단히 많다. 언제나 생각하는 일이지만 세상에 태어나 어려서부터 불법문중佛法門中에 몸을 담고 살아오면서 참으로 과분하게 빚을 지며 은혜를 입었다. 위로는 부처님과 조사님들의 은혜와 스승님들과 도반들의 은혜며, 신도님들의 그 많은 빚과 은혜를 아무래도 갚을 길이 없다.

그래서 오직 아픈 몸을 이끌고라도 인연이 닿는 대로 법회를 하며, 다음 카페 〈염화실〉을 통해서 열심히 전법傳法을 하고, 한편 힘이 닿는 대로 경전을 출판하고 사경본寫經本을 만들어 법공양을 올리고, 또 이렇게 좁은 안목으로라도 능력이 미치는 데까지 부처님과 조사님들의 말씀을 이 시대 사람들이 이해할 수 있도록 새롭게 풀어서 널리 전하는 일에 매진하는 것뿐이라고 생각하여 오늘에 이르고 있다. 그래서 부족하지만 이렇게 회향하는 일을 허공계가 다하고, 중생계가 다하고, 중생의 번뇌가 다하고, 중생의 업이 다할 때까지 하고자 하는 마음 간절하여 길이길이 이어지기를 서원하는 바이다.

이 인연 이 공덕으로 모든 사람 모든 생명들의 마음이 태양처럼 밝아지고 지혜가 툭 터져서 항상 해탈감이 넘쳐나서 매일매일이 평화롭고 행복하기를 간절히 바라는 바이다. 다시 한 번 불보살님들과 수많은 분들의 은혜에 진심을 다해서 깊은 감사를 드린다.

2012년 하안거 중에

금정산 범어사 화엄전에서 如天 無比 삼가 씀

차례

維摩經

무비 스님의

유마경 강설

上

암라원법회庵那園法會

문수문질文殊問疾

문수사자좌文殊獅子座

화보살봉반化菩薩奉飯

유마힐불소維摩詰佛所

동진변상童眞變相

일러두기

1. 『무비 스님의 유마경 강설』의 원문은 현존하는 한역韓譯 3본本 중에서 일반적으로 가장 많이 읽히는 삼장법사 구마라습鳩摩羅什 역譯 『유마힐소설경維摩詰所說經』(3권)을 저본으로 하였습니다.

2. 『무비 스님의 유마경 강설』 상 · 중 · 하 권두卷頭에는 암라원법회庵那園法會, 문수문질文殊問疾, 문수사자좌文殊獅子座, 화보살봉반化菩薩奉飯, 유마힐불소維摩詰佛所, 동진변상童眞變相 등 6종의 변상도를 실었습니다. 이는 1854년 철원 성주암聖住庵에서 3책으로 간행된 목판본 『유마힐소설경』에 실린 그림입니다.

一. 불국품 佛國品

『유마경』에는 모두 14품이 있다. 제1「불국품佛國品」은 글자의 뜻대로라면 부처님의 나라가 어떤 것인가를 밝힌 내용이다. 달리 표현하면 이상세계요, 유토피아요, 낙원이요, 무하유지향無何有之鄕이요, 극락이요, 천당이다. 행복과 평화가 흘러넘치는 곳이다. 그런데『유마경』에서 밝힌 부처님의 나라[佛國]라는 것은 뜻밖에도 보통 사람들의 생각이나 소승적 상식과는 다른 이상세계, 즉 부처님의 나라를 설명하고 있다. 또한 부처님의 나라를 이야기하다가 보살의 정토까지 알기 쉽게 더 자세히 설명하고 있는데, 크게 보면 모두가 이상세계인 부처님의 나라가 된다. 중생이 곧 부처님의 나라며 곧은 마음[直心]이 보살의 정토라고 하였다. 진정한 이상세계는 이런 것이라는 사실을 알게 된다.

1. 육성취六成就

여시아문　　일시　불　재비야리암라수원
如是我聞하사오니 **一時**에 **佛**이 **在毘耶離庵羅樹園**하사

여대비구중팔천인　구
與大比丘衆八千人으로 **俱**하시니라

이와 같은 사실들을 저는 들었습니다.

어느 때 부처님께서 비야리 성城의 암라나무 동산에 계셨는데 큰 비구 스님들 8천 명과 함께하셨다.

예전의 조사들은 경전을 이해하는 데는 반드시 여섯 가지 조건이 갖추어져서 경전이 성립되었음을 알아야 한다고 하였다. 그 여섯 가지란 곧 육성취六成就다. 즉 신信·문聞·시時·주主·처處·중衆이다.

"이와 같은 사실들[如是]"이란 후대의 사람들이 부처님께서 설하신 내용과 '같다'라는 말을 통해서 경전의 내용 그대로 믿기[信]를 바라는 의미라고 하였다.

"저는 들었습니다[我聞]."에서 '저'는 아난 존자다. 경전을 결집하고 편찬할 때 총 책임자였던 아난 존자가 5백 명의 아라한 앞에서 자신이 부처님께 들은 바를 그대로 기억하여 다시 말씀드리는 것이지 자신의 이야기가 아니라는 의미다. 불교의 모든 경전은 아무리 후대에 결집 편찬되었더라도 세존에게서 들은 것을 아난 존자와 5백 명의 아라한이 함께 편찬하였다는 원칙을 지켜서 표현한다. 설사 서기 2020년에 편찬한 경이라 하더라도 그 원칙은 마찬가지다. 이 사실을 알면 경전을 푸는 큰 열쇠를 하나 갖는 것이 된다.

"어느 때[一時]"란 과거 · 현재 · 미래를 모두 아우르는 시간이므로 언제나 유효한 진리의 가르침이라는 의미다. 만약 2020년 1월 1일이라고 기록하면 그날만 유효할 가능성이 높다. 시간을 말할 때 과거 · 현재 · 미래를 이야기하며 구세와 십세를 말하지만, 과거 속에 현재와 미래가 있고 현재 속에 과거와 미래가 있고 미래 속에 과거와 현재가 있기 때문이다.

"부처님"이란 여기서 설법하신 법주法主가 된다는 뜻이다.

다음은 설법하신 장소[處]다. "비야리 성城의 암라나무 동산"이란 비야리 성에 있는 '암라나무라는 아가씨'가 시주한 동산에서 설법하였다는 뜻이다. 암라나무 아가씨는 뒤에 마갈타국 빈비사라왕의 왕비가 되었다. 동산이 그대로 법석이며 사찰이며 법당이다. 그야말로 야단법석이었다. 그리고 이곳 비야리 성은 지금도 불교의 성지聖地로서 이름이 높다. 인도 불교성지를 순례하는 불자들은 반드시 들르는 곳이다. 부처님의 유적지를 널리 알리기 위해 세운 아소카 왕[阿育王]의 석주石柱는 아직도 여러 개가 남아 있지만, 비야리 성의 석주가 가장 완전하다고 한다. 이곳이 『유마경』 설법의 무대이다.

다음은 함께한 청중들[衆]이다. "큰 비구 스님들 8천 명"이라고 하였다. 비구의 숫자도 많지만, 다음에는 3만2천 명의 보살까지 등장한다. 대승경전으로서의 위용을 유감없이 보여 준다. 거의 모든 경전은 이와 같은 여섯 가지 조건을 다 갖추고 있다.

한 가지 유의할 것은 "큰 비구 스님들 8천 명"이라고만 하였지 그 비구 스님들의 구체적인 이름이 거론되지 않았다는 점이다. 물론 뒤에 가서 열 명 출가 비구들의 이름이 거론되지만 유마 거사에게 여지없이 꾸중을 듣는 장면만 있을 뿐이다. 경전의 성격과 그 격을 엿볼 수 있는데, 즉 대승보살사상을 드날리려는 의도가 너무나 강하게 드러나 있다고 보겠다. 아래의 보살들에 대한 배려를 생각하면 아무리 소승성문이라 하더라도 전통적인 승가의 입장에서 보면 좀 지나치지 않나 하는 생각이 들 정도이다. 경전을 결집하고 편찬한 사람의 뜻이라고 보아야 할 것이다.

2. 보살 대중의 덕행

1) 보살 대중의 덕행 1

보 살　삼 만 이 천　　중 소 지 식
菩薩은 **三萬二千**이며 **衆所知識**이라

보살은 3만2천 명이며, 그들은 많은 사람이 다 잘 아는 이들이다.

비구 스님들은 법문을 듣는 대중으로서 부처님을 항상 따라다니는 이들이다. 그러나 보살들은 대승경전大乘經典에만 등장하는데 그 수효가 적지 않다. 알고 보면 세상은 온통 대승보살의 세상이라는 뜻이 담겨 있다. 한편 부처님의 32상을 상징하기도 한다. 따라서 그들의 덕행이 세상에서 아주 빼어난 분들이어서 세상 사람들이 그 이름을 들으면 다 잘 아는 분들이다. 장황하리만큼 그들의 덕행에 대해서 찬탄하고 있다. 그러나 이러한 덕행은 법문을 듣는 보살들만의 것이 아니라 실은 모든 불자가 마음에 새기고 생활에서 실천해야 할 덕목들이다.

대지본행　개실성취　제불위신지소건립
大智本行을 **皆悉成就**하니 **諸佛威神之所建立**이라

큰 지혜의 근본 수행을 모두 다 성취하였으니, 이것은 모든 부처님의 위신력으로 건립된 것이다.

보살이란 불교적 관점에서 보면 사람으로서 사람다운 의미를 가지고 살아가는 분들이다. 사람답게 산다는 것은 나이에 상관없이 항상 자신의 발전과 향상을 위해서 부단히 노력하며, 한편으로는 자신의 능력만큼이라도 남을 위해서 온갖 방면으로 베풀고 나누어 주는 삶을 사는 사람을 말한다. 이 『유마경』에서는 먼저 큰 지혜, 즉 깨달음의 지혜를 갖추는 것을 가장 근본이라고 하였다. 지혜는 불교의 근본이며 보살도菩薩道의 근본이다. 그 또한 모든 깨달은 사람들이 당겨 주고 밀어 주었기 때문에 가능한 일이라고 하였다. 다시 말하지만 불교의 큰 근본은 지혜다. 자비도 지혜가 갖추어진 뒤에야 가능하다. 그러므로 "큰 지혜의 근본 수행"이라고

표현하였다.

위 호 법 성　　수 지 정 법
爲護法城하야 **受持正法**하며

법의 성곽을 잘 보호하여 정법을 받아 지닌다.

법회에 모인 보살들은 또한 법의 성곽을 잘 보호해서 정법正法을 받아 지닌다고 하였는데 이 일이야말로 불자에게 가장 중요한 일이 아닐까 한다. 수십 년 불교 안에 몸담아 오면서 어떤 이가 불법佛法을 해치는데도 그것을 보호하려는 생각이 없다면 그는 불자가 아니다. 외도外道며 마군魔軍이다. 그리고 불교를 말할 때는 반드시 정법으로써 가르쳐야 한다. 온갖 삿된 법과 기만하는 말과 세상 사람들을 속여 정신을 혼란스럽게 하고 세상을 어지럽히는 말을 하면서 그것을 불교라고 한다면 함께 지옥에나 떨어질 일이다. 정법만이 불교라는 사실을 가슴 깊이 새겨야 한다.

2) 보살 대중의 덕행 2

능 사 자 후 　 명 문 시 방
能獅子吼하야 **名聞十方**하며

능히 사자후를 부르짖어 그 이름이 시방에 두루 알려졌다.

석가세존은 왜 지금까지 세상에 두루 알려졌는가. 문수文殊·보현普賢·관음觀音·지장地藏은 또 어떻게 해서 그 이름이 널리 알려졌는가. 오직 사람들의 미혹한 마음을 일깨우는 진리의 가르침 때문이다. 그들은 누구에게든 단돈 만 원이나 밥 한 그릇 베푼 적이 없다. 다만 모든 존재의 바르고 참된 이치를 사람들에게 깨우쳐 주었다. 그래서 그들은 이 세상에 가장 위대한 시주[大施主]가 되었다.

부처님이나 보살들의 설법을 왜 사자후獅子吼라고 하는가. 참되고 바른 진리의 가르침을 통해서 삿된 소견과 잘못된 견해들을 모두 두렵게 만들고 깨뜨려 버릴 수 있기 때문이다. 마치 사자가 크게 소리를 지르면 온갖 짐승이 모두 두려움에 떨거나 도망을 가는 것과 같다.

영가永嘉 스님의 「증도가證道歌」에는,

"사자후 같은 두려움 없는 설법이여,
뭇 짐승들이 들으면 모두 뇌가 찢어지고
코끼리는 놀라서 위엄을 잃고 도망가며
천룡은 조용히 듣고서 희열을 내는도다."[1] 라고 하였다.

진정한 보살들의 진리의 설법 소리는 세상에 미치는 영향이 이와 같다.

중 인 불 청 우 이 안 지
衆人不請이로대 **友而安之**하며

여러 사람이 청하지 않더라도 벗이 되어 그들을 편안하게 해준다.

『유마경』에는 주옥같은 명구가 많다. 여기에 나오는 '불청지우不請之友'도 그중의 하나다. 사람들은 대개 가까운 사람, 또는 친한 사람, 인연이 깊은 사람들만 찾아서 함께하려고 한다. 그러나 사

1) 獅子吼無畏說이여 百獸聞之皆腦裂이요 香象奔波失却威요 天龍寂聽生欣悅이로다

람답게 살고자 하는 보살들은 누가 청하지 않더라도, 또한 전혀 모르는 사람이라도 일부러 그에게 다가가 벗이 되고 그들을 가르치고 깨우치고 배려하고 보살피며 그들을 다방면으로 돕고 편안하고 행복하게 해 준다. 예컨대 세계에서 제일가는 구호단체인 〈자제공덕회〉를 이끌어 가는 대만의 증엄(證嚴,1937년 5월 4일생) 스님은 기독교인들에게 교회까지 지어 주며 편안하게 예배를 볼 수 있게 하였다. 그는 진정한 살아 있는 보살이다.

소륭삼보 능사부절
紹隆三寶하야 **能使不絶**하며

삼보三寶의 전통을 이어서 능히 끊어지지 않도록 한다.

보살은 책임이 크다. 부처님이 세상에 영원히 계시도록 해야 하고, 부처님의 가르침이 영원히 이 땅에 머물게 해야 하고, 부처님의 가르침을 따르는 사람들이 끊어지지 않고 계속해서 세상에 넘쳐나도록 해야 한다. 이것은 보살의 의무며 책임이다. 세상이 더 좋은 세상이 되게 하려면 반드시 성현들의 가르침과 그 가르침을 따르는 사람들이 더욱 많아야 하기 때문이다.

항복마원 제제외도
降伏魔怨하고 **制諸外道**하며

마군과 미워하고 질투하는 이들을 항복받으며 모든 외도外道들을 제압한다.

마군과 미워하고 질투하는 이들과 외도들을 항복받고 제압한다는 것은 자신을 다스리고 바르게 수행하는 데 있어서 매우 중요한 일이다. 도적을 잡으려면 먼저 도적이 있는 곳을 알아야 하듯이 마군과 미워하고 질투하는 이들과 외도들은 자신 이외의 장소에 있다고 여기는 잘못된 생각부터 바로잡아야 한다. 백수의 왕王인 사자에게는 어떤 짐승도 싸워서 이길 수 없는데 다만 사자의 몸에서 생긴 벌레가 사자를 병들게 하고 죽게 만든다. 그와 같이 자신을 망하게 하는 것은 자신이지 남이 아니다. 불교를 무너뜨리는 것도 다른 종교인이 아니다. 다름 아닌 불교인이다. 마군과 미워하고 질투하는 이들과 외도들은 모두 자신 안에 존재한다. 그러므로 자신을 항복받고 제압해야 한다.

실 이 청 정　　영 리 개 전
悉已清淨하야 **永離蓋纏**하며

모든 면이 이미 청정해서 심성을 뒤덮어 어둡게 하는 번뇌[蓋]와 사람을 속박하여 부자유하게 하는 번뇌[纏]를 영원히 떠났다.

번뇌에는 여러 가지가 있다. 탐심 · 진심 · 치심에서부터 심지어 8만4천 번뇌까지 말한다. 여기에서 "심성을 뒤덮어 어둡게 하는 번뇌[蓋]"에는 다섯 가지가 있다. ① 탐욕 ② 진에瞋恚 ③ 수면 ④ 마음이 들떠서 악을 짓는 것[掉擧惡作] ⑤ 의심이 그것이다.

"사람을 속박하여 부자유하게 하는 번뇌[纏]"에는 열 가지가 있다. ① 남이 잘한 일이나 훌륭한 사람을 공경할 줄 모르고 오히려 꺼리고도 부끄러움이 없음[無慚]과 ② 자신의 잘못을 남이 알아도 부끄러움이 없음[無愧]과 ③ 질투와 ④ 인색함과 ⑤ 후회함과 ⑥ 수면과 ⑦ 들뜬 마음과 ⑧ 혼침과 ⑨ 분노와 ⑩ 자신의 허물을 덮어버림이다. 보살은 이와 같은 몹쓸 번뇌를 영원히 떠나 버렸다.

3) 보살 대중의 덕행 3

심 상 안 주 무 애 해 탈　　염 정 총 지　변 재 부 단
心常安住無礙解脫하야 **念定總持**와 **辯才不斷**하니라

마음은 항상 걸림이 없는 해탈의 경지에 편안히 머물면서 바른 기억과 바른 선정과 법문을 다 기억하는 것과 변재가 끊어지지 않게 한다.

보살의 마음가짐이다. 보살은 스스로 걸림이 없는 해탈에 머물러야 다른 사람을 위해서 자유롭게 자비를 구사할 수 있다. 자신이 속박되어 있다면 남을 해탈시킬 수 있겠는가. 그러므로 해탈이 우선이며 다음으로 바른 기억과 바른 선정과 법문을 다 기억하는 것인 총지와 변재가 끊어지지 말아야 한다. 보살의 덕행과 조건은 이렇게 끝없이 이어진다.

보 시 지 계 인 욕 정 진 선 정 지 혜　급 방 편　역　무 불
布施持戒忍辱精進禪定智慧와 **及方便**과 **力**이 **無不**

구 족　　체 무 소 득
具足하야 **逮無所得**하니라

보시와 지계와 인욕과 정진과 선정과 지혜와 방편과 힘이 모두 다 갖추어져서 얻을 것이 없는 데까지 이르렀다.

보살의 실천 덕목이며 모든 불자의 실천 덕목이 소개되었다. 보살의 덕행을 찬탄하는 데 반드시 있어야 할 여덟 가지 조건이다. 육바라밀에서 방편과 힘이라는 두 가지가 더해졌다. 힘에는 부처님의 열 가지 힘이 있고 보살의 열 가지 힘이 있다. 보살의 열 가지 힘은 보살에게 있는 열 가지 지력智力이라고도 한다. ① 심심력深心力 ② 증상심심력增上深心力 ③ 방편력方便力 ④ 지력智力 ⑤ 원력願力 ⑥ 행력行力 ⑦ 승력乘力 ⑧ 신변력神變力 ⑨ 보리력菩提力 ⑩ 전법륜력轉法輪力이다.

불 기 법 인　　이 능 수 순　　전 불 퇴 륜
不起法忍하고 **已能隨順**하야 **轉不退輪**하며

참다운 깨달음을 얻은 편안한 마음[法忍]에서 일어나지 않고, 능히 중생을 수순해서 물러서지 않게 하는 법륜法輪을 굴린다.

보살들이 중생을 교화할 때 자신이 깨달은 경지를 떠나서 중생의 현실에만 맞추어 가르친다면 그것은 중생과 뒤섞여 본래의 목적을 잊어버리게 된다. 그렇게 되면 보살이 도리어 중생이 되고 만다. 중생을 교화하기 위하여 지옥에 가고 축생에 가고 아귀에 가더라도 보살은 항상 깨달음의 경지에 머문 상태로 교화하여야 한다. 『화엄경』에서는 "부처님은 깨달음의 자리인 보리수 아래에서 일어나지 않고 일곱 곳에 법석을 펼쳤다."라고 하였다.

선해법상　　지중생근
善解法相하야 **知衆生根**하며

여러 가지 가르침의 특질[法相]을 잘 알고 중생의 근기를 잘 안다.

보살이 중생을 교화하는 데 먼저 반드시 갖추어야 할 조건이 있다. 그것은 가르침의 특질들을 잘 아는 것이다. 즉 소승법小乘法과 대승법大乘法과 연기법緣起法과 공空의 이치와 일심의 내용과 비밀불교와 선禪불교와 부처님의 생애와 불교의 역사까지 이 모든 것들을 잘 알아야 한다. 다음으로 사람들의 성향과 속성과 근기와 수준을 잘 알아야 한다. 포교를 하거나 법을 설하려면 먼저 불교를 잘 알아야 하는 것은 당연한 이치며 불자의 덕목이다.

개제대중 득무소외
蓋諸大衆하야 **得無所畏**하며

모든 대중의 으뜸이 되어 두려워할 것이 전혀 없었다.

보살은 흔히 표현하기를 위로는 깨달음을 구하고 아래로는 중생을 교화하는 사람[上求菩提 下化衆生]이라고 한다. 그러므로 어떤 대중의 모임이나 단체에 나가더라도 그들 중에 으뜸이 되고 우두머리가 되어야 한다. 만약 교화하려는 사람들보다 덕德이 부족하고 법法이 모자란다면 주눅이 들어 법을 설할 수가 없게 된다. 그리고 두려운 마음에 입이 떨어지지 않는다. 만약 이처럼 된다면 어찌 부처님의 법을 당당하게 설할 수 있겠는가. 보살로서 당연히 갖추어야 할 사항이다.

"두려워할 것이 전혀 없었다[無所畏]."라는 말은 구체적으로 네 가지가 있다. ① 능지무외能持無畏는 교법을 듣고 명 · 구 · 문[名句文]과 그 의리義理를 잊지 아니하여 남에게 가르치면서 두려워하지 않는 것, ② 지근무외知根無畏는 대기對機의 근성이 예리함과 우둔함을 알고 알맞은 법을 말해 주어 두려워하지 않는 것, ③ 결의무외決疑無畏는 다른 이의 의심을 해결하여 적당한 대답을 하여 두려워하지 않는 것, ④ 답보무외答報無畏는 여러 가지 문난問難에 대하여 자유자재하게 응답하여 두려워하지 않는 것이다. 보살은 이와 같은 덕을 갖추었다.

공덕지혜 이수기심 상호엄신 색상제일
功德智慧로 **以修其心**하며 **相好嚴身**하야 **色像第一**이라

사제세간소유식호
捨諸世間所有飾好하며

공덕과 지혜로써 그 마음을 닦고 잘생긴 모습으로 몸을 장엄하여 그 얼굴 그 모습은 제일이어서 세간의 화장과 꾸미는 것들을 모두 버렸다.

보살의 몸과 마음이 어떠해야 하는가를 밝혔다. 평소에 온갖 공덕을 두루 닦으며 지혜 또한 빼어났다. 부처님을 두 가지가 만족한 분이라고 부르는데 그 두 가지란 복덕과 지혜이다. 여기서 공덕

功德이란 복덕과 다르지 않다. 불교 수행의 목적도 실은 이 두 가지에서 벗어나지 않는다. 불자는 복을 많이 짓고 공덕을 많이 닦아서 유루복有漏福이든 무루복無漏福이든 무한히 많아야 한다. 빈궁하고 천박한 모습으로 중생을 제도하겠다고 법을 설하면 먹혀들겠는가. "너나 잘하세요."가 되고 만다.

보살은 외모도 잘생겨야 한다. 누구와 비교를 해도 빠지지 말아야 한다. 굳이 세상 사람들이 사용하는 성형수술이나 화장이나 의상이나 패물로써 꾸미려고 해서는 안 된다. 그와 같은 것 하나 없이도 환희심이 나는 얼굴이어야 한다. 부처님이나 보살들은 못난 사람이 하나도 없다. 견물생심見物生心이니 상견중생相見衆生이니 하지 않던가. 사람들의 속성은 먼저 외모를 보고 판단하는 경향이 있기 때문이다.

4) 보살 대중의 덕행 4

명 칭 고 원　　유 어 수 미
名稱高遠하야 **踰於須彌**하며

고명한 이름은 높고 높아 멀리까지 들리어 저 수미산을 넘어

간다.

사람이 유명해지는 데는 그만한 실력이 있어야 하고 법력法力이 있어야 하고 덕화德化가 있어야 한다. 세상을 선도先導하는 보살은 모든 면에서 뛰어나기 때문에 그 이름이 수미산보다도 더 높아 널리 알려졌다. 명성名聲이 있는 사람의 말은 보통 사람의 말보다 훨씬 설득력이 있어서 효과가 더 있다. 인기 배우니, 인기 스타니, 인기 가수니, 인기 법사니 하는 말들이 곧 그것이다. 이것이 세상의 이치다.

심신견고　　유약금강
深信堅固하야 **猶若金剛**하며

깊은 믿음은 견고해서 마치 금강과 같다.

세상에서 가장 견고한 것은 금강, 즉 다이아몬드다. 다이아몬드를 조각할 때는 다른 물질로는 깎을 수 없다고 한다. 오직 다이아몬드로만 조각할 수 있다고 한다. 사람이 부처님이라는 사실을 정확하게 알고 깊이 믿는 마음이 견고하기가 다이아몬드 같다는 뜻이다. 사람의 가치와 그 존엄성을 부처님으로 굳게 믿기를 금강과 같이 견고하게 한다면 그의 인격은 굳이 묻지 않아도 알 수 있다. 진정한 보살이다.

법보보조 이우감로 어중언음 미묘제일
法寶普照하야 **而雨甘露**하며 **於衆言音**에 **微妙第一**이며

가르침의 보물로 널리 비추고 감로의 법문으로 비를 내리어 많고 많은 말 중에 미묘하기가 제일이다.

세상에는 보물이 많다. 그러나 불교에서는 세 가지 보물[三寶]을 말한다. 부처님과 부처님의 가르침과 부처님의 가르침을 따르는 사람들이다. 이 모두를 세상에 둘도 없는 보물이라고 한다. 금은보화가 산처럼 쌓여 있고 모든 건물과 아파트들을 황금으로 지었다 하더라도 부처님과 같은 훌륭한 스승이 없고, 훌륭한 스승의 가르침이 없고, 그 가르침을 좋아하고 따르는 사람이 없어서 세상이 온통 갈등과 분노와 시기질투와 미움으로 가득하다면, 그 황금으로 지은 집이 무슨 의미가 있으며 무슨 행복이 있겠는가. 사람이 이룩한 모든 것은 일체가 행복하기 위한 방편이요, 행복하기 위한

도구다. 그러므로 행복의 가르침, 해탈의 가르침은 보물 중의 보물이다. 그래서 법보法寶라 한다. 다디단 이슬 감로라 한다. 세상의 온갖 말 중에서 제일 미묘하고 아름답다.

심입연기 단제사견 유무이변 무부여습
深入緣起하야 **斷諸邪見**일새 **有無二邊**에 **無復餘習**하며

연기의 이치에 깊이 들어가서 모든 삿된 견해를 끊고, 있음과 없음의 두 가지 치우친 곳에 더 이상의 다른 물듦이 없다.

법회를 장엄하며 한편 법문을 듣기 위하여 모인 보살 대중의 덕행을 자세히 밝히는 내용이다. 불교에서 가장 이상적인 인격자를 보살이라고 한다. 그렇다면 부처님이 깨달으신 이치 가운데 가장 중요한 연기緣起의 이치에는 누구보다도 밝아야 하리라.

연기란 무엇인가. 세계 안에 있는 삼라만상 모든 존재의 상태와 그 작용에 대하여 원인[因]과 조건[緣]과 결과[果]의 관계성을 뜻한다. 석가모니 부처님은 이 연기의 진리를 깨달아 부처가 되었다고 한다. 즉 성도成道나 성불成佛의 내용은 곧 연기의 법칙을 깨달았다는 것이다. 연기의 법칙을 가장 간단하게 표현하면, "이것이 있으

므로 저것이 있고, 이것이 생기므로 저것이 생긴다. 이것이 없으므로 저것이 없으며, 이것이 멸하므로 저것이 멸한다."라고 하는 형식으로 표현된다.

이와 같은 연기의 원리는 하나의 원인으로 모든 것을 설명하는 일원론적一元論的인 세계관이나 세상의 모든 것이 결정되어 있다고 하는 운명론적인 해석을 부정한다. 모든 사물과 그 사태에는 일정한 원인과 조건이 반드시 있다는 것을 말한다. 그러므로 모든 존재는 인연에 따라 변화하며[無常], 자신의 고유한 존재성을 지닐 수 없다[空]. 이 법칙은 객관적인 사실이며, 어떠한 예외도 없고 변하지도 않는 것이다.

이러한 기본 틀이 구체적으로 인간에게 적용되어 나타난 초기불교의 연기론이 무명無名·행行·식識·명색名色·육입六入·촉觸·수受·애愛·취取·유有·생生·노사老死 등 12개의 범주로 이루어지는 12지연기十二支緣起이다. 연기론은 시대와 학파에 따라 매우 다양하게 해석되었다. 부파불교部派佛教에서 연기론은 특히 업業 사상과 결합하여 업감연기설業感緣起說로 나타났다. 이것은 중생의 생사유전生死流轉이 모두 자신의 업으로 말미암은 것이라고 설명한다. 그 외에도 뇌야賴耶연기, 진여眞如연기, 법계法界연기 등이 있다. 또한 12지연기를 과거·현재·미래에 적용하여 무명과 행을 과거에 배당하고, 식에서 유까지를 현재에 배당하고, 생과 노사를 미래에 배당하여 시간적·태생학적胎生學的으로 해석한 삼세양중인과론三世兩重因果論이 성립하기도 했다.

대승불교에서 중관학파中觀學派의 개조인 용수龍樹는 연기의 관계성에 주목하여 이로부터 공空 사상을 이끌어 냈다. 즉 모든 존재는 연기로 이루어져 있으며, 이것은 어떠한 존재도 타자他者와의 관계를 떠나서는 존재하지 못한다는 것을 의미한다. 그러므로 모든 존재는 고정불변하는 자성自性이란 있을 수 없는 공한 존재이다.

사람을 위시하여 세상의 모든 사물이나 사건을 이 연기의 원리로 보는 견해는 바른 견해이다. 이와 같지 않고 달리 보는 것은 삿된 소견이다. 그러므로 "연기의 이치에 깊이 들어가서 모든 삿된 견해를 다 끊는다."라고 하였다. 연기의 이치를 제대로 알면 모든 것에 "있음과 없음의 두 가지 치우친 곳에 더 이상의 다른 물듦이 있을 수 없다."라는 것이다. 연기의 이치를 아는 일은 보살의 기본일 뿐만 아니라 불교를 믿는 모든 사람의 기본 상식이기도 하다. 연기의 이치를 알면 모든 문제를 해결하는 열쇠를 갖게 된다. 연기라는 열쇠에는 열리지 않는 문제가 없기 때문이다.

연법무외 유사자후 기소강설 내여뇌진
演法無畏가 猶獅子吼하며 其所講說이 乃如雷震하야

무유량 이과량
無有量이며 已過量이라

법을 연설하는 데 두려움이 없는 것은 마치 사자후와 같고, 법을 강설하는 바는 마치 우레와 같아서 한량이 없으며 이미 그 양을 초과하였다.

보살이 중생을 교화하는 데는 여러 가지 방법이 있겠으나 무엇보다 가장 중요하고 효과적인 길은 참되고 바른 이치[法]를 강설하는 일이다. 설법 · 연설 · 강설 · 강의 · 법문 등이 모두 같은 의미인데 사자가 포효하듯이 당당하게, 우레가 치고 번개가 번뜩이듯이 사람들을 감동시켜야 한다. 남을 감동시키려면 먼저 자신이 그 뜻을 소화하여 깊이 감동한 뒤라야 가능하다. 이 경전에 등장하는 보살들은 설법하는 분야에서는 무한한 역량을 지닌 분들이다. 그 능력이 얼마인지 가늠할 수 없는 정도다.

집중법보 여해도사
集衆法寶하야 **如海導師**하며

여러 가지 법의 보물을 모으는 것은 마치 바다를 항해하는 훌륭한 선장과 같다.

보살이 법을 설하여 중생을 제도하는 것은 본래의 의무다. 그 의무를 다하려면 우선 법을 잘 알아야 한다. 무수한 수준과 근기들을 다 제도하려면 무수한 법의 이치를 꿰뚫고 있어야 한다. 8만4천 근기에 8만4천 법문이라 하지 않던가. 참선이면 참선, 염불이면 염불, 경전이면 경전, 심지어 사주와 관상까지도 경우에 따라서는 필요할 때가 있다. 그래야 바다를 항해하는 데 훌륭한 선장과 같이 세상의 배를 훌륭히 저어 일체중생을 저 언덕에 이르게 할 수 있을 것이다.

요달제법 심묘지의 선지중생왕래소취 급
了達諸法의 **深妙之義**하야 **善知衆生往來所趣**와 **及**

심소행
心所行하야

모든 법의 깊고 오묘한 뜻을 잘 통달하여, 중생이 가고 오고 나아가는 곳과 마음의 흘러가는 바를 잘 안다.

보살이 중생을 제도하려면 모든 법의 깊고 오묘한 뜻을 잘 통달하고 중생의 죽고 사는 일과 죽은 뒤에 어디로 갈 것인가, 그리고 중생의 마음의 움직임과 그 성향과 욕망과 취향까지 세세하게 잘 알고 있어야 한다. 그렇지 못하면 남을 제도할 수 없다.

5) 보살 대중의 덕행 5

근무등등 불자재혜 십력무외 십팔불공
近無等等의 **佛自在慧**와 **十力無畏**와 **十八不共**이며

누구와도 대등함이 없는 부처님의 자재한 지혜와 열 가지 힘과 두려움 없음과 열여덟 가지 특별한 법[不共]에 가까이하였다.

부처님을 누구와도 비교할 수 없는 분[無比], 누구와도 대등함이 없는 분[無等等], 저절로 그러하게 깨달으신 분[自然覺者], 세간을 초월한 바른 지식을 가진 분[超世正知], 지혜의 바다[智海] 등으로도 표

현한다. 부처님은 여러 가지 능력 중에 뛰어난 지혜를 가졌다는 의미가 가장 크다.

열 가지 힘[十力]이라는 것도 역시 지혜의 힘이다.

1. 처비처지력處非處智力 : 도리와 이치가 옳고 그른 것을 다 아는 지혜의 힘.
2. 업이숙지력業異熟智力 : 일체중생의 삼세 업보를 다 아는 지혜의 힘.
3. 정려해탈등지등지지력靜慮解脫等持等至智力 : 여러 가지 선정과 해탈과 삼매를 다 아는 지혜의 힘.
4. 근상하지력根上下智力 : 중생들의 근기가 높고 낮음을 다 아는 지혜의 힘.
5. 종종승해지력種種勝解智力 : 중생의 여러 가지 지해知解를 아는 지혜의 힘.
6. 종종계지력種種界智力 : 중생의 여러 가지 경계를 아는 지혜의 힘.
7. 변취행지력遍趣行智力 : 여러 가지 행업行業으로 어디에 가서 나게 되는 것을 아는 지혜의 힘.
8. 숙주수념지력宿住隨念智力 : 숙명통으로 중생의 가지가지 숙명을 아는 지혜의 힘.

9. 사생지력死生智力 : 천안통으로 중생이 죽어서 태어날 때와 선한 곳과 악한 곳을 걸림 없이 아는 지혜의 힘.
10. 누진지력漏盡智力 : 온갖 번뇌와 습기를 영원히 끊어 없애는 지혜의 힘.

부처님이 두려움이 없다는 것은 어떤 악한 사람을 만나거나 설법을 하더라도 전혀 의심하거나 두려울 것 없이 당당하다는 뜻이다. 자세히 말하면 사무소외四無所畏가 있다.

1. 정등각무외正等覺無畏 : 깨달아 정각에 오르는 데 두려움이 없다.
2. 누영진무외漏永盡無畏 : 온갖 번뇌를 끊어 두려움이 없다.
3. 설장법무외說障法無畏 : 설법하는 데 비난을 받는 장애가 있어도 두려움이 없다.
4. 설출도무외說出道無畏 : 고통을 끊어 해탈에 이르는 사제四諦와 팔정도八正道를 설하는 데 장애가 있어도 두려움이 없다.

열여덟 가지 특별한 법[十八不共法]이란 부처님께만 있는 열여덟 가지 공덕법이다. 이승二乘이나 보살에게는 공통되지 아니하므로 불공법이라 한다.

1. 신무실身無失 : 몸이 실수가 없고,

2. 구무실口無失 : 입이 실수가 없고,

3. 의무실意無失 : 생각이 실수가 없고,

4. 무이상無異想 : 두 가지 생각이 없고,

5. 무부정심無不定心 : 선정을 여읜 마음이 없고,

6. 무부지이사無不知已捨 : 알고서 버리지 않는 것이 없고,

7. 욕무감欲無減 : 하고자 하는 욕망이 줄어듦이 없고,

8. 정진무감精進無減 : 정진이 줄어듦이 없고,

9. 염무감念無減 : 억념함이 줄어듦이 없고,

10. 혜무감慧無減 : 지혜가 줄어듦이 없고,

11. 해탈무감解脫無減 : 해탈이 줄어듦이 없고,

12. 해탈지견무감解脫知見無減 : 해탈지견이 줄어듦이 없고,

13. 일체신업수지혜행一切身業隨智慧行 : 온갖 몸으로 하는 일이 지혜를 따르고,

14. 일체구업수지혜행一切口業隨智慧行 : 온갖 말로 하는 일이 지혜를 따르고,

15. 일체의업수지혜행一切意業隨智慧行 : 온갖 뜻으로 하는 일이 지혜를 따르고,

16. 지혜지견과거세무애무장智慧知見過去世無礙無障 : 지혜로 지나

간 세상 일을 아는 것이 걸림이 없고,

17. 지혜지견미래세무애무장智慧知見未來世無礙無障 : 지혜로 이다음 세상 일을 아는 것이 걸림이 없고,

18. 지혜지견현재세무애무장智慧知見現在世無礙無障 : 지혜로 지금 세상 일을 아는 것이 걸림이 없는 것이다.

보살이 이와 같은 여래의 경지에 가까워졌다는 것은 큰 덕행德行이다.

관 폐 일 체 제 악 취 문　　이 생 오 도　　이 현 기 신
關閉一切諸惡趣門하되 **而生五道**하야 **以現其身**하며

일체의 모든 악한 갈래의 문들을 다 막아 버렸으나 다섯 갈래의 길에 태어나서 그 몸을 나타낸다.

보살에게 악은 있을 수 없다. 그러나 악도의 중생을 제도하려면 일부러 악도에 몸을 나타내어야 한다. 지장보살이 자신에게 악이 있는 것은 아니지만 언제나 지옥에 가서 지옥의 중생을 교화하고 있다. 지장보살은 스스로 서원하기를, "내가 지옥에 가지 않으면

누가 지옥에 가겠는가."라고 하였다. 다섯 갈래[五道]란 지옥·아귀·축생·인도·천도다. 사람들은 하루에도 지옥의 삶을 살기도 하고, 아귀가 되기도 하고, 축생이 되기도 한다. 이처럼 하루에도 온갖 곳을 윤회하는 것이 보통 사람들의 삶이다. 보살은 그와 같은 것이 없으나 중생들을 교화하기 위해서 방편으로 그런 곳에 몸을 나타낸다.

위대의왕 선료중병 응병여약 영득복행
爲大醫王하야 **善療衆病**하되 **應病與藥**하야 **令得服行**하며

큰 의사가 되어 온갖 병을 잘 치료하는데 병에 맞추어 약을 주어 잘 복용하도록 한다.

부처님과 관음보살을 훌륭한 의사라고 표현하기도 한다. 세상의 사표師表인 보살은 당연히 세상 사람들 몸의 병과 마음의 병을 모두 치료하는 의사가 되어야 한다. 불교가 세상에 존재하는 이유가 바로 중생의 갖가지 병을 치료하기 위함이다. 그래서 불교가 하는 일을 한마디로 응병여약應病與藥하고 이고득락離苦得樂하는 종교

라고 한다. 『유마경』의 설법 인연이 바로 스스로 병이 있음을 보여서 중생의 병을 다스리는 것으로 되어 있다. '응병여약'은 『유마경』 명언 중의 하나다.

무량공덕 개성취 무량불토 개엄정
無量功德을 **皆成就**하고 **無量佛土**를 **皆嚴淨**하야

한량없는 공덕을 다 성취하고 한량없는 국토를 다 청정하게 장엄한다.

불교적 삶을 한마디로 표현하면 보살로 사는 삶이다. 보살로 사는 삶은 우선 한량없는 공덕을 다 성취하여야 한다. 한량없는 공덕을 다 성취하려면 자나 깨나 일체 공덕을 모두 다 닦고 지어야 한다. 보살이 지은 공덕으로 세상을 청정하게 장엄하게 된다.

신라 선덕왕 때 석장사에 살았던 양지良志 스님은 재주가 뛰어나서 영묘사 장육삼존상丈六三尊像과 천왕상을 조성하였고 법당과 목탑의 기와 무늬도 새겼다. 또 천왕사의 목탑 밑 팔부신장과 법림사의 삼존불과 좌우 금강역사金剛力士도 조성하였다. 이러한 많은 불사를 하면서 함께 흙을 나르고 기왓장을 운반하는 수많은 승속僧

俗에게 양지 스님이 향가鄕歌를 지어 부르게 하기도 하였는데, 그때 부른 향가는 불교의 인생관과 사람이 살아가는 목적을 잘 표현하였다. 일종의 노동요勞動謠와 같아서 매우 짧지만 뜻은 충분히 담겨 있는 향가다.

"오다. 오다. 오다.
오다. 서럽더라.
서럽더라. 우리네여.
공덕 닦으러 오다."

이렇게 단 다섯 개의 낱말에 네 줄뿐이지만 인생은 과거와 현재와 미래를 통해 영원히 온다는 불교적 삼세관三世觀과 이 세상에 와서 보면 인생은 서러운 것, 즉 고해苦海요 화택火宅이라는 사실과, 그 서러운 현실은 우리가 모두 다 같다는 것, 그리고 그와 같은 서러운 현실이지만 미래를 위해 그리고 또 다른 사람들과 세상을 위해 부지런히 공덕을 닦으며 살아야 한다는 불교적 인생관을 매우 잘 표현하고 있다.

불교는 한마디로 공덕을 닦으며 살아가라는 가르침이다. 내가 닦는 공덕이 사람들을 행복하게 하고 세상을 평화롭게 하고 나아가서 국토를 청정하게 장엄하는 일이 되기 때문이다.

기견문자 무불몽익 제유소작 역부당연
其見聞者가 **無不蒙益**하고 **諸有所作**을 **亦不唐捐**하야

여시일체공덕 개실구족
如是一切功德을 **皆悉具足**이니라

보고 듣는 사람들은 다 이익을 얻고 모든 하는 일들은 또한 헛되지 않아 이와 같은 일체 공덕을 모두 다 구족하였다.

이러한 보살은 그를 보는 사람도 그의 이름을 듣는 사람도 모두 이익을 얻게 된다. 그를 예배하고 공양하고 공경하면 역시 큰 공덕이 되어 절대 헛되지 않으리라. 나옹懶翁 화상 발원문의 "나의 이름을 듣는 사람들은 삼악도의 고통을 면하고, 나의 모습을 보는 사람들은 해탈을 얻어지이다[聞我名者免三途 見我形者得解脫]."라는 뜻과 같다.

『유마경』을 설하는 법석法席에 모여 법문을 듣는 보살들의 그 덕행은 위에서 길게 설명한 바와 같다. 법문을 들으려고 모인 대중들의 덕행과 수준을 보면 어떤 수준의 설법이 있으리라는 것도 짐작

할 수 있다. 설법은 언제나 청중들의 근기와 수준을 잘 살펴서 이익이 되도록 해야 보람도 있고 가치가 있는 설법이 된다.

3. 보살 대중의 명호

기명왈 등관보살 부등관보살 등부등관보살
其名曰 等觀菩薩과 不等觀菩薩과 等不等觀菩薩과

정자재왕보살 법자재왕보살 법상보살 광상보
定自在王菩薩과 法自在王菩薩과 法相菩薩과 光相菩

살 광엄보살 대엄보살 보적보살 변적보살
薩과 光嚴菩薩과 大嚴菩薩과 寶積菩薩과 辨積菩薩과

보수보살 보인수보살 상거수보살 상하수보살
寶手菩薩과 寶印手菩薩과 常擧手菩薩과 常下手菩薩

상참보살 희근보살 희왕보살 변음보살 허
과 常慘菩薩과 喜根菩薩과 喜王菩薩과 辯音菩薩과 虛

공장보살 집보거보살 보용보살 보견보살 제
空藏菩薩과 執寶炬菩薩과 寶勇菩薩과 寶見菩薩과 帝

망보살 명망보살 무연관보살 혜적보살 보승
網菩薩과 明網菩薩과 無緣觀菩薩과 慧積菩薩과 寶勝

보살 천왕보살 괴마보살 전덕보살 자재왕보
菩薩과 天王菩薩과 壞魔菩薩과 電德菩薩과 自在王菩

살 공덕상엄보살 사자후보살 뇌음보살 산상
薩과 功德相嚴菩薩과 獅子吼菩薩과 雷音菩薩과 山相

격음보살 향상보살 백향상보살 상정진보살
擊音菩薩과 香象菩薩과 白香象菩薩과 常精進菩薩과

불휴식보살 묘생보살 화엄보살 관세음보살
不休息菩薩과 妙生菩薩과 華嚴菩薩과 觀世音菩薩과

득대세보살 범망보살 보장보살 무승보살 엄
得大勢菩薩과 梵網菩薩과 寶杖菩薩과 無勝菩薩과 嚴

토보살 금계보살 주계보살 미륵보살 문수사
土菩薩과 金髻菩薩과 珠髻菩薩과 彌勒菩薩과 文殊師

리법왕자보살 여시등 삼만이천인
利法王子菩薩이니 如是等이 三萬二千人이니라

그 보살들의 이름은 다음과 같다. 등관보살과 부등관보살과 등부등관보살과 정자재왕보살과 법자재왕보살과 법상보살과 광상보살과 광엄보살과 대엄보살과 보적보살과 변적보살과 보수보살과 보인수보살과 상거수보살과 상하수보살과 상참보살과 희근보살과 희왕보살과 변음보살과 허공장보살과 집보거보살과 보용보살과 보견보살과 제망보살과 명망보살과 무연관보살과 혜적보살과 보승보살과 천왕보살과 괴마보살과 전덕보살과 자재왕보살과 공덕상엄보살과 사자후보살과 뇌음보살과 산상격음보살과 향상보살과 백향상보살과 상정진보살과 불휴식보살과 묘생보살과 화엄보살과 관세음보살과 득대세보살과 범망보살과 보장보살과 무승보살과 엄토보살과 금계보살과 주계보살과 미륵보살과 문수사리법왕자보살 등 이와 같은 3만2천 사람이었다.

3만2천 명의 보살 중에서 52명의 이름이 소개되었다. 법회 청중 중에 비구 스님의 이름은 단 한 명도 거론되지 않은 것과 비교해 보면 보살들에 대한 비중을 너무 크게 둔 것이 아닌가 생각된다. 『유마경』은 소승성문들의 편협한 아집을 깨뜨리고 대승보살도를 크게 드날리려는 것이 경전 편찬의 가장 큰 목적임이 나타난다. 그래서 필자는 『유마경』을 『법화경』과 아울러 '대승불교운동의 선언서'라고 생각한다. 또 52명이란 숫자는 대승보살도의 계위가 52위인 것과 연관이 있을 것이다.

4. 그 외의 청중

부 유 만 범 천 왕 시 기 등 종 여 사 천 하 내 예 불 소
復有萬梵天王尸棄等이 從餘四天下하야 來詣佛所

이 청 법 부 유 만 이 천 천 제 역 종 여 사 천 하 내
而聽法하며 復有萬二千天帝하야 亦從餘四天下하야 來

재 회 좌 병 여 대 위 력 제 천 용 신 야 차 건 달 바
在會坐하고 並餘大威力諸天과 龍과 神과 夜叉와 乾闥婆

아 수 라 가 루 라 긴 나 라 마 후 라 가 등 실 래 회
와 阿修羅와 迦樓羅와 緊那羅와 摩睺羅伽等이 悉來會

좌 제 비 구 비 구 니 우 바 새 우 바 이 구 래 회 좌
坐하며 諸比丘와 比丘尼와 優婆塞와 優婆夷가 俱來會坐

하니라

또다시 시기범천왕과 같은 1만여 명의 범천왕들이 사천하四天下로부터 부처님의 처소로 와서 법을 들었다. 또다시 1만2천 명이나 되는 하늘의 제왕들이 역시 사천하로부터 법회에 와서

앉아 있었다. 그리고 또 대위력천왕과 용과 신과 야차와 건달바와 아수라와 가루라와 긴나라와 마후라가 등이 법회에 와 앉았다. 그리고 여러 비구와 비구니와 우바새와 우바이가 함께 법회에 와 앉았다.

『유마경』의 법회 청중은 계속 이어진다. 어떤 조건에도 제한이 없고 걸림이 없는 툭 터진 대승보살도는 다양한 민족과 다양한 풍속과 다양한 수준과 근기들을 다 흡수하고 수용하며 융합한다는 대승적 정신을 잘 표현하고 있다고 하겠다. 범천왕과 하늘의 제왕들과 온갖 천신과 8부 신중과 4부 대중이 골고루 다 모여 왔다. 참으로 뭇 생명을 하나도 남김없이 다 교화하겠다는 부처님의 본의가 법회 청중에서 밝혀졌다.

피시 불 여무량백천지중 공경위요 이위

彼時에 **佛**이 **與無量百千之衆**으로 **恭敬圍繞**하야 **而爲**

설법 비여수미산왕 현우대해 안처중보사

說法하시니 **譬如須彌山王**이 **顯于大海**하며 **安處衆寶獅**

자 지 좌　　폐 어 일 체 제 래 대 중
子之座하야 **蔽於一切諸來大衆**하시니라

그때에 부처님이 한량없는 백천百千 대중과 더불어 공경을 받으며 둘러싸여서 그들을 위하여 법을 설하시니, 비유하자면 마치 큰 수미산이 큰 바다에 우뚝하게 드러난 것과 같았다. 여러 가지 보배로 꾸며진 사자좌에 편안히 앉아 계시니 일체 모든 대중을 다 가려 버렸다.

부처님이 한량없는 대중에게 둘러싸여 계시는 광경을 표현하였다. "큰 바다 한가운데에 수미산이 우뚝 솟아 있는 것과 같다."라고 하였다. 수미산을 보는 사람의 눈에 바다는 보이지 않고 산만 보이듯이 한량없는 대중이 모였는데 대중은 보이지 않고 오직 부처님만 우뚝하여 대중을 모두 가려 버렸다고 하였다. 이 이상 달리 어떻게 표현하겠는가.

5. 장자의 아들 보적

이시 비야리성 유장자자 명왈 보적 여오
爾時에 毘耶離城에 有長者子하니 名曰 寶積이라 與五

백장자자 구지칠보개 내예불소 두면예족
百長者子로 俱持七寶蓋하고 來詣佛所하야 頭面禮足하고

각이기개 공공양불
各以其蓋로 共供養佛하니라

그때에 비야리 성城에 장자의 아들이 있었으니 이름이 보적寶積이었다. 5백 명의 장자 아들들과 함께 칠보로 된 일산日傘을 가지고 부처님의 처소에 나아가서 머리로써 부처님의 발에 예배하였다. 그리고 따로따로 가지고 온 일산으로 다 같이 부처님께 공양하였다.

이상세계를 이야기하려는 「불국품佛國品」을 설하면서 큰 비구 스님과 보살 등 수많은 법회 청중을 소개하고 나서 특별히 장자의 아들 보적寶積이라는 젊은 청년을 등장시켰다. '보물이 가득 쌓여 있다.'는 의미의 이름이다. 재산이 많고 지혜가 우수한 장자의 아들들 5백 명과 함께 칠보로 된 일산日傘을 하나씩 들고 와서 부처님께 공양 올렸다. 공양거리가 무수히 많은데 왜 하필이면 일산을 공양 올렸을까? 일산은 햇빛을 가리기 위하여 세우는 큰 양산인데 황제나 황태자나 왕세자들이 행차할 때 받치던 의장용 양산이다. 또는 감사나 유수나 수령들이 부임할 때 쓰기도 하였다. 『유마경』에서 이것으로써 공양 올렸다는 것은 경전의 품격을 은근히 나타낸 것이기도 하다.

또한 일산이 뜨거운 햇빛을 가리고 사람들을 시원하게 해 주듯이 부처님의 대승법문이 드디어 세상 사람들의 정신세계를 편안하고 시원하게 하여 준다는 뜻이 있으리라.

대승경전에는 5백이라는 숫자가 자주 등장하는데 아마도 부처님이 입멸하시고 5백 년 이후부터 대승불교운동이 크게 일어나서 비로소 불교다운 불교가 세상에 홍성하였음을 나타내는 의미가 깃들어 있음을 보인 것이리라.

6. 세계일개世界一蓋

불지위신 영제보개 합성일개 변부삼천대
佛之威神이 **令諸寶蓋**로 **合成一蓋**하여 **遍覆三千大**

천세계 이차세계광장지상 실어중현
千世界하니 **而此世界廣長之相**이 **悉於中現**하니라

부처님의 위신력으로 여러 개의 보배 일산이 합하여 하나가 되어 삼천대천세계를 두루 덮으니 이 세계의 드넓은 형상이 모두 그 가운데 다 나타났다.

「불국품」은 『유마경』의 서론이다. 그 서론에서 5백 개의 일산이 하나로 합해지면서 그것으로 삼천대천세계를 두루 다 덮고, 그 하나가 된 일산에 삼천대천세계의 모습이 다 나타났다는 것은 의미하는 바가 적지 않다. 흔히 『유마경』의 주된 종지가 불이법문不二法門이라고 한다. 둘이 아니라는 말인데 우선 그 둘이란 우주만유의 온갖 차별현상을 뜻하며, 둘이 아니라는 것은 그 많고 많은 차별

현상이 궁극적 차원에서 보면 통일된 하나[不二]라는 뜻이다. 세상 만상과 우리의 모든 존재가 궁극적으로 절대 평등의 통일된 하나라는 뜻은 『유마경』의 절정을 이루는 제9「입불이법문품入不二法門品」에서 철저하게 드러낼 것이지만, 서론인 「불국품」에서 먼저 그 큰 뜻을 일산日傘으로써 상징적으로 참으로 근사하게 보여 주고 있다. 경전 편찬의 절묘함을 짐작하게 한다.

우차삼천대천세계 제수미산 설산 목진인타
又此三千大千世界의 **諸須彌山**과 **雪山**과 **目眞隣陀**

산 마하목진인타산 향산 보산 금산 흑산
山과 **摩訶目眞隣陀山**과 **香山**과 **寶山**과 **金山**과 **黑山**과

철위산 대철위산 대해 강하 천류 천원 급
鐵圍山과 **大鐵圍山**과 **大海**와 **江河**와 **川流**와 **泉源**과 **及**

일월성신 천궁 용궁 제존신궁 실현어보개중
日月星辰과 **天宮**과 **龍宮**과 **諸尊神宮**이 **悉現於寶蓋中**

우시방제불 제불설법 역현어보개중
하며 **又十方諸佛**과 **諸佛說法**도 **亦現於寶蓋中**하니라

또한 이곳 삼천대천세계의 여러 수미산과 설산과 목진인타

산과 마하목진인타산과 향산과 보산과 금산과 흑산과 철위산과 대철위산과 대해와 강하와 내와 샘과 그리고 해와 달과 별과 천궁과 용궁과 온갖 신들의 궁전이 모두 보배 일산 가운데 나타났으며, 또한 시방의 모든 부처님과 모든 부처님이 설법하는 것까지 또한 보배 일산 가운데 다 나타났다.

이렇게 모든 것이 다 나타난 일산이란 곧 우주 전체를 지칭하는 삼천대천세계며, 삼천대천세계가 곧 하나의 일산이다. 세계일화世界一花라는 말이 있다. 『유마경』에서는 세계일개世界一蓋다. 『유마경』의 일개에는 부처님과 부처님의 설법까지도 다 나타났다는 것이다. 즉 유마 거사의 차별이 아닌 통일된 하나를 나타내는 위대한 침묵 속에는 온 우주만유가 다 포함되었다는 뜻이다. 만약 언어로 표현하면 표현하는 그 한 가지뿐이지만, 진정한 침묵은 모든 것을 다 함유하는 것이 되기 때문이다.

7. 보적의 게송

1) 보적의 게송 1

이시 일체대중 도불신력 탄미증유 합장
爾時에 **一切大衆**이 **覩佛神力**하고 **歎未曾有**하며 **合掌**

예불 첨앙존안 목부잠사 장자자보적 즉
禮佛하고 **瞻仰尊顔**하되 **目不暫捨**러라 **長者子寶積**이 **卽**

어불전 이게송왈
於佛前에 **以偈頌曰**

그때에 일체 대중이 부처님의 신력을 보고 처음 보는 미증유한 일이라고 찬탄하며, 합장하고 부처님께 예배하고, 존안을 우러러보며 눈을 잠깐도 떼지 않았다. 장자의 아들 보적이 곧 부처님 앞에서 게송을 설하였다.

목 정 수 광 여 청 련　　심 정 이 도 제 선 정
目淨修廣如青蓮하고 **心淨已度諸禪定**이라

구 적 정 업 칭 무 량　　도 중 이 적 고 계 수
久積淨業稱無量하사 **導衆以寂故稽首**니다

눈은 맑고 길고 넓어 마치 푸른 연꽃 같고
마음은 텅 비어 이미 모든 선정禪定을 다 성취하였네.
오랫동안 청정한 업을 쌓아 한량이 없으사
고요히 대중들을 인도하실새 머리 숙여 예배합니다.

『유마경』 법회에 맨 먼저 등장하는 장자의 아들 보적이다. 그렇다면 부처님을 찬탄하는 노래가 없을 수 없다. 더구나 부처님께서 신통한 능력으로 보여 준 것은 지금까지 보지 못하던 참으로 희유하고 아직 한 번도 있은 적이 없는 광경이었다.

먼저 부처님의 눈을 찬탄하였다. "맑고 길고 넓은 모습이 마치 푸른 연꽃과 같다."라고 하였다. 관상학에도 '안장유학眼長有學'이라 하였다. 눈이 길면 학문이 있고 지혜가 있다는 뜻이다. 푸른 연꽃은 인도에도 흔치 않은 귀한 꽃이다.

다음으로는 텅 빈 마음을 찬탄하였다. 지극한 선정이 아니면 마음이 텅 빌 수가 없다. 마음이 텅 비어야 모든 중생의 마음을 다 담을 수 있을 것이기 때문이다. 또 "오랫동안 청정한 업을 쌓아서 부처님이 되었다."라고 하였다. 불교는 한마디로 좋은 업을 짓는 것을 배우는 종교다. 좋은 업이란 자신에게 좋고 다른 사람에게도 좋은 일이다. 그것을 다른 말로 '복을 짓는다.' 또는 '공덕功德을 닦는다.'라고 한다. 부처님은 사람들에게 자신을 위해서, 또는 남을 위해서 부디 공덕을 닦으라고 가르친다. 공덕을 닦는 일도 사람이 아니면 할 수 없는 일이다. 그와 같은 복덕과 지혜를 몸소 보여 줌으로써 대중을 선업善業으로 인도한다. 부처님의 이와 같은 사실들을 잘 알게 되면 저절로 머리가 숙여지고 존경심이 우러나오리라.

기 견 대 성 이 신 변　　보 현 시 방 무 량 토
既見大聖以神變으로　**普現十方無量土**하며

기 중 제 불 연 설 법　　어 시 일 체 실 견 문
其中諸佛演說法커늘　**於是一切悉見聞**이니다

이미 큰 성인이 신통과 변화로
시방의 한량없는 국토를 널리 나타냄을 다 보며
그 가운데 모든 부처님이 법을 연설하는데
여기에서 모든 것을 다 보고 듣습니다.

하나로 통일된 일산 속에 시방의 한량없는 국토가 다 나타난 것을 보며, 부처님이 설법하시는 것까지 다 보고 듣는다는 것은 지극히 정상적인 사람이 사물을 보고 소리를 듣고 어떤 문제를 생각하고 옳고 그름을 분별하는 본연의 능력을 찬탄하는 말이다. 지금 우리가 여기에서 이렇게 글을 보고 읽고 찬탄하고 비판도 하고 환희심도 낼 줄 아는 이 본래의 능력이야말로 가장 훌륭한 신통력이다. 이 사실과 이 능력을 제외하고 달리 무슨 신통변화가 있을 수 있겠는가? 만약 있다면 그것은 마귀의 술법術法이리라.

법 왕 법 력 초 군 생　　상 이 법 재 시 일 체
法王法力超群生하사　常以法財施一切하며

능 선 분 별 제 법 상　　어 제 일 의 이 부 동
能善分別諸法相하나　於第一義而不動이로다

이 어 제 법 득 자 재　　시 고 계 수 차 법 왕
已於諸法得自在일세　是故稽首此法王이로다

법왕의 법력은 온갖 중생을 다 뛰어넘으시어
항상 법의 재물로써 일체중생에게 보시하며
모든 법의 행상들을 능히 잘 분별하나

제일의第一義에는 움직이지 않습니다.
이미 모든 법에 자유자재함을 얻었나니
그러므로 이러한 법왕에게 머리 숙여 예배합니다.

부처님이 다른 사람과 다르고 특별한 점은 세상사와 인생사에 대한 바르고 참된 이치를 깨달아 그것을 많은 사람들에게 가르치고 베풀고 보시하는 점이다. 인생에 대한 참되고 바른 이치, 즉 진리를 가르치고 진리를 보시하기 때문에 자신을 스스로 대시주자大施主者라고 불렀다.

온갖 법을 무수한 중생의 수준과 근기에 맞추어 방편을 써 가며 설명하더라도 제일의第一義에는 흔들리지 않는다고 하였다. 제일의란 제일의제·진제眞諦·승의제勝義諦라고도 한다. 제일의의 진리와 열반·진여·실상·중도 등의 진리를 이른다. 즉 부처님이 깨달으신 궁극적 경지를 잃지 않고 방편을 설한다는 뜻이다. 불교의 궁극적 종지宗旨를 굳게 지키며 설법한다는 것은 대단히 중요한 의미가 있다. 만약 근기를 맞춘다고 하여 불교의 큰 종지를 잃어버리고 사람들의 수준에만 따라간다면 삿된 법을 설하게 되고 외도外道의 법을 설하게 되기 때문이다. 조심하고 삼가며 또 조심하고 삼가야 할 일이다. 부처님은 이와 같은 분이기 때문에 법의 왕이다.

머리 숙여 예배드리지 않을 수 없다.

2) 보적의 게송 2

설 법 불 유 역 불 무　　이 인 연 고 제 법 생
說法不有亦不無나　**以因緣故諸法生**하며

무 아 무 조 무 수 자　　선 악 지 업 역 불 무
無我無造無受者나　**善惡之業亦不亡**라

설법은 있지도 않고 또한 없지도 않으나
인연인 까닭에 모든 법이 생기며
나도 없고 지음도 없고 받는 자도 없으나
선과 악의 업은 또한 없지 않습니다.

『금강경』에 무득무설분無得無說分이 있다. 나는 쉽게 설명하기를, "부처님의 재산은 두 가지인데 진리를 깨달은 것과 그 진리를 설한 것이다."라고 말한다. 그러나 『금강경』에는 "깨달음을 얻음도 없고 깨달음을 설한 것도 없다."라고 하였다. 한 차원 달리 생각해 보면 이해할 수 있는 내용이다. 보적의 게송에도 부처님의 설법은 있는 것도 아니며 없는 것도 아니라고 하였다. 왜냐하면 인연으로 말미암아 갖가지 법이 생기고 인연으로 말미암아 가지가지 법이 소멸하기 때문이다. "나도 없고 지음도 없고 받는 자도 없으나 선과 악의 업은 또한 없지 않다."라고 하였는데 불교를 잘못 이해하여 모든 것을 공무空無한 것으로만 오해할까 염려하여 "선과 악의 업은 또한 없지 않다."라고 강조하였다. 유형한 것이나 무형한 것이나 모두가 있음과 없음의 양면성을 함께 가지고 있다는 중도성을 잊어서는 안 된다는 의미이다.

시재불수력항마　　득감로멸각도성
始在佛樹力降魔하고　**得甘露滅覺道成**하며

이무심의무수행　　이실최복제외도
已無心意無受行하야　**而悉摧伏諸外道**로다

처음 보리수 아래에서 마군들을 항복받고
감로의 열반을 얻고 깨달음을 이루고 나니
이미 심의식과 수상행이 벌써 사라지고
모든 외도까지 다 항복받았습니다.

부처님께서 6년의 고행을 마치고 7일간 보리수나무 아래서 선정에 들어 마군을 항복받고 큰 깨달음을 이루게 된 내용을 간단하게 밝힌 부분이다. 『반야심경』에는 깨달음의 내용을 공空으로 설명하고 인생 문제의 해결도 공으로 설명하였다. 공空에는 눈과 귀와 코와 혀 등도 없고, 물질 소리 향기 맛 등도 없고, 심의식心意識과 수상행식受想行識도 없다고 하였다. 이곳 게송과 똑같다. 그것으로 마음에서 일어나는 모든 마군과 갈등과 시시비비 등의 문제를 다 잠재울 수 있었다고 하였다. 한마디로 표현하면 '나는 없다.'라는 문제 해결의 열쇠다. 이타행利他行의 보살행을 하기 전에 자기 문제 해결에는 가장 훌륭한 방법이다. 부처님은 이렇게 하여 자신의 문제를 먼저 해결하였다.

삼 전 법 륜 어 대 천　　기 륜 본 래 상 청 정
三轉法輪於大千하시니 **其輪本來常淸淨**이라

천 인 득 도 차 위 증　　삼 보 어 시 현 세 간
天人得道此爲證하니 **三寶於是現世間**이로다

대천세계에 법륜을 세 번 굴리시니
그 법륜은 본래 항상 청정함이라

천신과 사람들이 도를 얻어 깨닫게 되니
삼보三寶가 이로부터 세간에 나타났습니다.

부처님은 위에서 설명한 대로 자신의 문제를 해결하고 나서 세상에다 문제[苦, 煩惱]를 해결하는 법을 설하셨으며, 처음의 대상은 다섯 비구였다. 설법하시는 부처님과 설하는 법의 내용과 설법을 듣는 제자들, 이렇게 해서 삼보三寶가 비로소 세상에 등장하게 되었다는 내용이다. 처음에는 고집멸도苦集滅道 사성제를 설하였는데 설법하는 방법은 세 가지 방향에서 설하였다.

그것을 한 가지 주제를 가지고 세 번 굴린다 하여 삼전법륜三轉法輪이라 한다. 시전示轉, 권전勸轉, 증전證轉이다. 시전이란, 보통 사람들은 늘 고통 속에 산다는 것을 설명해 보이고[示], 성인들은 늘 행복과 즐거움을 누린다는 것을 설명해 보이는 것이다. 권전이란, 사람들에게 빨리 수행을 해서 고통을 없애고 즐거움을 얻으라고 권장[勸]하는 설법이다. 증전이란, 부처님께서 스스로 깨달음을 성취하여 모든 고통을 떠났으며 일체 낙樂을 누리고 있음을 증명[證]해 보이는 설법이다. 이것이 법을 설하는 데 반드시 갖추어야 할 세 가지 요건이다. 장자의 아들 보적은 부처님 설법의 이러한 과정들을 자세히 상기하면서 찬탄하고 예경하는 것이다.

이 사 묘 법 제 군 생　　　일 수 불 퇴 상 적 연
以斯妙法濟群生하시니 **一受不退常寂然**이라

도 노 병 사 대 의 왕　　　당 례 법 해 덕 무 변
度老病死大醫王이여 **當禮法海德無邊**이로다

이 미묘한 법으로써 온갖 생명을 제도하시니
한 번 받아 가지면 물러서지 않고 항상 적연함이라
늙고 병들고 죽는 것을 해결하는 큰 의왕이시니
법의 바다 가없는 공덕에 마땅히 예경합니다.

부처님께 예경할 때 "지극한 마음으로 이 목숨 바쳐 귀의하고 받드옵니다."라고 한다. 왜냐하면 부처님이 깨달으신 법은 무상심심미묘법無上甚深微妙法이며 불가사의한 법이며 최상의 깨달음의 법이기 때문이다. 그것으로 무수한 생명을 교화하고 제도하기 때문이다. 그 미묘한 법을 한번 받아들이면 절대로 물러서지 않기 때문이다. 구체적으로 설명하면 인간에게서 가장 어려운 문제인 늙음의 문제와 병고의 문제와 죽음의 문제까지 해결하기 때문이다. 그 가르침은 바다처럼 넓다. 그로 인한 부처님의 공덕은 끝없이 넓기 때문이다. 어찌 이 목숨 다해 귀의하지 않으랴. 보적의 부처님의 덕을 찬탄하는 게송은 이 한 게송만으로도 만고에 빼어나다.

3) 보적의 게송 3

훼 예 부 동 여 수 미　　어 선 불 선 등 이 자
毁譽不動如須彌하야　**於善不善等以慈**로다

심 행 평 등 여 허 공　　숙 문 인 보 불 경 승
心行平等如虛空이라　**孰聞人寶不敬承**이리오

비방과 칭찬에 움직이지 않는 것이 수미산과 같고
선한 사람 악한 사람 평등하게 자비로써 대하시니
마음과 행동이 평등하여 허공과 같아라.
사람 중의 보배를 듣고 그 누가 공경하여 받들지 않겠습니까.

부처님은 만행만덕萬行萬德을 두루 갖추신 천하에서 제일가는 세존이시지만 놀랍게도 비방도 많이 들었고 음해陰害도 많이 당하셨다. 다 이유야 있었겠지만 어떤 이는 언덕에서 바위를 굴려 살해하려 하기도 했고, 사나운 코끼리에게 술을 먹여 부처님 앞에 풀어놓기도 하였다. 어떤 여자는 거짓으로 아기를 밴 모습을 하고 와서는 부처님의 짓이라고 음해도 하였다. 외도들이 부처님께 귀의歸依하자 그들의 스승들이 몰려와서 숱한 욕설과 비방을 하기도 하였다. 반대로 저 삼십삼천三十三天보다 더 높이 칭찬을 하는 이도 있었다. 그러나 그 모든 일에 대해서 마치 산 중의 왕인 수미산須彌山처럼 꼼짝도 하지 않았다. 그러면서 선한 이든지 악한 이든지 모두에게 한결같은 자비심으로 평등하게 대하였다. 그 마음 씀씀이가 허공과 같았다. 이러한 사실을 보고 들어 안다면 그 누가 존경하여 받들지 않겠는가.

금 봉 세 존 차 미 개　　어 중 현 아 삼 천 계
今奉世尊此微蓋하니　**於中現我三千界**와

제 천 룡 신 소 거 궁　　건 달 바 등 급 야 차
諸天龍神所居宮과　**乾闥婆等及夜叉**하며

지금 이 작은 일산으로 세존께 받들어 올리나니
그 가운데 우리가 사는 삼천대천세계도 나타나며
온갖 하늘과 용과 신들이 사는 궁전도 나타나며
건달바와 야차도 나타납니다.

옛말에 "선비는 자기를 알아주는 사람을 위해서 죽는다."라고 하였다. 또 중국 춘추시대 초나라의 종자기鍾子期라는 사람은 당시 거문고의 명인名人이었던 백아伯牙의 친구로서, 그의 거문고 소리를 잘 알아들었다고 한다. 종자기가 죽자 백아는 자기의 음악을 이해하여 주는 이가 없음을 한탄하여 거문고 줄을 끊고 다시는 거문고를 타지 않았다고 한다.

요즘 우리나라의 불자들은 부처님을 공경하여 예배드리면서 백배拜 천배 만배 심지어 백만배까지 절을 하는 사람도 있고, 혹은 돈을 올리고 쌀을 올리고 과일・떡・꽃 등을 올리면서 부처님께 공양을 드린다고 생각한다. 각자의 경험과 지식을 동원하여 알고 있는 대로 공경을 표현한다. 그런데 보적은 동료가 하나씩 들고 온 5백 개의 일산이 하나로 만들어진 큰 일산 하나를 부처님께 공양 올렸다.

『유마경』을 설하는 부처님의 뜻은 우주만유가 궁극적으로 둘이 아닌 절대 평등의 세계임을 이해시키려는 데 있다. 거기에서 또한 동체대비同體大悲가 나오기 때문이다. 그 뜻을 잘 알고 있는 보적은 그 의미를 하나의 일산으로 상징하여 부처님께 공양 올림으로써 이심전심以心傳心이 되었다. 이보다 더 부처님의 마음에 드는 공양은 있을 수 없다. 뜻에 맞는 공양, 그가 참으로 좋아할 공양, 그분의 속 깊은 마음을 꿰뚫어 본 공양이야말로 진정한 공양이며 참다운 불공이리라.

실견세간제소유　　십력애현시화변
悉見世間諸所有는　十力哀現是化變이라

중도희유개탄불　　금아계수삼계존
衆覩希有皆歎佛일세　今我稽首三界尊하나이다

세간에 있는 모든 것을 다 볼 수 있는 것은
부처님[十力]이 연민으로 이러한 변화를 나타낸 것입니다.
대중은 희유함을 보고 모두 부처님을 찬탄하니
지금 저는 삼계의 어른님께 머리 숙여 예배합니다.

부처님의 지혜와 덕을 표현하는 데는 여러 가지가 있다. 여기서는 열 가지 힘[十力]을 가지신 분이라고 하였다. 그 열 가지 힘은 다음과 같다.

1. 처비처지력處非處智力 : 도리와 이치가 옳고 그른 것을 다 아는 지혜의 힘.
2. 업이숙지력業異熟智力 : 일체중생의 삼세 업보를 다 아는 지혜의 힘.
3. 정려해탈등지등지지력靜慮解脫等持等至智力 : 여러 가지 선정과 해탈과 삼매를 다 아는 지혜의 힘.
4. 근상하지력根上下智力 : 중생들의 근기가 높고 낮음을 다 아는

지혜의 힘.

5. 종종승해지력種種勝解智力 : 중생의 여러 가지 지해知解를 아는 지혜의 힘.
6. 종종계지력種種界智力 : 중생들의 여러 가지 경계를 다 아는 지혜의 힘.
7. 변취행지력遍趣行智力 : 여러 가지 행업行業으로 어디에 가서 나게 되는 것을 다 아는 지혜의 힘.
8. 숙주수념지력宿住隨念智力 : 숙명통宿命通으로 중생의 가지가지 숙명을 다 아는 지혜의 힘.
9. 사생지력死生智力 : 천안통天眼通으로 중생이 죽어서 태어날 때와 선한 곳과 악한 곳을 걸림 없이 다 아는 지혜의 힘.
10. 누진지력漏盡智力 : 온갖 번뇌와 습기를 영원히 끊어 없애는 지혜의 힘.

이러한 지혜의 힘을 가지신 부처님이 중생을 연민하게 여기는 마음으로 그와 같은 변화의 모습을 나타내 보였다. 불교는 자비다. 온 세계가 나와 한 몸[世界一蓋]이라는 『유마경』의 큰 뜻이라야 깊은 자비심이 나오기 때문이다.

4) 보적의 게송 4

대 성 법 왕 중 소 귀　　　정 심 관 불 미 불 흔
大聖法王衆所歸라　**淨心觀佛靡不欣**하며

각 견 세 존 재 기 전　　　사 즉 신 력 불 공 법
各見世尊在其前하나니 **斯則神力不共法**이로다

큰 성인 법의 왕은 중생들의 귀의할 바라
청정한 마음으로 부처님을 뵙고 모두 기뻐합니다.
각자가 세존을 뵙되 눈앞에 있는 듯하니
이것은 신령한 힘이며 특별한 법입니다.

부처님은 분명히 성인聖人 중의 성인이시다. 그리고 마음을 지닌 사람은 세상에 존재하는 모든 것 중에 가장 위대하다. 부처님이라고 부르든 사람이라고 부르든 신神이라고 부르든, 그가 어떤 모습을 하고 있든 텅 빈 청정한 마음으로 그 진실을 관찰해 보면 참으로 신기하기 이를 데 없다. 참으로 놀랍고 불가사의하기 이를 데 없다. 그래서 늘 인불人佛이라 하고 인신人神이라 하고 인천人天이라 한다. 부처님이라 하든지, 신神이라 하든지, 천天이라 하든지, 그것이 어디 멀리 있는 것이겠는가. 바로 지금 내 눈앞에 있는 것이며 내

눈으로 보고 있는 이 능력, 이 사실인 것을. 그래서 게송은 "이것은 신령한 힘이며 특별한 법입니다."라고 하였다.

불 이 일 음 연 설 법　　　중 생 수 류 각 득 해
佛以一音演說法하시나 **衆生隨類各得解**하야

개 위 세 존 동 기 어　　　사 즉 신 력 불 공 법
皆謂世尊同其語하나니 **斯則神力不共法**이로다

부처님은 한 가지 음성으로 법을 연설하시나
중생은 종류 따라 각각 알아듣고는
모두 세존의 말씀이 같다고 하나니
이것은 신령한 힘이며 특별한 법입니다.

부처님은 한 가지 음성으로 설법하시지만, 중생들은 사용하는 언어가 여러 가지다. 여러 가지 언어를 사용하는 온갖 중생이지만 부처님의 말씀을 다 자기들이 사용하는 언어로 이해한다. 그러고는 부처님이 자신들과 같은 언어를 사용하신다고 말한다. 참으로 "신령한 힘이며 특별한 법"이다.

불 이 일 음 연 설 법　　　중 생 각 각 수 소 해
佛以一音演說法커늘　**衆生各各隨所解**하야

보 득 수 행 획 기 리　　　사 즉 신 력 불 공 법
普得受行獲其利하나니　**斯則神力不共法**이로다

부처님은 한 가지 음성으로 법을 연설하시나
중생들은 제각각 이해하는 바를 따라서
두루두루 받아 행하여 이익을 얻나니
이것은 신령한 힘이며 특별한 법입니다.

부처님은 한 가지 법을 설하시지만, 중생은 각각 이해하는 바가 다르다. 사무를 보는 사람은 사무를 보는 일과 연관 지어서 이해하고, 농사를 짓는 사람은 농사를 짓는 일과 연관 지어서 이해하고, 공업을 하는 사람은 공업을 하는 것과 연관 지어서 이해한다. 상업을 하는 사람은 상업을 하는 일과 연관을 지어서 이해한다. 사용자는 사용자대로 노동자는 노동자대로 다 그들 나름대로 받아들이지만, 모두가 이익을 얻는 것이 불법이다. 필자도 법문하고 나면 그 법문은 꼭 자신을 위해서 한 말씀 같다고 이야기하는 사람들이 종종 있었다. 참으로 "신령한 힘이며 특별한 법"이다.

불이일음연설법　　　혹유공외혹환희
佛以一音演說法하시나 或有恐畏或歡喜하며

혹생염리혹단의　　　사즉신력불공법
或生厭離或斷疑하나니 斯則神力不共法이로다

부처님은 한 가지 음성으로 법을 연설하시나
어떤 이는 두려워하고 어떤 이는 기뻐하며
혹은 생사를 싫어하여 떠날 생각을 내고 혹은 의혹을 끊나니
이것은 신령한 힘이며 특별한 법입니다.

부처님은 한 가지 법문을 하시지만, 그것을 듣는 중생은 여러 가지다. 설법을 듣고 그 내용을 지키지 못하여 두려워하는 사람도 있고, 자신의 문제를 해결하였다고 생각하여 환희심에 넘치는 사람도 있다. 또한 진정으로 속된 세상사를 싫어해서 떠날 것을 결심하기도 한다. 석가세존의 법문을 듣고 그 자리에서 출가수행을 결정한 사례들은 참으로 많았다. 다섯 비구 다음에 여섯 번째로 출가한 야사라는 청년이 그와 같은 예다. 출가한 아들을 찾으러 왔던 그의 아버지와 어머니 또한 부처님의 법문을 듣고는 평생 부처님께 귀의하겠다고 서원을 세운 사람들이다. 야사의 부모가 최초의 재가 신자로서 귀의하여 부처님 앞에 맹세한 게송을 소개하면

아래와 같다.

위대하셔라 세존이시여!
위대하셔라 부처님이시여!
넘어진 자를 일으켜 세워 주시고
길 잃은 사람에게 길을 가르쳐 주시며
어둠 속에서는 등불이 되어 주시고
눈이 있는 사람에게는 와서 보라 하시며
갖가지 진리의 말씀을 들려주시는 부처님!
이제 저희 부부는 부처님과 부처님의 가르침과 스님들께
귀의하겠습니다.
부처님이시여! 저희 부부를 재가在家 불자로서 받아 주소서!
오늘부터 목숨이 다하는 날까지
불 · 법 · 승 삼보님께 귀의하겠습니다.

출가한 아들을 찾으러 왔다가 이와 같은 신심을 일으켜 첫 번째 재가 신자가 된 참으로 아름다운 일이었다. 진실로 "신령한 힘이며 특별한 법"이라고 찬탄을 금할 수 없다.

5) 보적의 게송 5

계 수 십 력 대 정 진
稽首十力大精進하며

큰 정진으로 열 가지 힘을 얻으신 부처님께 머리 숙여 예배합니다.

부처님의 위대하심을 설명하는 데는 여러 가지가 있다. 특히 이 『유마경』에는 열 가지 지혜의 힘[十力]을 많이 강조하였다. 앞에서 보살들의 덕행을 설명하는 부분과 그 외에도 이미 나왔지만 부처님이 가지신 힘이므로 좀 더 익숙하게 공부하기 위해서 다시 설명한다.

1. 처비처지력處非處智力 : 도리와 이치가 옳고 그른 것을 다 아는 지혜의 힘.
2. 업이숙지력業異熟智力 : 일체중생의 삼세 업보를 다 아는 지혜의 힘.
3. 정려해탈등지등지지력靜慮解脫等持等至智力 : 여러 가지 선정과 해탈과 삼매를 다 아는 지혜의 힘.
4. 근상하지력根上下智力 : 중생들의 근기가 높고 낮음을 다 아는

지혜의 힘.

5. 종종승해지력種種勝解智力 : 중생의 여러 가지 지식과 이해를 다 아는 지혜의 힘.
6. 종종계지력種種界智力 : 중생의 여러 가지 경계를 다 아는 지혜의 힘.
7. 변취행지력遍趣行智力 : 중생의 여러 가지 행업으로 어디에 가서 나게 되는 것을 다 아는 지혜의 힘.
8. 숙주수념지력宿住隨念智力 : 숙명통으로 중생의 가지가지 숙명을 다 아는 지혜의 힘.
9. 사생지력死生智力 : 천안통으로 중생이 죽어서 태어날 때와 선한 곳과 악한 곳을 걸림 없이 다 아는 지혜의 힘.
10. 누진지력漏盡智力 : 온갖 번뇌와 습기를 영원히 끊어 없애는 지혜의 힘.

부처님을 찬탄하는 보적의 게송이 여기까지 이르러서는 머리를 숙여 절을 하고 싶은 마음이 용솟음쳐서 넘쳐나는 심정을 잘 알 수 있을 것 같다. 한 가지씩 찬탄할 때마다 곧바로 "머리 숙여 예배합니다."라고 하였다.

계 수 이 득 무 소 외
稽首已得無所畏하며

이미 두려울 것 없음을 얻은 부처님께 머리 숙여 예배합니다.

부처님을 찬탄하는 데는 네 가지 두려움 없음을 빼놓을 수 없다. 앞에서 보살들의 덕행을 이야기하는 데서 이미 나왔다. 수행은 반복이다. 이미 잘 알고 있는 것도 반복함으로 우리들의 의식 속에 깊이 스며들기 때문이다. 옛사람의 말에 "신야자 불과습자지문神也者不過習者之門"이라 하였다. 무엇이든 신神의 경지에 이르는 것은 오로지 반복해서 익숙하게 하기 때문이라는 뜻이다. 세상의 많은 달인達人들은 타고난 재능 덕분이 아니다. 무수히 반복하고 또 반복하여 이뤄진 능력이다. 반복하고 또 반복하면 이루지 못할 일이란 없다.

부처님이 두려움이 없다는 것은 어떤 악한 사람을 만나거나 설법을 하더라도 전혀 의심하거나 두려울 것 없이 당당하다는 뜻이다. 즉 사무소외四無所畏다.

1. 정등각무외正等覺無畏 : 깨달아 정각에 오르는 데 두려움이 없다.
2. 누영진무외漏永盡無畏 : 온갖 번뇌를 끊어 두려움이 없다.

3. 설장법무외說障法無畏 : 설법하는 데 비난을 받는 장애가 있어도 두려움이 없다.
4. 설출도무외說出道無畏 : 고통을 끊어 해탈에 이르는 사제와 팔정도를 설하는 데 장애가 있어도 두려움이 없다.

천하의 세존이 무엇엔들 두려움이 있겠는가. 부처님은 당연히 온갖 것에 두려움이 없어야 한다. 부처님을 찬탄하면서 반드시 등장하는 내용이다. 부처님께 머리 숙여 예배하는 이유가 충분하고도 남는다.

계 수 주 어 불 공 법
稽首住於不共法하며

특별한 법[不共法]에 머무신 부처님께 머리 숙여 예배합니다.

부처님의 위대하심을 특별한 법, 즉 열여덟 가지 다른 사람과 같지 않은 특별한 법[十八不共法]으로도 표현한다. 이 역시 보살들의 덕행을 나타내는 내용에서 나온 것이다. 부처님의 열여덟 가지 공덕법이라고도 한다.

1. 신무실身無失 : 몸이 실수가 없고

2. 구무실口無失 : 입이 실수가 없고

3. 의무실意無失 : 생각이 실수가 없고

4. 무이상無異想 : 두 가지 생각이 없고

5. 무부정심無不定心 : 선정을 여읜 마음이 없고

6. 무부지이사無不知已捨 : 알고서 버리지 않는 것이 없고

7. 욕무감欲無減 : 하고자 하는 욕망이 줄어듦이 없고

8. 정진무감精進無減 : 정진이 줄어듦이 없고

9. 염무감念無減 : 억념憶念함이 줄어듦이 없고

10. 혜무감慧無減 : 지혜가 줄어듦이 없고

11. 해탈무감解脫無減 : 해탈이 줄어듦이 없고

12. 해탈지견무감解脫知見無減 : 해탈지견이 줄어듦이 없고

13. 일체신업수지혜행一切身業隨智慧行 : 온갖 몸으로 하는 일이 지혜를 따르고

14. 일체구업수지혜행一切口業隨智慧行 : 온갖 말로 하는 일이 지혜를 따르고

15. 일체의업수지혜행一切意業隨智慧行 : 온갖 뜻으로 하는 일이 지혜를 따르고

16. 지혜지견과거세무애무장智慧知見過去世無碍無障 : 지혜로 지나

간 세상 일을 아는 것이 걸림이 없고

17. 지혜지견미래세무애무장智慧知見未來世無碍無障 : 지혜로 이다음 세상 일을 아는 것이 걸림이 없고

18. 지혜지견현재세무애무장智慧知見現在世無碍無障 : 지혜로 지금 세상 일을 아는 것이 걸림이 없는 것이다.

부처님은 이러한 점이 뛰어나시기 때문에 머리 숙여 예배합니다.

계 수 일 체 대 존 사
稽首一切大尊師하며

일체 대중에게 큰 스승이신 부처님께 머리 숙여 예배합니다.

부처님을 찬탄하는 게송 중에서 가장 많이 알려진 게송은 "천상천하무여불 시방세계역무비 세간소유아진견 일체무유여불자天上天下無如佛 十方世界亦無比 世間所有我盡見 一切無有如佛者"라는 글인데, 즉 "천상과 천하에 부처님 같은 분 없고, 시방세계에도 또한 비교할 분 없네. 세간에 있는 모든 분을 내가 다 보았지만, 그 누구도 부처님과 같은 분 없어라."라는 뜻이다. 대웅전의 주련으로 가장 많

이 사용되어 부처님의 존귀함을 표현한다. 또 "삼계의 대도사요, 사생의 자비하신 어버이"라고도 하였다. 그래서 우리는 "머리 숙여 예배합니다."라고 한다.

계 수 능 단 제 결 박
稽首能斷諸結縛하며

능히 모든 결박을 끊은 부처님께 머리 숙여 예배합니다.

불교의 이상은 해탈이다. 모든 속박, 모든 구속, 모든 결박으로부터의 벗어남이다. 부처님의 가장 부처님다운 점은 모든 것으로부터의 해탈에 있다. 부처님은 왕후장상王侯將相이라는 벼슬 따위로부터 일찍이 벗어난 분이다. 부귀영화로부터 멀리 떠난 분이다. 남의 비방과 칭찬으로부터 해탈한 분이다. 온갖 번뇌와 생사와 열반에까지 전혀 흔들림이 없는 분이다. 이와 같은 불교의 진정한 이상을 다 이루신 분이기 때문에 진실로 머리 숙여 예배합니다.

계 수 이 도 어 피 안
稽首已到於彼岸하며

이미 저 언덕에 이르신 부처님께 머리 숙여 예배합니다.

피안彼岸이라는 저 언덕은 무엇을 가리키는 것인가. 불교에서 말하는 이상세계인데 미혹의 이 언덕에 대하여 깨달음의 저쪽 언덕을 뜻한다. 이 언덕이 병고가 많고, 문제가 많고, 장애가 많은 세계라면 저 언덕은 병고를 병고로 보지 않고 훌륭한 가르침으로 또는 새로운 눈뜸의 방편으로 완전히 활용하여 전화위복으로 만드는 곳이다. 온갖 문제가 끊임없이 일어난다면 그 문제들을 정면으로 돌파하는 것이 아니고 전혀 다른 길을 선택하여 다른 차원의 길을 가는 것이다. 생사라는 장애 속에서 생사가 없음을 보는 안목이다. 번뇌라는 장애 속에서 자유를 누리는 일이다. 손해를 보되 다른 차원의 이익을 얻는 일이다. 정리하면 인생의 밝은 낮과 같은 시간보다 어두운 밤과 같은 시간을 훨씬 더 잘 활용하는 안목이다. 세존은 이미 이러한 경지를 터득하신 분이다. 그러므로 머리 숙여 예배합니다.

계 수 능 도 제 세 간
稽首能度諸世間하며

능히 모든 세간을 제도하신 부처님께 머리 숙여 예배합니다.

부처님이 이 세상에 오신 뜻은 세상의 중생을 제도하기 위해서다. 제도란 무엇인가? 인생과 세상에 대해서 삿되게 보고 그릇되게 생각하는 것들을 모두 바르게 보고 바르게 생각하도록 가르치는 것이다. 『법화경』에서는 부처님이 터득하신 지혜를 열어 주고, 보여 주고, 깨닫게 해 주고, 그것에 들어가게 해 주기 위함이라고 하였다. 부처님의 지혜란 무엇인가? 무지몽매하고 탐진치와 온갖 번뇌로 뒤범벅이 되어 있는 듯이 보이는 사람을 위대한 부처님으로 보는 견해다. 곧 사람이 그대로 부처님임을 아는 지혜다. 이 사실을 모르면 제도하였다고 할 수 없다. 그러므로 부처님이 세상을 제도하였다는 것은 곧 사람이 부처님이라는 사실을 알고 부처로 살아가는 경지이다. 이 얼마나 고맙고 감사한 일인가! 별별 모습의 인간들을 그대로 부처님으로 승격시켰으니 이보다 더 다행한 일이 어디 있겠는가! 그러므로 부처님께 머리 숙여 예배합니다.

계 수 영 리 생 사 도
稽首永離生死道하사오니

영원히 생사의 길을 떠난 부처님께 머리 숙여 예배합니다.

불교 수행에는 여러 가지 목표가 있을 수 있지만, 무엇보다 중요하게 생각하는 것은 생사를 벗어나는 일이다. 부처님이 출가하신 동기도 늙고 병들고 죽는 모습을 보고 충격을 받아서라고 한다. 그래서 불교에서는 생사해탈生死解脫이라는 말을 자주 쓴다. 불교를 통해서 인간사 일체 문제를 다 해결하였다 하더라도 생사를 벗어나지 못하였다면 불교 궁극의 목적을 달성하였다고 할 수 없기 때문이다. 그러므로 "영원히 생사의 길을 떠난 부처님께 머리 숙여 예배합니다."라고 한 것이다.

우리나라 불자들이 잘하는 절 기도에 열중하는 사람들이나, 저 어느 나라 사람들처럼 수백 리를 가면서 오체투지를 하는 사람들이나, 천배 만배 온몸으로 예배드리는 사람들은 부처님의 위와 같은 사실들에 대해서 우리나는 존경심을 감당할 수 없어서 절을 해야 할 것이다. 부처님을 만나고 부처님의 가르침을 만나서 스스로 "내가 이제 쉴 곳을 얻었구나. 내가 이제 진정으로 이 목숨 바쳐 귀의할 데가 생겼구나. 내가 이제 죽을 곳을 얻었구나."라는 심정으로 부처님과 부처님의 가르침에 머리 숙여 예배하여야 하리라.

6) 보적의 게송 6

실지중생내거상　　선어제법득해탈
悉知衆生來去相하고　善於諸法得解脫하며

중생의 오고 가는 모습을 다 알고
모든 법에서 해탈을 잘 얻었으며

부처님의 능력과 공덕과 지혜의 힘은 앞에서도 몇 번 밝혔다. 여기에서는 특히 중생의 오고 가는 모습을 다 아는 것과 모든 경계와 모든 일에 대해서 시원하게 벗어난 해탈의 능력을 말하였다. 중생을 교화하려면 중생이 무슨 업을 지어서 그 업에 따라 어디를 흘러다니는지, 지금의 생각은 무엇에 이끌리고 있는지 등 이러한 사실들을 잘 알아야 그것에 맞추어 교화하기 때문이다. 불교의 교화란 궁극적으로 모든 사람의 해탈에 있다. 다른 사람을 해탈하도록 가르치려면 자신이 먼저 해탈해야 하는 것은 당연한 일이다. 이 또한 머리 숙여 예배해야 할 부처님의 위대한 점이다.

불 착 세 간 여 연 화　　　상 선 입 어 공 적 행
不着世間如蓮華하고　**常善入於空寂行**하며

세간에 집착하지 않음이 마치 연꽃과 같고

항상 공적한 행에 잘 들어갔으며

부처님을 표현하고 불교를 표현하고 불교적 삶을 표현하는 가장 간단하고 명료한 비유가 있다. 그것은 연꽃이다. 연꽃을 불교의 꽃, 불교를 상징하는 꽃이라고 한다. 연꽃을 왜 불교의 꽃이라고 하는가? 연꽃에는 몇 가지 특징이 있다. 일반적인 뜻은 순결, 군자, 신성, 청정이지만 불교적인 면에서는 사연도 많고 의미도 깊다.

부처님께서 룸비니 동산에서 처음 태어나시던 날, 사방으로 일곱 걸음을 걸으신 후 오른손으로 하늘을 가리키고 왼손으로는 땅을 가리키며 "천상천하유아독존 삼계개고오당안지天上天下唯我獨尊三界皆苦吾當安之"라고 외치실 때 걸음 걸음마다 연꽃이 피어났다고 한다.

또 부처님이 어느 날 영산회상에서 수많은 청중이 부처님의 설법을 듣기 위해 숨을 죽이고 기다리고 있을 때 부처님은 말없이 연꽃 한 송이를 들어 대중에게 보이셨다. 이때 다른 사람은 모두 그 뜻을 몰라 어리둥절하였지만 오직 가섭 존자만이 부처님이 연꽃을 든 뜻을 알아차리고 미소로써 답하였는데, 이것이 그 유명한 염화미소拈花微笑, 이심전심以心傳心, 교외별전敎外別傳, 열반묘심涅槃妙心의 도리이다.

그리고 사찰이나 부처님이 앉아 계시는 좌대와 탁자, 불탑과 석등, 주춧돌과 추녀의 서까래, 범종과 단청이며 부처님오신날을 봉축하는 연등 행사에 이르기까지 모두가 연꽃으로 장엄된다.

인도에서 연꽃의 개념은 만물을 탄생시키는 창조력과 생명력을 지니는데, 맑고 깨끗한 연꽃은 여느 꽃과 달리 진흙 속에서 자라기 때문이다. 꽃잎이 크고 많으며 아름다워서 가장 보배로운 꽃으로 간주하고, 꽃이 피는 동시에 열매를 맺기 때문에 부처님이 설하신 인과因果의 이치와 부처님의 고결한 삶은 반드시 시시비비是是非非가 뒤끓는 오탁악세汚濁惡世에서 꽃피운다는 의미와 잘 맞아서 불상의 받침대는 반드시 연꽃으로 표현한다.

연꽃의 특징과 불교적 의미를 살펴보면, 첫째, 연꽃은 처염상정處染常淨이라는 말로 표현한다. 연꽃은 깨끗한 물에서는 피지 않는다. 더럽고 오염된 물에서 피어나지만, 그 더러운 환경에 조금도 물들지 않고 슬기롭고 소담하게 환경을 극복하고 아름답게 피는 꽃이다. 이는 곧 부처님이 궁극적 진리를 설하신 내용, 즉 탐진치 삼독三毒과 8만4천의 번뇌망상이 있는 그대로 고귀한 부처님이라는 사실과 같다. 흙투성이의 못생긴 연근蓮根이 천하에 둘도 없는 아름답고 향기로운 꽃을 피운다는 사실이 그것을 증명해 보이고 있다.

둘째, 연꽃은 화과동시花果同時이다. 연꽃은 꽃이 핌과 동시에 열매가 그 속에 자리를 잡는다. 이것을 '연밥[蓮實]'이라 하는데, 꽃은 열매를 맺는 수단이며 열매의 원인이다. 이 꽃과 열매의 관계를 원인[因]과 결과[果]의 관계라 할 수 있다. 인과因果의 진리는 곧 불교 교리의 근본이자, 부처님 가르침의 요체이다. 또한 불교 궁극적 가르침에 연관 지어 보면 중생은 원인이고 부처는 결과라고 할 때, 실은 부처인 결과는 원인인 중생 속에 이미 자리하고 있어서 그것을 나눌 수 없는 관계다. 즉 부처가 중생이고 중생이 곧 부처이다. 『화엄경』의 말씀과 같이 "마음과 부처와 중생, 이 셋은 차별이 없는 같은 것이다[心佛及衆生 是三無差別]."라는 이치를 연꽃이 그대로 대변하고 있다.

셋째, 연꽃의 봉오리는 합장한 모습과 똑같다. 우리 얼굴이 피워 내는 웃음의 꽃이나, 두 손을 고이 모아 가슴에서 피어나는 연꽃의 모습은 정말 아름답다. 합장이 피워 내는 가슴의 연꽃은 부처님과 중생이 하나가 되고, 너와 내가 하나가 되며, 이상과 현실이 하나가 될 때 피어나는 가장 향기롭고 아름다운 꽃이다. 얼굴에서 꽃을 피워 내고, 가슴에서 희망의 꽃을 피워 낼 때 우리도 관세음보살이 된다. 그러므로 우리가 모두 연꽃 같은 마음으로 부처님 앞에 합장하고 설 때 우리도 곧 부처임을 증명해 보인다.

이처럼 우리가 본래로 부처임을 알아서 연꽃처럼 우아하고 청정한 삶으로 거듭나게 되니 이것이 부처님을 상징하고 불교를 상징하고 불교적 삶을 상징하는 꽃이 된 이유이다. 연꽃 한 송이로 불교의 궁극적 진리를 다 표현할 수 있으니 참으로 놀랍고 신기하다.

이 경전의 본문에서는 부처님이 "세간世間에 있으나 세간에 집착하지 않음이 마치 연꽃과 같다."라고 표현하였다. 세간에 집착하지 않으려면 항상 마음을 텅 비운 공적한 행行에 잘 들어가 있어야 그것이 가능하다. "불착세간여연화不着世間如蓮華"도 『유마경』의 명구이다.

참고로 2010년 7월 7일자 신문과 각 TV 뉴스에는, '700년 만에 핀 연꽃'이라는 제하에 경남 함안군 함안박물관 수족관에 심어진 아라가야 시대의 홍연紅蓮이 7개의 꽃대와 함께 꽃을 활짝 피워 눈길을 끌고 있다는 기사가 났다. 당시 7월 7일 현재 7개의 꽃대가 올라왔는데 그중 두 송이가 분홍색 꽃잎을 활짝 열었다는 소식이었다. 당초에 백연白蓮이기를 기대하고 옛 지명의 이름을 따서 '아라백연'이라 이름 지었지만, 700년이란 시간과 공간을 뛰어넘어 피어난 홍연은 요새 홍련과는 좀 다른, 꽃잎 수가 적고 길이가 조금 긴 아름답고 선명한 분홍색의 꽃을 피웠기에 '아라홍연'이라 고쳐 이름 짓는 한편 증식을 통해 '아라홍연'을 주제로 한 테마공원을 조성하는 등 함안군의 명물로 가꿔 나갈 계획이라는 내용이었다. 연꽃의 신비함을 또 한 번 느끼게 하는 기적이었다.

달 제 법 상 무 가 애　　계 수 여 공 무 소 의
達諸法相無罣礙이시니 **稽首如空無所依**니다

모든 법의 행상을 통달하여 걸림이 없으며
허공과 같이 의지함이 없으신 부처님께 머리 숙여 예배합니다.

부처님이 부처님이 된 점은, 첫째 모든 법을 통달한 것에 있다. 그리고 통달한 모든 법을 중생에게 가르치기 위해서는 법의 이치와 행상을 잘 정리하고 체계를 세우는 일이 필요하다. 설사 법을 잘 통달하였더라도 체계를 세우지 못하면 그것을 전달하는 데 어려움이 생기기 때문이다. 불교에서 법이란 모든 존재와 그 존재들에서 일어나는 사건들이다. 또한 모든 존재의 현상뿐만 아니라 내면의 실상까지 포함한다. 그리고 그러한 것을 투철하게 깨달아서 중생에게 전달하는 행상, 즉 교법까지 모두 법이라 한다. 그러면서 한편 부처님은 자신이 저 허공과도 같다고 한다. 우리 의식 속에는 부처님이 큰 산처럼 자리하고 있지만 스스로는 텅 빈 허공과 같아서 의지함이 없다고 하였다. 그러므로 "머리 숙여 예배합니다."라고 하였다.

여기까지가 장자의 아들 보적이 부처님을 찬탄하는 노래이다. 게송이 처음에는 부처님의 공덕만 열거하였다. 그 내용을 들으면서 신심이 우러나는 즈음에는 머리 숙여 예배한다. 신심이 더욱 고조되면 예배하는 횟수가 늘어나고 나중에는 게송 하나하나마다 다 예배를 한다. 그리고 게송이 끝날 즈음에는 호흡을 가다듬어 몇 가지 공덕을 더 노래하고 절을 한 번 하면서 마치는 것으로 되어 있다.

시를 읽거나 소설을 읽을 때 내용에 따라 읽는 호흡과 속도가 있다. 내용의 흐름을 잘 이해하여 그것에 맞추어서 읽으면 그 맛과 향기와 의미와 분위기를 더 잘 느낄 수 있는 것과 같이 불교의 경전도 그와 같다. 특히 이 『유마경』은 더욱 그렇다. 유마 거사의 설법은 유창하다. 화려하고 현란하다. 눈이 부시고 귀가 부시다. 끊임 없이 쏟아지는 저 나이아가라 폭포수와도 같다. 이러한 점을 음미하면서 경전을 읽으면 환희가 몇 배나 더하리라.

8. 불국토佛國土

이시 장자자보적 설차게이 백불언 세존
爾時에 長者子寶積이 說此偈已하고 白佛言하되 世尊

시오백장자자 개이발아뇩다라삼먁삼보리심
이시여 是五百長者子가 皆已發阿耨多羅三藐三菩提心

원문득불국토청정 유원세존 설제보살정
하며 願聞得佛國土淸淨하나이다 唯願世尊은 說諸菩薩淨

토지행
土之行하소서

그때에 장자의 아들 보적이 이 게송을 설하여 마치고 부처님께 여쭈었다.

"세존이시여, 여기에 있는 5백 명의 장자의 아들들이 모두 이미 최상의 깨달음에 대한 마음을 내었으며 불국토의 청정함을 듣기를 원합니다. 오직 원하오니 세존께서는 모든 보살의 정토행을 말씀하여 주십시오."

이 품은 부처님의 국토를 나타내는 「불국품」이다. 보적이 게송으로 부처님을 찬탄하고 나서 자신과 함께한 5백 명의 장자 아들들이 모두 최상의 깨달음에 대한 마음, 즉 보리심을 발하였으므로 부처님의 세계, 부처님의 국토가 얼마나 훌륭한가[淸淨]를 듣고 싶다고 하였다. 깨달음에 대한 마음을 내었으니 그 마음의 결과라고 할 수 있는 이상세계인 불국토가 어떤 것인지를 먼저 알고 싶은 마음에서다.

그러면서 한편 보살들의 정토행淨土行에 대해서 설명해 주기를 청하였다. 정토행淨土行이란 불국토를 취해서 불국토를 누리려면 무엇인가의 실천행이 뒤따라야 가능하므로 보살이 실천해야 할 정토행, 즉 '정토에 태어날 수 있는 수행'이라는 표현을 한 것이다. 그래서 아래에 보살의 정토행으로 육바라밀과 사무량심과 사섭법과 37조도품 등 불교의 여러 가지 수행법을 모두 열거하였다. 불교의 이상을 실현할 수 있는 수행이기 때문이다.

불 언 선 재 보 적 내 능 위 제 보 살 문 어 여
佛言하사대 **善哉**라 **寶積**아 **乃能爲諸菩薩**하야 **問於如**

래정토지행 체청체청 선사념지 당위여설
來淨土之行하니 諦聽諦聽하야 善思念之하라 當爲汝說

어시 보적 여오백장자자 수교이청
하리라 於是에 寶積이 與五百長者子로 受敎而聽하니라

부처님께서 말씀하였다.

“훌륭하구나. 보적이여, 능히 모든 보살을 위하여 여래의 정토행淨土行을 묻는구나. 자세히 듣고 자세히 들어라. 그리고 잘 생각하여라. 마땅히 그대들을 위하여 설명하리라.”

이에 보적이 장자의 아들 5백 명과 함께 가르침을 받고 들었다.

앞에서는 보살의 정토행淨土行이라고 하였는데 여기서는 또 ‘여래의 정토행’이라고 하였다. 보살의 정토행과 여래의 정토행이 무엇이 다를까? 여래가 지금 누리는 불국, 이상세계, 깨달음의 경지는 과거 보살로 있을 때 정토에 태어날 수 있는 수행을 닦은 결과다. 즉 여래가 과거에 닦았던, 정토에 태어날 수 있는 수행이란 뜻이다. 그러므로 보살의 정토행이나 여래의 정토행은 같은 뜻이다. 달리 표현하면 깨달음의 지혜를 성취하기 위한 수행이다. 이상세계와 깨달음의 삶과 해탈감을 성취하기 위한 수행이다.

불언 보적 중생지류 시보살불토 소이
佛言하사대 寶積아 衆生之類가 是菩薩佛土니라 所以

자하 보살 수소화중생 이취불토 수소조복
者何오 菩薩이 隨所化衆生하야 而取佛土하며 隨所調伏

중생 이취불토
衆生하야 而取佛土하니라

부처님께서 말씀하였다.

"보적이여, 온갖 중생이 보살의 불국토니라. 왜냐하면 보살이 교화할 바의 중생을 따라서 불국토를 취하느니라. 조복할 바의 중생을 따라서 불국토를 취하느니라."

"온갖 중생이 보살의 불국토[衆生之類 菩薩佛土]"라는 말은 『유마경』의 명구다. 이 얼마나 고마운 말씀인가. 보살의 삶은 오로지 중생이다. 보살은 중생의 아픔을 어루만져서 낫게 하려고 산다. 중생이 고통에서 신음하는 소리를 듣고 그들에게 다가가서 그들을 보살피기 위해서 산다. 중생이 무엇을 필요로 하는가를 잘 살펴서 그들을 풍요롭게 해 주기 위해서 산다. 그러므로 보살들의 낙원, 보살들의 불국토, 보살들의 심장이며, 골수骨髓가 중생이다. 또한 보살들의 일터가 중생이다. 보살들이 목숨 다해 죽을 곳이 중생이다.

보살들은 중생을 만나 그 죽을 곳을 얻었다.

보살들은 왜 불국토를 의지하고 불국토를 취하는가? 몽매하고 어리석은 중생을 교화하기 위해서다. 고집불통이어서 말을 듣지 않는 중생을 잘 달래어 조복調伏하기 위해서 불국토를 가진다. 보살들에게 중생이 아니라면 그들에게 무슨 불국토가 필요하겠는가. 극락정토나 화장장엄세계나 불국토가 모두 중생을 위한 것이다. 아니, 보살의 불국토는 곧 중생 그 자체다.

예컨대 의사들의 일터는 환자며, 의사들의 생활은 환자들로 유지된다. 그래서 환자는 곧 의사들의 즐거움이며 기쁨의 대상인 것과 같다. 중생은 환자요, 불보살들은 의사다. 관음보살이 곧 훌륭한 의사라고 하지 않던가.

수제중생 응이하국 입불지혜 이취불토
隨諸衆生이 **應以何國**으로 **入佛智慧**하야 **而取佛土**하며

수제중생 응이하국 기보살근 이취불토
隨諸衆生이 **應以何國**으로 **起菩薩根**하여 **而取佛土**하니라

소이자하 보살 취어정국 개위요익제중생고
所以者何오 **菩薩**이 **取於淨國**은 **皆爲饒益諸衆生故**니라

"모든 중생이 반드시 어떤 국토로써 부처의 지혜에 들어가는가를 따라서 불국토를 취하며, 모든 중생이 반드시 어떤 국토로써 보살의 근본을 일으키는가를 따라서 불국토를 취하느니라. 왜냐하면 보살이 청정한 국토를 취하는 것은 모두가 중생을 이익하게 하기 위한 까닭이니라."

「불국품」에서 불국토를 설정하는 것은 중생을 교화하려는 방편이다. 중생이 어떤 국토라야 부처님의 지혜에 들어갈 수 있을까가 화두話頭다. 『법화경』에서 "중생에게 부처님의 지혜를 열어 주고, 부처님의 지혜를 보여 주고, 깨닫게 해 주고, 들어가게 해 주기 위해서 부처님은 이 세상에 출현하셨다."라고 하였다. 부처님의 화두는 오로지 중생 제도에 있다. 국토라는 이름으로 교화방편을 삼은 것은 매우 빼어난 발상이다.

또 중생에게 보살의 근본을 일으키는 데도 무슨 국토라야 하는가가 부처님의 관심사다. 보살의 근본이란 무엇인가? 자비심이다. 투철한 지혜를 바탕으로 한 큰 사랑과 연민의 마음이다. 중생을 큰 사랑으로 감싸고 연민스럽게 여기는 보살의 근본을 일으키는 이유는 무엇일까? "오로지 중생을 이익하게 하기 위해서"이다.

비여유인 욕어공지 조립궁실 수의무애
譬如有人이 欲於空地에 造立宮室이면 隨意無礙어니와

약어허공 종불능성 보살 여시 위성취중
若於虛空이면 終不能成하나니 菩薩도 如是하야 爲成就衆

생고 원취불국 원취불국자 비어공야
生故로 願取佛國하나니 願取佛國者는 非於空也니라

"비유하자면 마치 어떤 사람이 텅 빈 땅에 집을 세우고자 하면 마음대로 할 수 있어서 아무런 장애가 없지만, 만약 허공에다 세우려고 하면 마침내 이룰 수 없는 것과 같으니라. 보살도 이와 같아서 중생을 성취하고자 하므로 불국토를 취하기 원하느니라. 불국토를 취하기를 원하는 것은 아무것도 없는 것에서 하는 것이 아니니라."

중생 제도라는 목표가 없으면 부처님도 없으며 보살도 없다. 부처님의 세계와 보살들의 교화 활동은 오로지 제도해야 할 중생이 있기 때문이다. 그러므로 중생의 처지에서는 부처님과 보살들이 고맙지만, 부처님이나 보살들로서는 중생이 고마운 것이다. 왜냐하면 중생이 없으면 부처도 없고 보살도 없기 때문이다. 마치 환자가 없으면 의사도 있을 수 없는 것과 같다. 중생이라는 땅이 없으면 부처님이나 보살이라는 궁전을 지을 수 없기 때문이다. 불교와 부처님과 보살과 조사와 일체 선지식과 모든 사원寺院이 이 땅에 존재하는 까닭을 이처럼 의심할 여지 없이 밝힌 경문經文은 보기 드물다. 오직 승단만을 위한 승단의 소승불교 존재를 촌철살인과 같이 꾸짖고 있다.

9. 보살의 정토행淨土行

1) 세 가지 마음

보적 당지 직심 시보살정토 보살 성불시
寶積아 當知하라 直心이 是菩薩淨土니 菩薩이 成佛時

불첨중생 내생기국
에 不諂衆生이 來生其國하니라

"보적이여, 마땅히 알아라. 정직한 마음이 보살의 청정국토니 보살이 성불할 때에 속이지 않는 중생이 그 나라에 와서 태어나느니라."

정토에 태어날 수 있는 수행을 하는 데 가장 중요한 세 가지 마음[三心]을 먼저 들었다. 첫 번째가 직심直心이다. "정직한 마음이 보살의 정토[直心是菩薩淨土]"라고 하는 말도 『유마경』의 명구다. 정직한 마음이란 순일하고, 바르고, 곧고, 깨끗하고, 순수한 마음이다. 그런 마음이 그대로 보살의 정토다. 보살이 그와 같은 마음을 써야 보살의 정토가 이뤄진다. 그런 마음을 가진 사람들만 사는 곳이라면 그 땅이 그대로 보살의 정토다. 그리고 그와 같은 마음을 늘 쓰는 사람의 주변에는 요사스럽고 간특하거나 아첨하거나 부정한 마음을 쓰는 사람들이 가까이하지 않는다. 설사 저의底意를 가지고 가까이하더라도 견뎌 내지 못한다. 저절로 걸러진다.

심심 시보살정토 보살 성불시 구족공덕중
深心이 **是菩薩淨土**니 **菩薩**이 **成佛時**에 **具足功德衆**
생 내생기국
生이 **來生其國**하니라

"깊은 마음이 보살의 청정국토니 보살이 성불할 때에 공덕을 갖춘 중생이 그 나라에 와서 태어나느니라."

정토에 태어날 수 있는 수행을 하는 데 중요한 세 가지 마음 중에서 두 번째는 심심深心이다. 깊은 마음이란 좁거나 얕거나 성급하지 않은 마음이다. 보살이란 불교에서 말하는 가장 바람직한 인격자다. 군자요, 지성인이다. 그렇다면 당연히 침착하고, 속이 깊고, 아량이 넓고, 남을 잘 배려하고, 넉넉하게 마음을 쓰는 사람이리라. 그와 같은 사람에게는 역시 주변에서 함께하는 이들까지도 선량하고 정직하고 의로운 사람들이므로 훌륭한 공덕을 저절로 갖추게 된다.

보리심 시보살정토 보살 성불시 대승중생
菩提心이 **是菩薩淨土**니 **菩薩**이 **成佛時**에 **大乘衆生**이

내생기국
來生其國하니라

"보리심이 보살의 청정국토니 보살이 성불할 때에 대승 중생이 그 나라에 와서 태어나느니라."

정토에 태어날 수 있는 수행을 하는 데 중요한 세 가지 마음 중에서 세 번째는 보리심菩提心이다. 보리심이란 아뇩다라삼먁삼보리심을 줄여서 부르는 말이다. 즉 무상정각, 다시 말하면 최상의 깨달음에 대한 마음이다. 최상의 깨달음이란 곧 석가세존이 깨달으신 그 깨달음을 이르는 말이다. 출가나 재가를 막론하고 불교를 믿고 불교를 공부하는 불자는 누구나 부처님이 깨달으신 그 깨달

음을 성취해서 일체중생에게도 역시 같은 깨달음을 얻도록 교화하는 것을 지상의 목표로 하고 수행한다. 보리심을 달리 표현하면 지혜와 자비라고 하는데, 곧 자신이 깨달음의 지혜를 갖추어서 다른 사람도 깨닫게 하고자 하는 자비의 실천을 합하여 '보리심'이라 한다. 이러한 마음이 대승심이다. 이러한 마음을 가진 사람이라면 설사 중생이라 하더라도 아주 훌륭한 중생이다. 그래서 '대승중생'이라 한 것이다. 보리심은 불교의 용어 중에서 가장 깊이 있고 중요한 말이다. 그래서 불자들은 길을 가다가 동물을 만나도 "발보리심發菩提心하라."라고 일러 주고 간다. 또 보리심의 한 가지 뜻은 자신은 제도를 얻지 못했다 하더라도 다른 사람을 먼저 제도하는 이타심이기도 하다.

그래서 『열반경』에는,
"첫 발심과 성불이 다르지 않으나
이러한 두 가지 마음 중에 첫 발심이 어려우니
자신은 아직 제도되지 못했으나 남을 먼저 제도하니
그러므로 처음 발심한 이에게 예배합니다.
처음 발심하면 이미 인천의 스승이니
성문과 연각보다 수승하도다.

이와 같은 발심은 삼계를 지나갔으니

그러므로 가장 높은 이라고 부르도다."[2]

라고 하여 처음 보리심을 발한 것에 대하여 한껏 찬탄하였다.

2) 육바라밀六波羅蜜

보시 시보살정토 보살 성불시 일체능사중

布施가 **是菩薩淨土**니 **菩薩**이 **成佛時**에 **一切能捨衆**

생 내생기국

生이 **來生其國**하니라

"보시가 보살의 청정국토니 보살이 성불할 때에 일체를 능히 주고 제공하는 중생이 그 나라에 와서 태어나느니라."

정토에 태어날 수 있는 수행에는 세 가지 마음 다음으로 육바라밀이 빠질 수 없다. "보시가 보살의 정토"라고 하였는데 사람에게 있어서 보시할 때의 마음처럼 좋은 마음이 없다. 의로운 사람에게

---

2) 發心畢竟二不別 如是二心先心難 自未得度先度他 是故我禮初發心
初發已爲人天師 勝出聲聞及緣覺 如是發心過三界 是故得名最無上.

는 보시가 최고의 행복이다. 보시를 좀 더 부연하여 사捨라 하는데 무엇이나 주고 필요한 것을 다 제공한다는 뜻이다. 불교의 보시는 자신의 소득에서 10분의 1만 주는 정도가 아니고 자신의 모든 것을 다 주는 것이다. 경전에 의하면 처자와 권속과 노비와 궁전과 집과 동산과 논과 밭과 자신의 눈과 혀와 입과 머리와 심장과 손과 발과 온갖 장기와 끝내는 목숨까지 주는 것으로 되어 있다. 『화엄경』「십회향품十廻向品」에는 이와 같은 종류가 60여 종이나 소개되어 있다. 평소에 보시를 많이 하는 사람은 주위에 그를 돕고 무엇이나 제공하는 사람들이 많이 모인다. 그래서 늘 풍요롭다.

보시에도 여러 종류가 있어서 설명이 구구하다. 먼저 보통의 사람들은 의식주에 대한 보시와 기본 의료와 기본 교육에 대한 보시를 중요하게 생각하지만 부처님은 바른 이치, 즉 진리에 대한 가르침인 법을 보시하는 것을 크게 강조한다. 부처님이 자신을 대시주자大施主者라 부른 까닭이 바로 이것이다.

법에도 물론 여러 가지가 있겠으나 사람들로 하여금 고통을 당하지 않게 하는 인과의 진리에 대한 가르침의 보시가 가장 우선한다. 현실의 지옥고통은 죄를 지어 감옥에 가서 사는 일이다. 그들은 모두 인과의 진리를 알지 못해서 잘못을 잘못으로 알지 못하고 저지른 일 때문이다. 불교의 목적이 이고득락離苦得樂에 있다면 깊이 사유해 보아야 할 문제다.

지계 시보살정토 보살 성불시 행십선도만
持戒가 **是菩薩淨土**니 **菩薩**이 **成佛時**에 **行十善道滿**
원중생 내생기국
願衆生이 **來生其國**하니라

"지계가 보살의 청정국토니 보살이 성불할 때에 열 가지 선善한 도를 행하는 소원이 만족한 중생이 그 나라에 와서 태어나느니라."

계율이란 종교생활의 중요한 덕목이다. 계율을 잘 지키는 것은 보살로서 정토에 태어나는 수행으로서는 당연한 길이다. 편안하고 행복감이 충만하며 해탈감이 가득한 삶이 곧 구체적인 정토의 실현이다. 그와 같은 삶이 되게 하려면 당연히 열 가지 선한 일을 열심히 해야 한다. 불교에는 십악十惡이 있고 십선十善이 있다.

첫째, 살생의 문제인데, 산목숨을 정당한 이유 없이 해치는 것은 악이다. 반대로 위해를 당하거나 죽게 될 생명을 살려 주고 보살펴

주는 것은 선이다. 둘째, 투도偸盜인데, 남의 물건이나 재산이나 공개되지 아니한 지식까지도 허락 없이 가지거나 몰래 소유하는 것은 악惡이다. 반대로 물건이나 재산이나 지식이나 육체적 힘이나 신체의 장기나 시간 등을 남에게 베풀고 나누어 주는 것은 선善이다. 불교의 최고 덕목인 자비 보시慈悲布施다. 셋째, 사음邪淫이다. 사랑하는 사이도 아니면서 육체적인 욕망을 충족하기 위한 남녀의 관계는 악이다. 반대로 부부로서 사랑의 한 표현으로 그치고 욕망을 잘 다스려 몸가짐을 청정하게 하는 것은 선이다. 이를 몸으로 짓는 세 가지 신업身業이라고 한다. 넷째, 망어妄語로서, 즉 자신의 이익이나 체면이나 변명을 위해 거짓말을 하는 것은 악이다. 반대로 손해를 보더라도 정직하게 말하고 자신이 한 일에 대해서 조금도 숨김없이 말하여 세상에 의혹이 없게 하는 것은 선이다. 다섯째, 기어綺語인데, 자신을 유리하게 하려고 입에 발린 말이나 꾸미는 말이나 유창하고 비단결 같은 말을 하는 것은 악이다. 반대로 어떤 사안에 대해서 정확하고 가감 없이 사실대로만 표현하는 것은 선이다. 여섯째, 양설兩舌이다. 한 가지 사실을 두고 여기서는 이렇게 말하고 저기서는 저렇게 말하여 이간질하는 것은 악이다. 그러나 설사 상반되는 견해라 하더라도 서로 다른 주장을 잘 융화시키고 화합시키는 말은 선善이다. 일곱째, 악구惡口다. 욕을 하거나 악담을 하거나 험담을 하거나 비난을 하는 것은 악惡이다. 반대로 "부드러운 말 한마디 참다운 공양구다."라고 하였듯이 칭찬을 하고, 부드러운 말을 하고, 아름다운 말을 하고, 사랑스러운 말을 하는 것은 선이다. 이는 입으로 짓는 네 가지 구업口業이다. 여덟째, 탐심貪心이다. 물질이나 재산이나 사람이나 명예나 좋은 집이나 절이나 온갖 것에 탐욕을 부리는 것은 악이다. 반대로 내가 가진 것을 베풀고 다른 사람들과 함께하는 것은 선이다. 아홉째, 진심瞋心이다. 분노·화·성질·신경질인데 이와 같은 것을 참지 못하고 남에게 드러내는 것은 악이다. 반대로 사랑과 친화와 화목과 부드러움으로 가득한 표현은 선이다. 열째, 치심癡心이다. 인과 이치를 모르며 자신의 역량과 분수를 모르고 어리석음으로 가득한 행동은 악이다. 반대로 지혜가 충만하여 모든 일에 그 이치를 알고 자신의 분수와 역량을 잘 알아서 현명하게 행동하는 것은 선이다. 이는 생각으로 짓는 세 가지 의업意業이다.

이와 같은 열 가지의 선한 행동은 보살이 정토의 세계를 실현하고 평화롭고 안락하고 해탈감에 넘치는 삶을 영위하는 데는 필수라고 할 수 있다. 그래서 이와 같은 십선계十善戒를 가지는 것을 보살의 정토라고 하였다.

인욕 시보살정토 보살 성불시 삼십이상장
忍辱이 **是菩薩淨土**니 **菩薩**이 **成佛時**에 **三十二相莊**

엄중생 내생기국
嚴衆生이 **來生其國**하니라

"인욕이 보살의 청정국토니 보살이 성불할 때에 32상으로 장엄한 중생이 그 나라에 와서 태어나느니라."

아름다운 상호는 그 사람이 마음 쓰는 대로 따라간다. 아무리 외모가 마네킹과 같이 미인으로 태어났다 하더라도 분노하고 시기하고 질투하고 화를 잘 낸다면 그런 얼굴을 좋아할 사람은 아무도 없다. 부처님의 32상이란 아무리 마음에 들지 않는 일이 생기더라도 상대편의 처지에서 잘 이해하고 배려하고 용서하고 자비로 거둬 주는 데서 풍기는 모습을 뜻한다. 그런 사람은 누구나 좋아한다. 결국은 그런 사람의 모습이 잘생긴 사람이다. 부처님의 32상도 세세생생 마음을 그렇게 썼기 때문에 생긴 결과다. 참으로 아름답게 잘생기려고 한다면 인욕을 잘하고 마음을 잘 쓰면 된다. 인욕이 없는 보살이 어디에 있겠는가. 보살의 당연한 덕목이며 정토淨土를 실현하는 데 필수 요건이다.

참고로 『대지도론大智度論』 4권에 있는 32상을 기록한다.

1. 족하안평립상足下安平立相 : 발바닥이 평평한 모습.
2. 족하이륜상足下二輪相 : 발바닥에 두 개의 바퀴 모양의 무늬가 있다.
3. 장지상長指相 : 손가락이 길다.
4. 족근광평상足跟廣平相 : 발꿈치가 넓고 평평하다.
5. 수족지만망상手足指縵網相 : 손가락과 발가락 사이에 비단 같은 막이 있다.
6. 수족유연상手足柔軟相 : 손발이 부드럽다.
7. 족부고만상足趺高滿相 : 발등이 높고 원만하다.
8. 천여녹왕상腨如鹿王相 : 장딴지가 사슴 왕과 같다.
9. 정립수마슬상正立手摩膝相 : 팔을 펴면 손이 무릎까지 내려간다.
10. 음장상陰藏相 : 음경이 몸 안에 감추어져 있다.
11. 신광장등상身廣長等相 : 신체의 가로 세로가 같다.
12. 모상향상毛上向相 : 털이 위로 향해 있다.
13. 일일공일모생상一一孔一毛生相 : 털구멍마다 하나의 털이 있다.
14. 금색상金色相 : 몸이 금빛이다.
15. 장광상丈光相 : 몸에서 나오는 빛이 두루 비춘다.
16. 세박피상細薄皮相 : 피부가 부드럽고 얇다.

17. 칠처융만상七處隆滿相 : 두 발바닥과 두 손바닥, 두 어깨와 정수리가 두텁고 풍만하다.
18. 양액하융만상兩腋下隆滿相 : 두 겨드랑이가 두텁고 풍만하다.
19. 상신여사자상上身如獅子相 : 상반신이 사자와 같다.
20. 대직신상大直身相 : 신체가 크고 곧다.
21. 견원만상肩圓滿相 : 어깨가 원만하다.
22. 사십치상四十齒相 : 치아가 마흔 개다.
23. 치제상齒齊相 : 치아가 가지런하다.
24. 아백상牙白相 : 어금니가 희다.
25. 사자협상獅子頰相 : 뺨이 사자와 같다.
26. 미중득상미상味中得上味相 : 맛 중에서 가장 좋은 맛을 느낀다.
27. 대설상大舌相 : 혀가 크다.
28. 범성상梵聲相 : 음성이 맑다.
29. 진청안상眞青眼相 : 눈동자가 검푸르다.
30. 우안첩상牛眼睫相 : 속눈썹이 소와 같다.
31. 정계상頂髻相 : 정수리가 상투 모양으로 돋아나 있다.
32. 백모상白毛相 : 두 눈썹 사이에 흰 털이 있다.

우리의 옛말에 "참을 인[忍] 자가 셋이면 살인도 면한다."는 말이 있다. 인욕의 위대함이란 이와 같다. 아름다운 32상뿐이겠는가.

정진 시보살정토 보살 성불시 근수일체공
精進이 **是菩薩淨土**니 **菩薩**이 **成佛時**에 **勤修一切功**

덕중생 내생기국
德衆生이 **來生其國**하니라

"정진이 보살의 청정국토니 보살이 성불할 때에 일체의 공덕을 부지런히 닦는 중생이 그 나라에 와서 태어나느니라."

모든 사람이 자신의 발전과 능력을 키우는 데 관심을 두고 어떤 일들을 시작하지만, 그것을 지속적으로 노력하여 성공을 거두기는 대단히 어렵다. 특히 자신의 복력福力을 증장시키고, 지혜를 쌓으며, 공덕을 꾸준히 닦는 일은 참으로 쉽지 않다. 그래서 육바라밀에서 쉬지 않고 공덕을 닦는 정진을 높이 사는 것이다. 무엇이나 꾸준히 정진하지 않고 한두 번에 이루어지는 일은 없다. 청정국토를 이 세상에 실현하는 일에는 정진이 당연한 덕목이다. 보살들의 주변에는 착한 일, 남을 배려하는 일, 복을 닦는 일, 공덕을 닦는 일을 열심히 하는 사람들만 모이는 것이다.

선정 시보살정토 보살 성불시 섭심불란중
禪定이 **是菩薩淨土**니 **菩薩**이 **成佛時**에 **攝心不亂衆**

생 내생기국
生이 **來生其國**하니라

"선정이 보살의 청정국토니 보살이 성불할 때에 마음을 거두어 산란하지 않은 중생이 그 나라에 와서 태어나느니라."

선정이란 흩어지거나 산란한 마음을 한 곳에 잘 집중하고 몰입하는 상태다. 보살이 정토를 실현하려면 어지럽거나 잘 흩어지는 정신 상태로는 불가능하다. 그래서 "마음을 거두어 산란하지 않은 사람들이 태어나 함께한다."라고 한 것이다. 화두를 들거나, 기도를 하거나, 염불을 하거나, 주력을 하거나, 경전을 읽거나, 여러 가지 불교 수행을 하면서 마음이 집중이 잘 되어야 효과가 있다. 예를 들어 화두를 드는데 한 시간 동안에 10분 정도 들리고 나머지 50분은 다른 잡념으로 가득하다면 그것은 들뜨고 일어나는 산란한 마음이다. 선정이라고 할 수 없다. 다른 수행도 마찬가지다. 마음을 거두어 산란하지 않은 사람이라야 보살의 청정국토를 수용할 수 있다.

범룡梵龍 스님은 평소에 말씀하시기를 "하루에 화두를 한 번만

들었으면, 하루에 식사를 한 번만 했으면, 하루에 한 번만 잠을 잤으면, 얼마나 공부가 잘될까."라고 하셨다. 하루 동안 화두를 수십 번을 들다가 놓치고 들다가 놓치고 하느라고 고군분투하며 실참실수實參實修한 사람의 경험담이다.

지혜 시보살정토 보살 성불시 정정중생
智慧가 **是菩薩淨土**니 **菩薩**이 **成佛時**에 **正定衆生**이

내생기국
來生其國하니라

"지혜가 보살의 청정국토니 보살이 성불할 때에 바른 선정의 중생이 그 나라에 와서 태어나느니라."

지혜는 바른 선정을 통해서 성취된다. 그래서 바른 선정의 중생이 그 나라에 와서 태어난다고 하였다. 지혜가 보살의 정토라는 말은 의미가 깊다. 『법화경』에는 앞의 다섯 바라밀과 마지막 지혜바라밀의 차이점을 크게 부각하고 있다. 앞의 다섯 바라밀은 아무리 잘 닦았더라도 큰 가치가 있는 것이 아니지만 지혜바라밀만은 대단히 뛰어난 수행이며 곧 부처님이 깨달으신 지혜와 같은 것으로

설명하고 있다.

보살의 청정국토를 이야기하면서 육바라밀을 모두 열거하였다. 하나하나의 덕목 그대로가 보살의 청정국토다. 육바라밀이 곧 이상적인 세계다. 평화와 자유와 행복이 충만한 세상이다. 대승불교의 목표는 온 세상을 보살로 충만한 곳으로 만드는 것이다. 보살이란 언제 어디서나 육바라밀로 무장한 사람들이며 그들만 있는 곳이라면 이 땅이 곧 보살의 청정국토다.

3) 사무량심四無量心

사무량심 시보살정토 보살 성불시 성취자
四無量心이 是菩薩淨土니 菩薩이 成佛時에 成就慈

비희사중생 내생기국
悲喜捨衆生이 來生其國하니라

"네 가지 한량없는 마음[四無量心]이 보살의 청정국토니 보살이 성불할 때에 자慈·비悲·희喜·사捨를 성취한 중생이 그 나라에 와서 태어나느니라."

사무량심은 앞에서 설명한 삼심三心, 육바라밀과 더불어 보살의 수행덕목 중에 매우 중요한 것이다. 사등四等·사범주四梵住라고도 하는데, 즉 자慈·비悲·희喜·사捨다.

첫째, 자무량심慈無量心은 모든 중생에게 사랑의 즐거움을 주는 마음이다. 사람뿐만 아니라 생명을 가진 모든 것을 골고루 사랑하는 마음이다. 약한 동물이건 작은 미생물이건 움직이지 못하는 식물이건 간에 차별하는 마음을 가지지 않고 한량없이 사랑하는 마음이다. 『대장엄론大莊嚴論』 3권에는 다음과 같은 아름다운 이야기가 전한다.

어느 때 여러 비구들이 넓은 황야를 지나가다가 도적떼를 만나 입은 옷을 다 빼앗겼다. 한 도적이 말했다.

"놓아주면 관가에 알릴 터이니 그대로 죽여 버리자."

"아니다. 사람을 죽이면 지옥에 떨어진다. 비구는 풀 한 포기도 죽이지 않는다 했으니 풀로 그들의 몸을 묶어 두고 도망가자."

그리하여 그들은 비구들을 제각기 얼마만 한 간격을 두고 풀로 묶어 놓고 도망쳤다.

비구들은 낮에는 뜨거운 햇빛에 견딜 수 없고 또 목이 탔으며 밤이 되면 모기·파리·여우·들새·올빼미들의 성화에 견딜 수가 없었다. 그러나 몸을 빼치면 풀이 죽겠고 풀이 죽으면 계를 파하는지라 차라리 신명을 버릴지라도 불계를 지키기로 하고 움직이지 않았다.

마침 그때 국왕이 시종들을 데리고 사냥하러 나왔다가 상황을 보고 물었다.

"그대들은 모두 건장한 체격을 가지고 병도 없고 힘이 센 듯한데 무슨 인연으로 풀에 얽매여 움직이지 않는가?"

"예. 매우 연하고 약한 풀을 아주 끊어 버리는 건 어렵지 않지만, 다만 부처님의 금강계金剛戒를 지키기 위하여 감히 연약한 풀을 아주 끊지 못합니다."

"장하다, 비구들이여, 신명을 아끼지 않고 법을 수호하여 계를 범하지 않는 성자들이여, 이제 나는 그대들에게 지극한 마음으로 귀의하며 스님들의 큰 스승 석가모니 부처님께 명을 버려 귀의하겠노라." 하고는 곧 그들을 풀어 궁중으로 모시고 가 불계佛戒를 받았다.

부처님의 진정한 자무량심慈無量心은 이와 같다.

둘째, 비무량심悲無量心은 중생이 잘못을 저지르고 죄업을 지을 때 그들을 꾸짖거나 나무라지 않고 불쌍하게 여기고 연민스럽게 여기고 애석하게 여겨서 그들을 바른길로 이끌려는 마음이다. 또한 바르고 참된 이치를 모르는 것에 대하여 보살은 무한히 애석해하고 연민스럽게 여겨서 그들을 무슨 방편을 써서라도 깨닫게 해 주려는 마음이 한량이 없다.

셋째, 희무량심喜無量心은 보살은 모든 사람, 모든 생명에게 기쁨을 주려는 마음이 한량이 없다. 잘한 일이든 잘못한 일이든 분별하지 않고 진심으로 기뻐하고 축하해 주는 마음이 한량이 없다. 특히 다른 사람에게 좋은 일이 있을 때 절대 시샘하지 않고 진정으로 기뻐해 주는 마음이다.

넷째, 사무량심捨無量心은 자신에게 원한이 있거나 손해를 끼쳤거나 피해를 줬거나 비난과 음모를 하였더라도 그와 같은 감정을 다 버리고 누구에게나 평등하게 이롭게 하는 마음이 한량이 없다. 친하고 친하지 않은 사람을 구별하지 않고 모든 이웃, 모든 생명에게 평등한 마음으로 무엇이든 아낌없이 베푸는 마음이다. 이러한 마음이 진정한 보살의 마음이다.

이와 같은 네 가지 한량없는 마음이 곧 보살의 청정국토다. 이것이 보살의 당연한 마음가짐이다. 평범한 불자라 하더라도 참으로 중요하고 가치 있는 덕목이다.

4) 사섭법四攝法

사섭법 시보살정토 보살 성불시 해탈소섭
四攝法이 **是菩薩淨土**니 **菩薩**이 **成佛時**에 **解脫所攝**

중생 내생기국
衆生이 **來生其國**하니라

"네 가지 섭수하는 법[四攝法]이 보살의 청정국토니 보살이 성불할 때에 해탈로 섭수할 중생이 그 나라에 와서 태어나느니라."

네 가지로 섭수하는 법은 보살이 중생을 제도濟度할 때에 취하는 네 가지 기본적인 태도이다. 사섭사四攝事라고도 한다.

첫째, 보시布施는 진리를 가르쳐 주고[法施], 재물을 기꺼이 베풀어 주는 일[財施], 편안함을 주어 두려움이 없게 하는 것[無畏施]이다. 보시로써 사람을 교화하고 섭수攝受한다. 『잡보장경雜寶藏經』에는 무재칠시無財七施라고 하여 재물이 들지 않고도 보시할 수 있는 일곱 가지를 말하였다. 자안시慈眼施·화안시和顔施·언사시言辭施·사신시捨身施·심려시心慮施·상좌시床座施·방사시房舍施가 있어서 보시는 마음만 내면 얼마든지 수행할 수 있다.

둘째, 애어愛語는 사람들에게 항상 따뜻한 얼굴로 대하고 부드러운 말을 하는 일이다. 이와 같은 언어로써 사람을 교화하고 섭수한다.

셋째, 이행利行은 신체의 행위[身業]와 언어의 행위[口業]와 정신의 행동[意業]인 삼업에 의한 선행으로 사람들에게 이익을 주는 일이다. 사람을 교화하는 데는 먼저 그를 이익되게 하여야 가르침을 따른다.

넷째, 동사同事는 자타自他가 일심동체가 되어 협력하는 일이며, 특히 다른 사람을 교화하기 위해서 그가 하는 일을 같이 하여 섭수한다고 하여 동사섭同事攝이라 한다. 궁극적으로는 사섭법으로 해탈에 이르게 하는 것이 목적이다. "해탈로 섭수할 중생이 그 국토에 와서 태어난다."라고 한 것은 현재에 해탈을 완성하지는 못하였더라도 해탈한 사람들의 축에 들 수 있는 정도의 견해와 수행이 되어 있는 사람이란 뜻이다. 그러한 사람들이 내 주변에 모여 산다는 것은 매우 큰 행운이다. 그러므로 이 땅 그대로가 보살의 청정국토다.

5) 방편方便

방편 시보살정토 보살 성불시 어일체법
方便이 是菩薩淨土니 菩薩이 成佛時에 於一切法에

방편무애중생 내생기국
方便無閡衆生이 來生其國하니라

"방편이 보살의 청정국토니 보살이 성불할 때에 일체의 법에 방편의 문이 한정이 없는 중생이 그 나라에 와서 태어나느니라."

보살이 중생을 제도하면서 방편은 필수다. 그 방편에 제한이 있거나 한계가 있을 수 없다. 방편은 쓰임에 따라 여러 가지 뜻으로 해석된다. 방方은 방법, 편便은 편리를 뜻하여 일체중생마다 다른 본래 성질과 능력, 즉 기류근성機類根性(根機)에 들어맞는 방법을 편리하게 쓰는 일을 뜻한다. 또 방方은 반듯한 이치, 편便은 교묘한 말로 해석되어 중생에게 맞추어 반듯한 이치를 교묘한 말로 전하는 일을 말한다. 또 이를 위해 교화의 편법便法을 마련하는 일이나 그 교화의 편법을 뜻한다. 특히 중생 제도에 목적을 둔 대승불교에서는 방편을 중요시하여 설법하는 장소와 상대에 따라 갖가지 방편이 설명되고, 경전에 따로 방편품方便品을 두는 예가 많다. 특히 『법화경』의 「방편품」은 유명하다. 『화엄경』에서는 방편을 중시하여 보살의 실천수행 덕목인 육바라밀에 더하여 방편바라밀이 설정되기도 하였다.

6) 삼십칠도품三十七道品

삼십칠도품 시보살정토 보살 성불시 염처

三十七道品이 **是菩薩淨土**니 **菩薩**이 **成佛時**에 **念處**·

정근 신족 근 역 각 도 중생 내생기국

正勤·**神足**·**根**·**力**·**覺**·**道** **衆生**이 **來生其國**하니라

"37도품이 보살의 청정국토니 보살이 성불할 때에 사념처와 사정근과 사신족과 오근과 오력과 칠각지와 팔정도의 중생이 그 나라에 와서 태어나느니라."

도품道品은 불도 수행의 실천방법의 종류를 뜻하고, 삼십칠은 사념처四念處·사정근四正勤·사신족四神足 또는 사여의족四如意足·오근五根·오력五力·칠각지七覺支·팔정도八正道 등 일곱 가지 수행방

법을 합친 것이다.

첫째, 사념처四念處는 네 가지 마음을 두는 곳으로 신념처身念處·수념처受念處·심념처心念處·법념처法念處를 이른다. 이것은 보통 사람이 지닌 상常과 낙樂과 아我와 정淨의 치우친 견해를 깨뜨리는 것을 말한다. 즉 관신부정觀身不淨이다. 몸은 부정한 것이라고 관찰한다. 관수시고觀受是苦다. 받아들이는 모든 인식은 고통이라고 관찰한다. 관심무상觀心無常이다. 마음은 무상한 것이라고 관찰한다. 관법무아觀法無我다. 모든 법은 실재하는 주체가 없다고 관찰한다.

둘째, 사정근四正勤은 사정단四正斷이라고도 한다. 단단斷斷이다. 이미 생긴 악을 없애려고 힘쓰는 것이다. 율의단律儀斷이다. 악이 생기지 않도록 힘쓰는 것이다. 수호단隨護斷이다. 선善이 생기도록 힘쓰는 것이다. 수단修斷이다. 이미 생긴 선을 늘리도록 힘쓰는 것이다.

셋째, 사신족四神足은 사여의족四如意足이라고도 한다. 수행을 통해 얻는 자재한 경지를 의미한다. 여의如意는 뜻대로 자유자재한 신통을 말하며, 족足은 신통이 일어나는 각족脚足으로서 근본 원인이라는 의미다. 정定을 얻는 수단에 욕欲·정진精進·심心·사유思惟의 넷이 있으므로 일어나는 원인에 의하여 정定을 나눈다.

1. 욕여의족欲如意足이다. 의욕정意欲定이라고도 한다. 수행하기 위해서는 먼저 열반이라는 수행 목적을 성취하기 위한 의욕이 있어야 한다. 이러한 의욕에 마음을 집중하는 것을 욕정欲定이라 한다. 이렇게 오직 열반을 성취하리라는 의욕에 찬 생각에 마음을 집중함으로써 유위有爲를 조작하는 삶, 즉 행이 그치는 것을 단행斷行이라 한다. 다시 말하자면 올바른 수행의 목적을 세우고 그것을 성취하려는 의욕에 마음을 집중하면 헛된 욕망이 사라져 유위有爲를 조작하는 행行이 멸滅한다는 것이다. 고苦를 없애려는 간절한 마음이다.
2. 정진여의족精進如意足이다. 또는 정진정精進定이라고도 한다. 사람은 무엇엔가 의욕이 있으면 노력하게 된다. 열심히 수행하는 데 마음을 집중하는 것이 정진정精進定이다. 고苦를 없애려는 노력이다.
3. 심여의족心如意足이다. 또는 심정心定이라고도 한다. 심정心定은 마음이 삼매三昧에 드는 것을 의미한다. 색계사선色界四禪을 열심히 수행하여 제사선第四禪에 이른다. 고苦를 없애기 위한 선정삼매禪定三昧를 이루려는 마음이다.

4. 사유여의족思惟如意足이다. 또는 사유정思惟定이라고도 한다. 마음을 집중하여 깊은 성찰을 하는 것을 말한다. 즉, 제사선第四禪을 성취하여 마음이 명경지수明鏡止水와 같이 고요해진 상태에서 무색계無色界의 공처空處·식처識處·무소유처無所有處·비상비비상처非想非非想處 등을 사유하는 것을 말한다.

넷째, 오근五根이다. 번뇌를 누르고 깨달음의 길로 이끄는 다섯 가지 근원·근본 기능이다. 그 하나는 신근信根이다. 깨달음에 대한 믿음과 수행을 통해서 깨달음을 성취한다는 믿음이나. 그 둘은 정진근精進根이다. 깨달음을 성취하려면 정진을 게을리하지 말아야 한다. 그 셋은 염근念根이다. 깨달음을 성취하려면 일체의 대상을 잘 관찰하고 살펴야 한다. 흔히 '마음 챙김'이라고도 표현한다. 실은 마음이 경계를 살피고 챙기는 수행이다. 그 넷은 정근定根이다. 선정이며 삼매三昧다. 깨달음을 이루려면 삼매가 성취되어야 한다. 그 다섯은 혜근慧根이다. 삼매가 성취되어 지혜가 드러나는 것을 말한다.

다섯째, 오력五力이다. 위의 오근五根이 깨달음에 나아가는 다섯 가지 근본이며 기능이라면, 오력五力은 그 다섯 가지 기능에 의해서 성취되어 깨달음에 나아가는 다섯 가지 능력이며 힘이다. 신력信力은 깨달음에 대한 믿음이 힘이 되어 그 신념에 흔들림이 없다. 정진력精進力은 믿음의 힘으로 쉬지 않고 정진하게 되는 힘이다. 염력念力은 일체의 대상을 관찰하고 살피는 마음 챙김의 힘이다. 정력定力은 삼매가 형성되어 생긴 힘이다. 혜력慧力은 끝으로 지혜까지 힘으로 이루어져서 그 지혜를 활용하는 힘이다.

여섯째, 칠각지七覺支다. 칠각분七覺分 또는 칠각의七覺意라고도 한다. 깨달음을 잘 도와 가는 일곱 가지 부분이란 뜻이다.

1. 택법각지澤法覺支 : 지혜의 힘으로 모든 법의 선악과 정사正邪를 잘 가려내어 선과 정은 취하고 악惡과 사邪는 버리는 것을 말한다.
2. 정진각지精進覺支 : 쓸데없는 것을 버리고 수행의 바른길을 따라 일심으로 정진하여 나아가는 것을 말한다.
3. 희각지喜覺支 : 일심으로 끊임없이 정진함으로 그 결과로 참된 도의 기쁨을 얻는 것을 말한다.
4. 제각지除覺支 : 참된 도의 기쁨을 얻는 데 그치지 않고 모든 그릇된 소견이나 번뇌를 끊어 버리고[除] 능히 참되고 거짓됨을 알아서 바른 선법善法을 계속 길러 나가는 것을 말한다.

5. 사각지捨覺支 : 마음이 모든 경계에 평등하여 즐겁고 기쁜 모든 감수 작용이 없고 지내는 일을 추억하는 일이 없는 것을 말한다.
6. 정각지定覺支 : 고요히 정靜에 들어 있어서 번뇌 망상을 일으키지 않는 것을 말한다.
7. 염각지念覺支 : 정과 혜가 평등하여 일심이 늘 명료한 경지를 말한다.

이상의 것 중에서 만일 마음이 혼침하면 택법각지와 정진각지와 희각지로써 마음을 일깨우고, 만일 마음이 들뜨면 제각지와 사각지와 정각지로 그 들뜬 마음을 가라앉힌다고 한다.

일곱째, 팔정도八正道다. 팔정도는 팔정도지八正道支 또는 팔정도분八正道分이라고도 한다. 불교를 실천 수행하는 중요한 덕목을 여덟 가지로 나눈 것인데 팔정도는 이 수행 방법이 중정中正 중도中道의 정도로서 완전한 수행 방법이므로 성인聖人의 도로 나타내어 성도聖道라고 한다. 여기서 바르다[正]고 한 것은 이 팔정도를 통해서 생로병사의 존재론적인 고苦에서 벗어나 이상적인 행복의 상태[涅槃]를 체득하는 방편이다. 고집멸도苦集滅道 사성제四聖諦의 도제道諦에 속한다.

1. 정견正見 : 바로 봄을 뜻하며, 곧 올바른 견해, 즉 자기와 세계의 실상을 보는 것을 말한다. 이 세상은 인과 연의 관계에 의해 진행된다는 연기법緣起法의 이치를 분명히 아는 것이며, 이 사바세계는 고통스러운 곳[苦諦]이며, 이 고통의 원인[集諦]을 알아 생로병사의 고통으로부터 벗어나는 수행[道諦]을 통해 절대행복의 경지[滅諦]를 증득할 수 있다는 사성제四聖諦의 부처님의 가르침을 잘 배워서 실천하려는 확고한 인식체계를 가지고 있어야 한다. 따라서 정견을 여실지견如實知見이라고도 한다. 바로 보는 것이 바른 삶의 시작이다.
2. 정사유正思惟 : 올바른 생각을 뜻하며, 자신의 뜻을 바르게 생각하는 것을 말하고 현실을 있는 그대로 보고 이치에 맞게 생각하는 것이다. 올바른 생각은 삼업 가운데 의업意業으로서 탐내고 성내고 어리석은 마음과 나만 편하고 잘살면 그만이라는 이기적인 생각을 버리고 어렵고 불행에 처한 사람들과 더불어 동고동락하며 살아가려는 보살의 사유체계이다.
3. 정어正語 : 올바른 말을 뜻하며, 삼업 가운데 구업口業으로서 허망한 말[妄語] 대신 진실한 말, 입에 발린 말[綺語] 대신 정직한 말, 이간질하는 말[兩舌] 대신 화합시키는 말, 험악한 말[惡口] 대신 부드러운 말을 하는 것을 말한다. 올바른 생각에 따

라 하는 말이며 항상 바른 생각과 바른말을 하여 구업을 짓지 말고 상대방을 존중하는 부드러운 말을 해야 한다. 이는 진실되고 올바른 언어생활을 말한다. 즉 거짓말, 꾸며 대는 말, 서로 이간하는 말, 남을 성나게 하는 말 등을 하지 않는 것으로 바른 견해의 적극적 실천이다.

4. 정업正業 : 올바른 행동[正業]은 삼업 가운데 신업身業을 말한다. 살생하지 않고 방생放生하며, 도적질하지 않고 보시하며, 삿된 음행을 하지 않고 청정하게 생활하는 것을 말한다. 이것도 역시 바른 견해의 적극적 실천이다.
5. 정명正命 : 올바른 생활 수단을 말하는 것으로, 바른 견해에 입각한 전체적인 생활에서 바른 몸가짐과 마음가짐을 실천하는 것이다. 이는 곧 정당한 방법으로 의식주를 구하는 것으로 남과 나를 다 같이 이롭게 하는 바른 직업을 갖는 것도 그 뜻의 하나다.
6. 정정진正精進 : 올바른 노력, 한마음으로 노력해 나가는 것을 뜻한다. 이는 곧 노력으로 말미암아 아직 발생하지 아니한 악을 나지 못하게 하며, 나지 아니한 선을 발생하게 하는 일이며, 옳은 일에는 물러섬이 없고 밀고 나가는 정열과 용기를 뜻하기도 한다. 바로 불자의 구도 자세라 할 수 있다.

7. 정념正念 : 올바른 정신과 생각과 기억이다. 삿된 생각을 버리고 항상 자신의 향상을 위하여 정신을 집중시키는 것을 말한다. 또한 바르게 기억하는 것으로 생각할 바에 따라 잊지 않는 것이다. 참된 진리를 항상 명심하고 기억하여 다른 잡념이 일어나지 않도록 하는 것이다. 이것은 정사유와 함께 내면적인 마음의 기초를 확고하게 다지는 것이다. 그렇게 하여 그 마음속에 정견正見이 가득하고 항상하도록 하는 것이다.
8. 정정正定 : 바르게 집중한다는 말로서, 마음을 한곳에 모으는 것인데 삼매三昧라는 음역어를 통해서 우리에게 잘 알려진 수행법이기도 하다. 이는 정념이 더욱 깊어진 상태로서, 정념의 성취로 몸과 마음의 조화가 이루어지고 지극히 잘 조화되고 통일된 마음에 온갖 번뇌와 어지러운 대상이 모두 쉬게 되면서 마치 가을 하늘에 지혜의 달이 뚜렷이 빛나는 경지와 같은 것이다.

이와 같은 37조도품이 곧 보살의 청정국토다. 37조도품을 잘 닦아서 생활화가 되고 인격화가 된다면 어디에 있다 한들 청정국토가 아니겠는가.

7) 회향심廻向心

회향심 시보살정토 보살 성불시 득일체구
廻向心이 **是菩薩淨土**니 **菩薩**이 **成佛時**에 **得一切具**

족공덕국토
足功德國土하니라

"회향심이 보살의 청정국토니 보살이 성불할 때에 일체의 공덕이 갖추어진 국토를 얻느니라."

회향廻向이란 회소향대廻小向大며, 회악향선廻惡向善이며, 회범향성廻凡向聖이며, 회생향불廻生向佛 등등이다. 지금까지는 작은 일이었으나 지금부터는 큰일로 향해 나아가는 마음이다. 지금까지는 악한 짓을 했으나 지금부터는 선한 일을 하는 마음이다. 보통 사람에서 성인으로, 중생에서 부처로, 개인에서 민중으로, 좁은 마음에서 넓은 마음으로, 소승적 수행에서 대승적 수행으로, 자기만을 위해 살다가 남을 위해 사는 삶으로 크고 넓게 발전하고 크게 향상해 가는 일이다. 그렇다면 지금은 아무리 보잘것없는 공덕이라 하더라도 앞으로는 모든 공덕을 다 갖추어 일체중생을 다 가르치고 다 먹이고 다 입히고 다 거두는 큰 삶으로 회향할 것이다.

8) 삼악팔난三惡八難

설제팔난 시보살정토 보살 성불시 국토
說除八難이 是菩薩淨土니 菩薩이 成佛時에 國土에

무유삼악팔난
無有三惡八難하며

"여덟 가지 어려움을 제거함을 설하는 것이 보살의 청정국토니 보살이 성불할 때에 그 국토에는 삼악과 팔난이 없느니라."

팔난八難이란 불교의 정법正法을 배우는 데 장애가 되는 여덟 가지 조건을 말한다. 곧 지옥地獄·축생畜生·아귀餓鬼·장수천長壽天·맹롱음아盲聾瘖瘂·울단월鬱單月·세지변총世智辨聰·생재불전불후生在佛前佛後다. 즉 지옥과 같은 삶을 살거나, 축생과 같은 삶을 살거나, 아귀와 같은 삶을 살거나, 너무 오래 사는 곳에 태어나거나, 시각장애인이나 청각장애인이나 언어장애인으로 태어나거나, 대단한 재산가의 집에 태어나거나, 세속적인 잔머리를 잘 굴리는 사람으로 태어나거나, 불교가 없는 곳이나 없을 때에 태어나는 것 등은 불법을 가까이하여 공부하는 데 큰 장애가 되므로 이러한 것이 없는 삶이 보살의 청정국토라고 한 것이다.

삼악三惡은 지옥 · 아귀 · 축생이다. 팔난에서 설명한 것과 같다.

9) 금계禁戒

자수계행 불기피궐 시보살정토 보살 성
自守戒行하고 **不譏彼闕**이 **是菩薩淨土**니 **菩薩**이 **成**

불시 국토 무유범금지명
佛時에 **國土**에 **無有犯禁之名**하며

"스스로 계행을 지키고 다른 사람의 파계함을 나무라지 않는 것이 보살의 청정국토니 보살이 성불할 때에 그 국토에는 금계禁戒를 범했다는 이름이 없느니라."

계행戒行이란 계율을 실천에 옮겨 수행한다는 뜻이다. 일반적으로는 인간 완성을 위한 수행생활의 규칙이라고 할 수 있다. 또한 도덕적인 덕을 실현하기 위한 수행상의 규범을 말한다. 계율은 계戒와 율律의 합병어合倂語이다. 계戒라는 것은 규율을 지키려고 하는 자발적인 마음의 움직임을 뜻하고, 율律은 타율적인 규범을 의미한다. 계는 방비지악防非止惡, 즉 비행을 막고 악행을 그치게 한다는 뜻이다. 불교 교단이 확립됨에 따라 교단의 질서 유지에는 규범이 필요하게 되었고, 이 때문에 만들어진 다양한 규율조항이나 위반했을 때의 벌칙을 규정한 것이 율이다.

계에는 재가대중在家大衆이 가지는 삼귀계三歸戒·오계五戒·팔관재계八關齋戒가 있고, 출가대중出家大衆이 갖는 사미·사미니계沙彌沙彌尼戒·식차마나니계式叉摩那尼戒·비구·비구니계比丘比丘尼戒가 있으며 재가와 출가가 공동으로 지니는 보살계菩薩戒가 있다. 이와 같은 수많은 조항을 지켜야 하는 불교도들 중에는 잘 지키는 사람도 있고 못 지키는 사람도 있다. 간혹 잘 지키는 사람들 중에서 못 지키는 사람을 비판하고 흉을 보는 예가 있는데『유마경』에서 지적한 "스스로 계행을 지키고 다른 사람의 파계함을 나무라지 않는 것이 보살의 청정국토다."라고 한 것은 참으로 중요한 가르침이다. 자신이 계행을 잘 지켜서 다른 사람의 잘못을 비난한다면 그것은 계행을 잘 지켜서 얻어지는 공덕보다 손해를 보는 것이 더 크기 때문이다. 남의 잘못을 비난할 바에는 차라리 자신이 지키지 않고 비난도 하지 않는 것이 더 낫다. 이와 같은 이치를 모르기 때문에 한편 복을 짓고 공덕을 닦아도 스스로 감소시켜 버리는 예가 대단히 많다.

10) 십선十善

십선　시보살정토　보살　성불시　명부중요
十善이 是菩薩淨土니 菩薩이 成佛時에 命不中夭하고

대부범행　소언　성제　상이연어　권속　불
大富梵行하며 所言이 誠諦하고 常以軟語하며 眷屬이 不

리　선화쟁송　언필요익　부질불에　정견
離하고 善和諍訟하며 言必饒益하고 不嫉不恚하는 正見

중생　내생기국
衆生이 來生其國하나니라

"십선이 보살의 청정국토니 보살이 성불할 때에 목숨이 중간에 요절하지 않고, 크게 부유하며 청정한 행을 갖추고, 말이 진실하며, 항상 부드럽게 말하고, 권속들은 이별하지 않고, 다툴 일은 잘 화합하며, 말을 하게 되면 반드시 이익하게 하며, 시기하거나 성내지 않는 바른 견해를 가진 중생이 그 나라에 와서 태어나느니라."

열 가지 선행善行을 잘 실천하면 따르는 결과에 대해서 설명하고 있다. 사람이 일생을 사는 데 있어 늘 건강하고 중간에 요절하지 않으려면 살아 있는 생명을 잘 보호하고 죽음에 직면한 생명을 보면 방생을 해서 살려야 한다. 병들지 않고 건강해지려면 건강하지 못한 사람들의 병고를 보살피고 약을 마련해 드리며 간호를 잘해야 한다. 부자가 되려면 남의 재산을 탐내지 말고 보시를 많이 해야 한다. 청정한 삶을 유지하려면 이성異性 간에 예의와 도덕을 잘 지켜야 한다.

거짓말을 하지 않고 진실하고 정직한 말을 하며, 악담하지 않고 부드럽고 사랑스러운 말을 하며, 상반된 말을 하여 서로 이간질하지 않으면 친지와 권속들이 헤어지는 일이 없다. 옳고 그른 문제로 다투고 소송하지 아니하면 언제나 친선과 화합하는 관계를 유지하게 되어 상대를 유익하게 한다. 지혜롭고 바른 견해를 가지는 사람은 어리석음 때문에 시기하고 질투하는 일이 없다. 참으로 사람다운 사람이 사는 세상은 늘 이와 같아야 할 것이다. 그것이 보살의 정토다.

11) 방편으로 중생을 성취함

여시 보적 보살 수기직심 즉능발행
如是하야 **寶積**아 **菩薩**이 **隨其直心**하야 **則能發行**하고

수기발행　즉득심심　수기심심　즉의조복
隨其發行하야 則得深心하고 隨其深心하야 則意調伏하고

수기조복　즉여설행　수여설행　즉능회향
隨其調伏하야 則如說行하며 隨如說行하야 則能廻向하고

수기회향　즉유방편　수기방편　즉성취중생
隨其廻向하야 則有方便하며 隨其方便하야 則成就衆生하고

"이와 같으니라. 보적이여, 보살이 정직한 마음을 따라서 곧 능히 행동에 옮기고, 행동에 옮김을 따라 곧 깊은 마음을 얻고, 그 깊은 마음을 따라 곧 생각이 조복되고, 그 조복됨을 따라 곧 말한 대로 행동하며, 말한 대로 행동함을 따라 곧 능히 회향하고, 그 회향을 따라서 곧 방편이 있게 되고, 그 방편을 따라 곧 중생을 성취하느니라."

앞에서 보살의 정토를 설명하는 첫 설법에서 "정직한 마음[直心]이 보살의 정토"라고 하였다. 정직한 마음은 보살 정토의 기본이다. 그렇다면 정직한 마음이란 무엇일까? 온 정성을 다하여 불법佛法을 믿는 마음이다. 명예나 이익을 위해서 믿는 것이 아니고 오직 불법 그 자체만을 위하는 순일무잡純一無雜한 신심이다. 이러한 신심이 있으면 선행은 저절로 따라온다. 선행이 따르면 악은 저절로 물러가고 만 가지 선善을 갖추어 불법에 회향하게 된다.

이러한 정직한 마음을 따라서 불법을 행동에 옮기게 되고 행동에 옮기게 되면 그 마음이 깊어진다. 불교뿐만 아니라 어떤 일이든지 직접 실행해 보지 않으면 그 마음이 깊어지지 않는다. 만약 깊어지는 마음이 있으면 해야 할 일과 하지 말아야 할 일을 능히 가려서 실행하게 된다. 이것이 조복調伏이다. 또한 말한 대로 행동하는 것이다. 불교에서 말과 같이 행동한다는 것은 곧 내가 가진 모든 것을 다른 사람에게 회향한다는 뜻이다. 회향하는 방편이 없으면 절대 중생을 교화하여 부처로 만들 수 없다. 불교의 궁극적 목적은 중생을 교화하여 부처로 만드는 것이다. 그래서 보살의 정토, 곧 이 현실에서 이상적인 세상을 구현하려면 모든 중생을 교화하여 부처로 만드는 데 있어서 그 근본은 정직한 마음에서부터 시작한다는 것을 밝혔다.

12) 마음 청정, 공덕 청정

수성취중생　즉불토정　수불토정　즉설법
隨成就衆生하야 **則佛土淨**하고 **隨佛土淨**하야 **則說法**

정　　수설법정　　즉지혜정　　수지혜정　　즉기심
淨하고 隨說法淨하야 則智慧淨하며 隨智慧淨하야 則其心

정　　수기심정　　즉일체공덕정
淨하고 隨其心淨하야 則一切功德淨하나니라

"중생을 성취함을 따라서 곧 불국토가 청정하고, 불국토가 청정함을 따라서 곧 설법이 청정하고, 설법이 청정함을 따라서 곧 지혜가 청정하고, 지혜가 청정함을 따라서 곧 그 마음이 청정하고, 그 마음이 청정함을 따라서 곧 일체 공덕이 청정하니라."

중생을 성취한다는 것은 중생을 완성한다는 뜻이니, 곧 중생을 부처로 만든다는 의미다. 중생이 부처가 되면 불국토가 청정해진다. 이 말에서 진정한 불국토로 가는 길을 밝혔다. 중생이 깨달음을 이루어 부처가 되면 곧 부처의 안목眼目을 갖추게 되므로 부처의 안목에서 보면 어떤 장소 어떤 지역이든 불국토 아닌 곳이 없다. 『화엄경』에서는 "부처님이 비로소 정각正覺을 이루시니 그 땅이 견고하여 다이아몬드로 이루어졌더라."라고 하였다. 그리고 보리수도 사자좌도 모두가 다 표현할 수 없을 정도의 보석들로 아름답게 꾸며져 있다는 내용이 설명되어 있다. 지금도 부처님이 성도成道하신 부다가야를 찾는 불자들의 발길이 끊어지지 않는다. 그렇지만 그들이 중생에서 벗어나지 못하면 다이아몬드는 고사하고 구리 조각 하나 볼 수 없을 것이다. 그러나 깨달음의 눈으로 보면 이 세상 어디고 다이아몬드로 장엄하여 있지 않은 데가 없다는 사실이다.

"불국토가 청정하면 설법이 청정하고 설법이 청정하면 지혜가 청정하고 지혜가 청정하면 그 마음이 청정하고 그 마음이 청정하면 일체의 공덕이 모두 청정하니라." 불교는 처음부터 이 한마음의 이치를 깨달아서 이 한마음으로 모든 문제를 해결하고 이 한마음으로 행복과 해탈을 누리는 것이다. 마음은 처음이며 중간이며 끝이다.

13) 마음 청정, 불토 청정

시고 보적 약보살 욕득정토 당정기심
是故로 **寶積**아 **若菩薩**이 **欲得淨土**인댄 **當淨其心**이니

수기심정 즉불토정
隨其心淨하야 **則佛土淨**이니라

"그러므로 보적이여, 만약 보살이 청정한 국토를 얻고자 한다면 마땅히 그 마음을 청정하게 하여야 하나니, 그 마음이 청

정함을 따라서 곧 불국토가 청정하여지느니라."

"마음이 청정하면 불토가 청정하다[心淨則佛土淨]."라는 말씀 역시 『유마경』에서 빼놓을 수 없는 명구다. 그래서 "만약 청정한 국토를 얻고자 한다면 그 마음을 청정하게 해야 한다."라고 한 것이다. 마음이 캄캄하고 탐욕과 분노와 어리석음으로 꽉 차 있다면 황금으로 된 궁전에 산들 무엇이 즐겁겠는가. 그대로가 지옥이다. 반대로 비록 척박한 땅에서 나물을 캐어 끼니를 때우더라도 마음이 청정하여 한없이 평화롭고 해탈감에 젖어 산다면 그대로가 극락이며 불국토佛國土며 화장장엄華藏莊嚴세계이리라. 슬기롭게 살고자 하는 사람이라면 반드시 이와 같은 이치를 철저히 깨닫고 살아야 할 것이다. 왜 환경을 탓하고 조상을 탓하고 남을 탓하는가. 사람의 불행은 절대로 환경 때문이 아니요, 부모 때문이 아니요, 다른 사람 때문이 아니다.

10. 사리불의 의문

이시 사리불 승불위신 작시념 약보살
爾時에 舍利弗이 承佛威神하사 作是念하되 若菩薩이

심정즉불토정자 아세존 본위보살시 의기부
心淨則佛土淨者인댄 我世尊은 本爲菩薩時에 意豈不

정 이시불토부정 약차
淨이리요마는 而是佛土不淨이 若此인가하니라

그때에 사리불이 부처님의 위신력을 받들어 이러한 생각을 하였다. '만약 보살이 마음이 청정하여 곧 불국토가 청정하여진다면 우리 세존은 본래 보살로 있을 때에 생각이 어찌 부정하였겠는가마는 이 불국토가 청정하지 못한 것이 이와 같은가?'

사리불 존자는 부처님의 십대제자 중에서 지혜가 가장 우수한 제자라고 알려졌다. 대다수의 대승불교大乘佛教 경전에는 사리불 존자가 처음에 등장한다. 그것은 불교의 가장 중요한 점은 지혜라는 사실을 상징적으로 나타낸 것이며, 따라서 소승성문의 안목을 가지고 지금 이 문제를 이와 같이 보는가 하는 점이 내면에 깔렸기도 하다.

사리불 존자의 의문은 존재의 원리와 그 이치를 모르는 모든 사람이 다 가지고 있는 의문이다. 완전한 깨달음의 지혜가 없는 소승으로서 자신의 안목으로 보기에 이 세상은 처음부터 부정不淨한 것이었으며 지금도 여전히 부정한 것으로 넘쳐나고 있다. 그런데 부처님이 과거에 수행하실 때에 분명히 청정한 마음으로 수행하였을 것인데 어떤 이유로 이처럼 부정한 것으로 넘쳐나는가 하는 것이다.

11. 부처님의 답변

불지기념 즉고지언 어의운하 일월 기
佛知其念하사 **卽告之言**하사대 **於意云何**오 **日月**이 **豈**

부정야 이맹자불견 대왈불야 세존 시맹자
不淨耶하야 **而盲者不見**가 **對曰不也**니다 **世尊**하 **是盲者**

과 비일월구 사리불 중생죄과 불견여래국
過언정 **非日月咎**니다 **舍利弗**아 **衆生罪過**로 **不見如來國**

토엄정 비여래구 사리불 아차토정 이여
土嚴淨이언정 **非如來咎**니 **舍利弗**아 **我此土淨**이어늘 **而汝**

불견
不見이니라

부처님이 그 생각을 아시고 곧 말씀하였다.

"어떻게 생각하는가? 해와 달이 어찌 캄캄해서 맹인이 보지 못하는가?"

사리불이 대답하였다.

"아닙니다. 세존이시여, 맹인의 허물이지 해와 달의 허물이 아닙니다."

"사리불이여, 중생의 허물로 여래의 국토가 청정하게 장엄한 것을 보지 못할지언정 여래의 허물은 아니니라. 사리불이여, 나의 이 국토는 청정하지만, 그대가 보지 못할 뿐이니라."

경전의 비유 중에서 매우 유명한 비유가 나왔다. 태양이 저렇게 밝게 빛나지만 맹인은 그것을 보지 못하듯이 이 세상은 이렇게 하나하나가 아름답고 경이롭고 환희로운 화장장엄세계이건만 다만 무지한 중생이 그것을 알지 못하고 보지 못하므로 온갖 것을 다 부정적으로 보고 불평불만을 늘어놓는 것이다. 그러므로 낙천적인 사고와 긍정적인 생각을 하는 사람이 현명하고 지혜로운 사람이다. 부처님의 안목으로 볼 때 이 국토는 지금 이대로 이처럼 아름답게 장엄하여 있다는 것을 밝히신 답변이다. "부처님이 비로소 정각을 이루시니 그 땅이 견고하여 다이아몬드로 이루어졌더라."라고 한 『화엄경』의 말씀을 다시 한 번 상기할 일이다.

이 땅 이 국토를 버리고 달리 어디에 살기 좋은 곳이 있겠는가. 지금 이 순간의 삶을 떠나 또 무슨 삶이 있어서 행복하고 평화로운 시절이 있겠는가. 우리의 마음은 언제나 그와 같은 꿈을 다른 곳에 두거나 먼 미래에 두고 살았다. 마치 무지개를 좇아가는 어린 아이들처럼. 아름다운 무지개를 잡으려고 좇아가지만 한 번도 손에 잡힌 적은 없었다. 불국토라는 것도 역시 마찬가지일 것이다. 무지개는 지금 이 자리에서 보는 것이 가장 아름답다. 인생의 가장 중요한 순간도, 인생의 절정도, 성공적인 순간도 바로 지금이다. 지금이 어떤 처지이든. 꿈처럼 지나가 버린 어떤 순간이나 아직 오지 않은 미지의 시간은 지금은 없기 때문이다. 꿈속에서의 왕후장상이나 거부장자보다는 현실에서의 다리 밑의 거지 생활이 백 번 낫기 때문이다.

12. 나계범왕의 충고

이시 나계범왕 어사리불 물작시념 위
爾時에 螺髻梵王이 語舍利弗하사대 勿作是念하야 謂

차불토 이위부정 소이자하 아견석가모니
此佛土를 以爲不淨이라하라 所以者何오 我見釋迦牟尼

불토청정 비여자재천궁 사리불 언 아견
佛土清淨을 譬如自在天宮이니라 舍利弗이 言하되 我見

차토 구릉갱감 형극사력 토석제산 예악충
此土하니 丘陵坑坎과 荊棘沙礫과 土石諸山과 穢惡充

만 나계범왕 언인자 심유고하 불의불혜
滿이로다 螺髻梵王이 言仁者의 心有高下하야 不依佛慧

고 견차토위부정이 사리불 보살 어일체중
故로 見此土爲不淨耳니라 舍利弗아 菩薩이 於一切衆

생 실개평등 심심청정 의불지혜 즉능견
生에 悉皆平等하며 深心清淨하고 依佛智慧하야 則能見

차불토청정
此佛土淸淨하니라

그때에 나계범왕螺髻梵王이 사리불에게 말하였다.

"이러한 생각을 하여 이 불국토가 부정하다고 여기지 마라. 왜냐하면 내가 석가모니의 불국토가 청정함을 보기를 비유하자면 자재천궁과 같이 보느니라."

사리불이 말하였다.

"내가 이 국토를 보니 언덕과 구릉과 가시덤불과 모래와 자갈과 흙과 돌과 여러 산과 더러운 것이 가득합니다."

나계범왕이 말하였다.

"그대는 마음에 높고 낮음이 있어서 부처님의 지혜를 의지하지 아니하기 때문에 이 국토를 부정하게 볼 뿐이니라. 사리불이여, 보살은 일체중생에게 모두 다 평등하며 깊은 마음이 청정하고 부처님의 지혜를 의지하여 능히 이 불국토를 청정하게 보느니라."

나계범왕은 범천의 왕인데 머리카락을 소라 모양으로 틀어 올렸다고 하여 붙여진 이름이다. 사리불에게 충고한 내용은 "마음에 높고 낮음이 있다. 즉 평등한 이치를 모르는 까닭이다. 그리고 부처님의 지혜를 의지하지 못하기 때문에 차별한 만물과 각각의 사람을 평등하게 보지 못한 것이다."라는 것이다. 실로 모든 존재는 다 평등하다. 쌀과 겨도 평등하고, 일등과 꼴찌도 평등하다. 건강과 병고도 평등하다. 이 모두는 크게 상반되는 모습들이지만 또한 분명히 평등한 면이 있음을 깨달아야 한다. 부처님의 지혜에 의지하여 이 사바국토가 그대로 청정한 불국정토佛國淨土임을 보아야 하리라. 『유마경』의 종지가 모든 존재는 차별적 둘이 아니라[不二]는 이치를 깨우치고자 하는 가르침이기에 여기서 나계범왕이 불국정토를 말하면서 불이법不二法을 보인 것이다.

13. 부처님의 신통

어시 불 이족지 안지 즉시삼천대천세계
於是에 佛이 以足指로 按地하시니 卽時三千大千世界

약간백천진보엄식 비여보장엄불 무량공덕보
에 若干百千珍寶嚴飾이 譬如寶莊嚴佛의 無量功德寶

장엄토 일체대중 탄미증유 이개자견좌보연
莊嚴土라 一切大衆이 歎未曾有하며 而皆自見坐寶蓮

화
華러라

이에 부처님이 발가락으로 땅을 누르시니 곧바로 삼천대천세계에 백천 가지 보물로 장엄이 되었다. 비유하면 보장엄부처님의 한량없는 공덕으로 보배가 장엄한 국토와 같았다. 일체 대중이 일찍이 없었던 일이라고 찬탄하였으며, 모두 자신들이 보배 연꽃에 앉아 있는 것을 보았다.

사리불 존자와 내지 다른 많은 중생이 지금 이 순간 바로 이 땅에서 청정한 불국정토임을 알지 못하기 때문에 하는 수 없이 부처님이 방편으로 신통을 발휘하여 이 세상을 모두 백천 가지 금은보화와 진기한 보물로 장엄하게 꾸미었다. 아름답고 휘황찬란함은 그 어떤 세계보다 화려하였다. 대중은 처음 보는 일이라고 찬탄하였다. 우리는 자신의 지혜가 없으면 부처님의 지혜를 빌려서 문제를 해결하는 습관을 지녀야 한다. 보통의 사람들에겐 그 생각과 지혜가 한계가 있다. 그러므로 어떤 일을 당하여 어려움이 있을 때는 반드시 성인聖人들의 지혜를 찾아 활용하여야 할 것이다. 일이 일어나기 전에 평소에 성인의 가르침을 열심히 배우고 사유하여 생활화하는 사람은 참으로 현명한 사람이리라.

14. 부정不淨한 국토는 교화의 방편

불고사리불　　여차관시불토엄정　　사리불
佛告舍利弗하사대 汝且觀是佛土嚴淨하라 舍利弗이

언　　유연세존　　본소불견　본소불문　　금
言하사대 唯然世尊이시여 本所不見이며 本所不聞이러니 今

불국토　엄정실현　　불고사리불　　아불국토
佛國土에 嚴淨悉現이니다 佛告舍利弗하사대 我佛國土에

상정　약차　　위욕도사하열인고　시시중악부정
常淨이 若此언마는 爲欲度斯下劣人故로 示是衆惡不淨

토이　비여제천　공보기식　　수기복덕　　반색
土耳니 譬如諸天이 共寶器食하되 隨其福德하여 飯色이

유이　　여시　　사리불　약인심정　　변견차토공
有異니라 如是하야 舍利弗아 若人心淨하면 便見此土功

덕장엄
德莊嚴하리라

부처님이 사리불에게 말씀하였다.

"그대는 불국토가 아름답게 장엄한 것을 보는가?"

사리불이 말하였다.

"예, 세존이시여, 본래는 보지 못하던 것이며 본래는 듣지 못하던 것인데 지금의 불국토는 아름다운 모습이 다 나타났습니다."

부처님이 사리불에게 말씀하였다.

"나의 불국토는 항상 청정한 것이 이와 같지만, 이곳의 하열한 사람들을 제도하기 위해서 온갖 나쁘고 더러운 국토를 보였을 뿐이다. 비유하자면 여러 천신天神들은 다 같이 보배로 된 그릇으로 식사하지만, 그들의 복덕을 따라서 밥의 색깔이 다른 것과 같으니라. 이처럼 사리불이여, 만약 사람의 마음이 청정하면 곧 이 국토가 공덕으로 장엄한 것을 보게 되리라."

부처님은 부득이해서 신통으로 청정한 국토를 보여 주었으나 실은 이 사바세계가 공부하고 수행하기 가장 좋은 환경이다. 경전에 "나의 불국토는 항상 청정한 것이 이와 같지만, 이곳의 천하고 너절한 사람들을 제도하기 위해서 온갖 나쁘고 더러운 국토를 보였을 뿐이다."라고 하였다. 사람이 사는 주변에 온갖 시시비비가 들끓고 비리와 부정과 음모가 난무하고 전쟁과 지진이 넘쳐나는 것은 모두가 중생을 성숙시키고 지혜를 얻게 하기 위한 것으로 받아들여야 한다. 심지어 생로병사가 우리의 삶과 함께하고 있는 것도 실은 공부며, 선지식이며, 깨달음이며, 가르침으로 받아들여야 한다. 인간의 온갖 부정적 요소들과 세상에서 일어나는 험악한 일들이 아니라면 부처님과 부처님의 가르침이 필요할 까닭이 없지 않은가. 훌륭한 성인과 뛰어난 선지식과 무수한 가르침이 존재하는 것은 이 세상에 험악하고 나쁜 사람들이 많은 덕택이다. 그러므로 어쩌면 그 많은 부정적인 요소들에 감사해야 하리라.

그래서 이 세상과 사람들이 꼭 나쁘기만 한 것은 아니다. 경전에서 비유하였듯이 같은 그릇에 밥을 담아도 밥을 받는 사람의 복덕에 따라서 밥의 색깔이 다르듯이 각자의 세상을 보는 인식과 안목에 따라 세상은 전혀 다르게 보이는 것이기도 하다. 나 자신은 보배 그릇이고 이 세상은 나의 밥이다. 나 자신의 지혜와 복덕에 따라 세상은 전혀 다른 것으로 보인다. 깨끗하고 더러운 것은 사람에게 있지 국토나 환경에 있는 것은 아니기 때문이다.

15. 국토에 대한 공덕

당불현차국토엄정지시 보적소장오백장자자
當佛現此國土嚴淨之時하야 **寶積所將五百長者子**가

개득무생법인 팔만사천인 개발아뇩다라삼먁
皆得無生法忍하고 **八萬四千人**은 **皆發阿耨多羅三藐**

삼보리심
三菩提心하니라

부처님이 이 국토를 청정하게 장엄함을 나타냈을 때 보적이 거느리고 온 5백 명의 장자 아들들이 모두 다 생사가 없는 진리를 얻었고, 8만4천 사람들은 모두 다 최상의 깨달음에 대한 마음을 내었다.

부처님께서 신통으로 국토를 청정하게 장엄했을 때 5백 명 장자의 아들들은 생사가 없는 진리[無生法忍]를 얻었으며, 8만4천 명의 사람들은 보리심을 발하였다. 보적과 5백 명의 장자의 아들들은

『유마경』의 서두를 장식한 중요한 사람들이다. 칠보로 된 일산日傘을 부처님께 공양하고 부처님은 그 일산을 하나로 만들어서 모든 존재가 둘이 아니며 절대적으로 평등하다는 불이不二의 종지를 상징적으로 보여 준 일이 있었다. 그때 이미 보리심을 발하였기 때문에 여기서 국토가 아름답게 장엄함을 보고는 곧 무생법인을 깨달아 얻었다. 8만4천의 사람들은 뒤이어 보리심을 발한 것으로 되어 있다. 국토의 아름다움에 환희심을 내었고 그 환희심은 곧 깨달음과 보리심으로 이어진 것이다. 다음에 장엄은 사라지고 사바세계가 본래의 모습으로 돌아왔을 때 그것을 보고 이익을 얻은 것과 비교해 볼 만한 내용이다.

불섭신족 어시세계 환부여고 구성문승
佛攝神足하시니 於是世界는 還復如故하니라 求聲聞乘

삼만이천 제천급인 지유위법 개실무상
하는 三萬二千과 諸天及人은 知有爲法이 皆悉無常하고

원진이구 득법안정 팔천비구 불수제법
遠塵離垢하야 得法眼淨하며 八千比丘는 不受諸法하고

누 진 의 해
漏盡意解하니라

부처님께서 신통을 보여 줬던 발을 거두어들이니 이 세계는 다시 예전처럼 회복되었다. 성문승을 구하는 3만2천 명과 여러 천신과 사람들은 조작이 있는 법[有爲法]은 모두 다 무상하다는 것을 알고 번뇌와 때를 멀리 여의고 법안이 청정함을 얻었으며, 8천 명의 비구들은 모든 법을 받아들이지 않고 스며드는 번뇌가 다하여 생각이 풀려 버렸다.

부처님이 신통으로 보여 줬던 발을 거두어들이니 이 사바세계는 본래의 모습으로 돌아왔다. 본래의 모습이란 사리불이 지적한 대로 온갖 존재의 불평등한 경계들이다. 이때 소승성문 3만2천 명과 천신과 사람들은 조작이 있는 법[有爲法]은 모두가 무상하다는 것을 알게 되었다. 조작이 있는 법은, 심지어 부처님이 보여 주신 신통까지지도 허망하다는 사실에 무상감을 깊이 느꼈을 것이다. 그러므로 인간의 번뇌를 만드는 명예와 재산과 건강과 부귀공명에 대한 갈등을 멀리 떠나게 된 것이다. 그래서 모든 존재를 보는 눈이 청정[法眼淨]하여진 것이다. 8천 명의 비구들도 일체의 존재를 받아들이지 않게 되어 번뇌가 사라지고 의욕이 사라지게 된 이익을 얻었다.

국토가 아름답게 장엄한 것을 보고 얻은 이익과 아름다운 국토가 사라져 버린 것을 보고 얻은 이익은 이렇게 다르다. 달리 표현하면 소승적 견해와 대승적 견해의 차이라고도 할 수 있을 것이다. 이것으로써 「불국품」에 대한 강설을 마친다. 부처님이 발가락으로 땅을 누르시니 곧바로 삼천대천세계가 백천 가지 보물로 장엄이 되었다가 그 발을 거두시니 삼천대천세계가 다시 본래대로 되돌아간 순간 불국품이 끝난 것은 실로 절묘한 표현이다.

二. 방편품方便品

불교에서는 방편이라는 말을 매우 많이 한다. 경전에도 방편품이 여러 곳에 있다. 방편이라는 말은 '접근하다' '도달하다'라는 의미로 훌륭한 방법을 써서 중생을 피안彼岸으로 인도하는 것이다. 차별의 사상事象을 알아 근기에 따라 중생을 제도하는 지혜다. 실상의 법계法界 속으로 중생을 인도하기 위해 임시 마련한 수단이다. 마치 지붕에 올라가는 데 필요한 사다리와 강을 건너는 데 쓰이는 뗏목과 같은 것이다. 『유마경』에서는 유마 거사가 중생을 제도하기 위해서 온갖 방편을 보이는데 특히 병고를 앓는 것으로 방편을 삼은 것이 특이하여 널리 알려졌다. 그래서 「문수사리문질품」에서 "일체중생이 아프므로 내가 아프다."라는 유명한 말을 남겼다.

1. 유마힐의 덕행

이시　　비야리대성중　　유장자　　명　　유마힐
爾時에 **毘耶離大城中**에 **有長者**하니 **名**은 **維摩詰**이라

이증공양무량제불　　심식선본　　득무생인　　변
已曾供養無量諸佛하야 **深植善本**하며 **得無生忍**하아 **辯**

재무애
才無礙하니라

그때에 비야리 대성 안에 장자가 있었다. 그의 이름은 유마힐이었다. 그는 일찍이 한량없이 많은 부처님께 공양하여 선의 근본을 깊이 심었으며, 생멸이 없는 진리를 얻어서 변재도 걸림이 없었다.

『유마경』의 주인공은 유마 거사다. 경전의 이름도 '유마힐 거사가 설한 경전[維摩詰所說經]'이라는 뜻이다. 「방편품」에 이르러 그 주인공이 등장하였다. 부처님의 경전에 주인공으로 등장하여 가르침

을 전하는 큰 영광을 얻은 사람은 인격과 덕행이 대단히 뛰어났으리라는 것은 묻지 않아도 뻔히 알 수 있는 일이다. 유마 거사의 여러 가지 덕행德行 중에서 한량없이 많은 부처님께 공양을 올려서 선善의 근본을 깊이 심었다는 것이 그 첫째 자랑거리다. 그것은 곧 이타행利他行이다. 모든 사람, 모든 생명들에게 입을 것과 먹을 것과 머물 곳을 공양 올리고 진리의 가르침을 공양 올렸다. 봉사와 자선慈善으로써 열심히 남을 이롭게 하는 수행을 하였다는 뜻이다.

다음은 생멸이 없는 진리를 얻어 그 진리를 전하는 변재가 걸림없이 법문을 잘하였다는 뜻이다. 불법佛法을 배워 이론과 실천수행을 겸비한 모습이며 복덕과 지혜를 함께 갖춘 인격자라는 의미다. 불교 역사에서 흔히 인도에는 유마 거사요, 중국에는 방龐 거사요, 한국에는 부설浮雪 거사라고 하여 세 분의 대표 거사를 꼽는다.

유 희 신 통　　체 제 총 지　　획 무 소 외
遊戲神通하며 **逮諸總持**하야 **獲無所畏**하며

신통을 자유롭게 활용하며 온갖 총지를 다 지니어 두려움이 없는 경지를 얻었다.

불교에서는 신통이라는 말을 자주 쓴다. 신통은 여러 가지 의미로 해석되기도 한다. 마술이나 초능력적인 어떤 재주를 신통이라고 말하기도 하지만, 가장 확실한 신통은 "신통병묘용神通幷妙用 운수급반시運水及搬柴"라는 옛사람의 가르침을 들 수 있다. 즉 "신통과 미묘한 작용은 물을 길어 오고 땔나무를 해 오는 능력"이라는 뜻이다. 요즘 말로는 전기의 스위치를 켜고 수도의 꼭지를 트는 능력이라고 바꿔 말할 수도 있다. 이러한 일을 하지 못하는 사람은 없다. 다시 말하면 보고 듣고 말하고 하는 모든 사람의 일반적인 능력이 곧 신통이라는 뜻이다. 유마 거사가 지닌 신통은 과연 무엇일까?

총지總持란 모든 법문을 다 기억하여 지닌다는 뜻이다. 중생을 제도하기 위해서 법을 설하려면 법을 기억해서 지니고 있어야 한다. 기억하지 못하면 법을 설할 수 없으므로 온갖 교리와 이치를 다 기억한다는 것은 매우 중요한 일이다.

두려움이 없다는 것은 부처님의 능력을 설명할 때 자주 등장하는 네 가지 두려움 없음이다. 즉 사무소외四無所畏다.

1. 정등각무외正等覺無畏 : 깨달아 정각에 오르는 데 두려움이 없다.
2. 누영진무외漏永盡無畏 : 온갖 번뇌를 영원히 끊어 두려움이 없다.

3. 설장법무외說障法無畏 : 설법하는 데 비난을 받는 장애가 있어도 두려움이 없다.

4. 설출도무외說出道無畏 : 고통을 끊어 해탈에 이르는 사제 팔정도四諦八正道를 설하는 데 두려움이 없다.

지극히 상식적인 사람이라면 사람을 대하는 데 있어서 조심스럽고 두려움도 있기 마련이다. 특히 설법하는 경우라면 더욱 그렇다. 청중 중에 어떤 실력과 지혜와 경험을 가진 사람이 있을지 알 수 없기 때문이다. 부처님은 어떤 사람이나 어떤 상황을 만나더라도 두려움이 없다고 하였으며 유마 거사도 또한 그와 같은 덕행을 소유하고 있다고 하였다.

항마노원 입심법문 선어지도 통달방편
降魔勞怨하야 **入深法門**하며 **善於智度**에 **通達方便**하야

대원성취
大願成就하니라

마군과 진로와 원적들을 다 항복받았으며, 또한 깊은 법문에 들어가서 지혜에 뛰어났으며, 방편을 통달하여 큰 원력이 성취되었다.

유마 거사는 외적인 번뇌와 내적인 번뇌와 그리고 본의 아니게 적대시하는 사람들까지 모두 감화시키고 때로는 항복도 받았다. 아무리 훌륭한 성인이라도 그를 미워하고 시기하고 질투하고 음해하고 모함하는 사람들은 다 있었다. 하물며 보통 사람들이겠는가. 그와 같은 장애를 다 항복받고 나서 깊은 법문에 들어가려면 지혜가 있어야 한다. 또한 지혜 있는 사람이라야 불교공부를 깊이 있게 한다. 불교공부를 깊게 하면 저절로 방편을 통달하게 되고 중생을 제도하려는 큰 원력도 성취하게 된다. 불교적인 인격자가 되려면 지혜智慧와 자비慈悲와 방편方便과 원력願力, 이 네 가지는 반드시 갖추어야 할 사항이다.

명료중생 심지소취 우능분별제근이둔 구
明了衆生의 **心之所趣**하며 **又能分別諸根利鈍**하며 **久**
어불도 심이순숙 결정대승 제유소작 능선
於佛道에 **心已純淑**하야 **決定大乘**하며 **諸有所作**에 **能善**
사량
思量하니라

중생의 마음의 나아갈 바를 분명히 알며 또한 능히 모든 근기의 영리하고 둔함을 잘 분별하며 오랫동안 불도에서 그 마음이 순일하고 맑아져서 대승의 가르침에 결정되어 있었다. 그리고 여러 가지 하는 일에 대해서는 능히 잘 생각하였다.

중생을 제도하는 데는 그들의 마음을 잘 알아야 한다. 근기와 수준과 관심을 잘 알아야 한다. 영리하고 둔함까지도 잘 알아야 중생을 제도할 수 있다. 유마 거사는 이러한 점을 잘 갖추고 있다. 또한 오랫동안 불법에 몸을 담고 살았기 때문에 순일하고 맑다. 흔히 불법에 인연은 깊으나 대승법과 정법에 어두운 사람들이 있다. 그들은 어떤 문제가 발생했을 때 이치에 맞게 바르게 생각하지 못하고 삿된 행동을 하는 경우가 있다. 이는 참으로 안타까운 일이며 불교를 잘못 공부한 것이 된다. 그러므로 정법이니 대승법이니 하는 말을 자주 쓰는 것이다. 유마 거사는 뒤에 이어지는 「제자품」과 「보살품」에서 걸식乞食의 문제, 좌선坐禪의 문제, 계율戒律의 문제, 설법說法의 문제 등 불교의 여러 방면에 대해서 정법과 삿된 법을 가려서 밝히는 법문을 대단히 많이 하였다.

주불위의　　심여대해　제불자차　제자석범세
住佛威儀하야 **心如大海**라 **諸佛咨嗟**며 **弟子釋梵世**

주　소경
主의 **所敬**이니라

부처님의 위의威儀에 머물러 있으며 그 마음은 큰 바다와 같아서 모든 부처님이 찬탄하는 바가 되었다. 또 제자들과 제석천과 범천과 세상의 주인들이 공경하는 바가 되었다.

세상 사람들의 모범이 되려면 그 위의威儀가 뛰어나야 한다. 유마거사는 부처님의 위의와 같았다. 얼마나 훌륭하였겠는가. 사람은 내면內面도 알차야 하지만, 겉으로 드러나는 위의가 더 중요할 때가 있다. 부처님의 뛰어난 제자 가운데 사리불과 목건련은 마승馬勝이라는 부처님의 제자가 그 위의가 대단히 훌륭한 점에 감화되어 발심 출가發心出家한 이들이다. 위의가 뛰어나면 사람을 이와 같이 감동하게 한다.

"심여대해心如大海, 마음은 큰 바다와 같다."라는 말은 이 얼마나 닮고 싶고, 부럽고, 한편 기가 죽는 말인가. 필자는 평소에 마음이 좁아 터져서 포대 화상 그림을 걸어놓고 살기도 하였다. 그분과 같은 넉넉한 모습에서 풍겨 나오는 바다와 같은 마음을 닮고 싶어서였다. 온갖 시시비비와 갈등과 잘잘못을 다 수용하고 이해하고 용서하며 살고 싶은 마음에서였다. 유마 거사의 마음은 큰 바다와 같다고 한다. 유마 거사의 덕행 중에서 가장 마음에 드는 부분이다. 그래서 부처님도 그를 찬탄하시고 또한 부처님의 제자들과 제석천신帝釋天神과 범천梵天과 세상의 주인들이 모두모두 공경하는 바가 되었다.

2. 재가인在家人으로서의 수행

욕도인고 이선방편 거비야리 자재무량
欲度人故로 **以善方便**으로 **居毘耶離**하되 **資財無量**하야

섭제빈민 봉계청정 섭제훼금 이인조행
攝諸貧民하며 **奉戒淸淨**하야 **攝諸毁禁**하며 **以忍調行**하야

섭제에노 이대정진 섭제해태 일심선적
攝諸恚怒하며 **以大精進**으로 **攝諸懈怠**하며 **一心禪寂**으로

섭제난의 이결정혜 섭제무지
攝諸亂意하며 **以決定慧**로 **攝諸無智**하며

사람들을 제도하기 위해서 훌륭한 방편을 활용하면서 비야리 성城에 살았다. 그는 재물이 한량없이 많아서 수많은 가난한 백성을 잘 보살핀다. 계율을 청정하게 받들어 계율을 범하는 이들을 많이 포섭한다. 인욕으로써 행동을 다스려 모든 분노를 잠재운다. 큰 정진으로써 일체의 게으른 마음을 억누른다. 일심으로 고요한 선의 경지에 들어가 모든 산란한 마음을

씻는다. 결정된 지혜로써 모든 지혜 없는 이들을 가르친다.

불교의 목적은 모든 사람 모든 생명에게 보살행을 실천하는 것이다. 보살행으로서는 육바라밀이 근본이다. 유마 거사도 역시 육바라밀을 실천하는 구체적인 모습을 밝혔다. 보시에는 여러 가지가 있겠지만, 재물 보시를 우선으로 삼았다. 계행은 자신도 잘 지키면서 파계하는 사람까지도 잘 거두어서 배려한다. 지혜도 또한 지혜가 없는 사람들을 잘 거두어 지켜 준다. 도량이 좁고 간사한 사람은 무엇이든 자신이 한 가지를 잘하면 자신보다 못한 사람들을 비난하고 배척하며 흉을 보는 데 여념이 없다. 그와 같은 마음을 쓰려면 차라리 자신이 못하더라도 남을 비난하지 않는 것이 훨씬 나은 일이다. 이와 같은 이치를 유마 거사는 잘 밝히고 있다.

수위백의 봉지사문청정율행 수처거가 불
雖爲白衣나 奉持沙門淸淨律行하며 雖處居家나 不

착삼계 시유처자 상수범행 현유권속 상
着三界하며 示有妻子나 常修梵行하며 現有眷屬하되 常

락원리 수복보식이이상호엄신 수부음식이
樂遠離하며 **雖服寶飾而以相好嚴身**하고 **雖復飮食而**

이선열위미
以禪悅爲味하며

비록 세속의 옷을 입었으나 사문이 지키는 청정한 계율을 받들며, 비록 가정집에 살지만 삼계에 집착하지 아니하며, 처자가 있으나 항상 범행을 닦으며, 권속이 있으나 항상 멀리하기를 좋아하며, 비록 보배로 장식하였으나 타고난 상호로써 몸을 장엄하고, 비록 음식을 먹지만 선열로써 그 맛을 삼는다.

요즘의 출가 사문들은 비록 사문이 되었어도 사문의 계율을 지키지 못한다. 비록 출가하였으나 세상사에 집착한다. 처자는 없어도 범행을 닦지 못한다. 권속이 없어서 친구를 찾아 나선다. 타고난 천성이 속물로 타고났으니 온갖 명품으로 치장한다. 법희선열法喜禪悅의 맛은 온데간데없고 갖가지 맛난 음식을 찾아 헤맨다. 유마 거사의 수행생활이 더욱 돋보이는 부분이다.

약 지 박 혁 희 처　첩 이 도 인　수 제 이 도　불 훼
若至博奕戲處라도 **輒以度人**하고 **受諸異道**하대 **不毁**

정 신　수 명 세 전　상 락 불 법
正信하며 **雖明世典**이나 **常樂佛法**하며

만약 바둑이나 장기 두는 곳에 이르면 문득 그것으로써 사람들을 제도한다. 여러 이교도의 가르침을 받아들이되 바른 신심을 해치지 아니한다. 비록 세속의 학문에 밝지만 항상 불법을 좋아한다.

요즘에는 출가 수행한다는 승려들도 장기나 바둑이나 골프나 그림이나 사진이나 다도와 같은 세속인이 즐기는 일을 버젓이 자랑삼아 하는 이들이 있다. 유마 거사와 같이 중생을 제도하기 위해서 하는 것이 아니라 승려의 본분을 잊어버리고 즐기며 놀기 위해서 한다. 또 이교도들과도 교류가 많다. 과연 그들과 만나서 그들을 교화할 인격과 소양을 갖추고 있는가. 불교의 경전에는 어두우면서 세속의 학문이나 지식에 따라가서 본분을 망각한 사람들도 적지 않다. 유마 거사와 뒤바뀐 양상이다.

일체견경　위공양중최　집지정법　섭제장유
一切見敬하야 爲供養中最며 執持正法하야 攝諸長幼

일체치생　해우　수획속리　불이희열　유
하며 一切治生에 諧偶하며 雖獲俗利나 不以喜悅하며 遊

제사구　요익중생　입치정법　구호일체
諸四衢하야 饒益衆生하며 入治政法하야 救護一切하며

모든 사람에게 공경을 받아서 공양을 받는 사람 중에 최상이 된다. 정법을 지켜서 어른과 아이를 다 포섭하며, 모든 생활의 방도를 마련하는 데 잘 어울려 조화한다. 비록 세속적인 이익을 얻으나 기뻐하지 아니하며, 시내에 노닐어서 중생을 이익되게 한다. 소송하고 재판하고 정치하는 데 들어가서 모든 사람을 구호한다.

출가 수행자나 불교를 깊이 이해하고 실천하려는 일반 신도에게까지도 세상에서는 존경을 받을 수 있는 인격자가 되어야 한다. 존경을 받게 되면 공양은 저절로 따르게 된다. 그리고 어떤 사람을 대하든지 불자는 바른 법으로써 사람을 대해야 한다. 간혹 법답지 못한 법과 삿된 법으로 가르치거나 절을 운영하는 예도 있는데 그것은 자리이타自利利他가 아니라 자신도 손해고 남에게도 손해를 입히게 된다. 생활하는 모습은 분수에 맞게 조화로워야 한다. 도를 닦는 것을 최우선으로 하며 살아가는 사람이 사찰의 건물을 잘 지었다고, 비싼 물품을 들여다 놓았다고, 세속적인 이익의 많고 적음을 가지고 자랑하는 꼴은 참으로 보기 민망하다. 수행자는 어디를 가든지 사람들에게 이익을 주어야 한다. 사찰이 있는 그 지역사회에 무엇인가 보탬이 되고 이익을 줘야 한다. 지역사회에 도움이 되지 않는 사찰은 존재할 이유가 없다. 유마 거사가 가는 곳마다 사람들을 이익되게 한다는 것은 얼마나 필요한 일인가.

입강론처 도이대승 입제학당 유개동몽

入講論處하야 **導以大乘**하며 **入諸學堂**하야 **誘開童蒙**

입제음사 시욕지과 입제주사 능립기지

하며 **入諸婬舍**하야 **示欲之過**하며 **入諸酒肆**하야 **能立其志**

하니라

강론하는 곳에 들어가서는 대승법大乘法으로써 인도하며, 여러 학당에 들어가서는 어린아이들을 가르친다. 기생집에 들어가서는 욕심의 잘못을 보이며, 술집에 들어가서는 능히 그 뜻을 세운다.

법문을 하거나 경전을 강론하면 반드시 대승법으로 사람들을 가르쳐야 한다. 인생은 그렇게 길지도 않고 불법佛法을 배울 기회가 그렇게 많지도 않다. 언제 어디서 또 법을 배우랴. 법을 만났을 때 언제나 최상의 법, 보살대승의 법으로써 사람을 교화해야 한다는 정신을 가져야 한다. 간혹 큰스님이라고, 또는 나이가 많다고 법회를 가려 가면서 법문을 하는 경우가 있는데 유마 거사는 어린 아이들도 잘 가르친다고 하였다. 세상에는 기생집이나 술집도 많다. 유마 거사도 그와 같은 곳을 들를 경우가 있다. 그런 곳에서는 사람들의 부정한 욕심과 술에 취하여 정신을 잃어버리고 행동하는 경우에 대해서 그 잘못을 가르쳐 세상을 맑고 향기롭게 하려고 노력한다.

3. 유마힐의 교화방편

약재장자　장자중　존　위설승법　약재거
若在長者하면 長者中에 尊하야 爲說勝法하며 若在居

사　거사중　존　단기탐착　약재찰리　찰리
士하면 居士中에 尊하야 斷其貪着하며 若在刹利하면 刹利

중　존　교이인욕　약재바라문　바라문중
中에 尊하야 教以忍辱하며 若在婆羅門하면 婆羅門中에

존　제기아만　약재대신　대신중　존　교이
尊하야 除其我慢하며 若在大臣하면 大臣中에 尊하야 教以

정법　약재왕자　왕자중　존　시이충효　약
正法하며 若在王子하면 王子中에 尊하야 示以忠孝하며 若

재내관　내관중　존　화정궁녀　약재서민
在內官하면 內官中에 尊하야 化正宮女하며 若在庶民하면

서민중　존　영흥복력　약재범천　범천중
庶民中에 尊하야 令興福力하며 若在梵天하면 梵天中에

존　　회이승혜　　약재제석　　제석중　존　　시현
尊하야 誨以勝慧하며 若在帝釋하면 帝釋中에 尊하야 示現

무상　　약재호세　　호세중　존　　호제중생
無常하며 若在護世하면 護世中에 尊하야 護諸衆生하나니

장자유마힐　이여시등무량방편　　요익중생
長者維摩詰이 以如是等無量方便으로 饒益衆生이러라

만약 장자들에게 있으면 장자 중에 가장 높아서 그들을 위하여 뛰어난 법을 설한다. 만약 거사居士 중에 있으면 거사 중에 가장 높아서 그들의 탐착을 끊어 준다. 만약 찰제리들에게 있으면 찰제리 중에 가장 높아서 인욕으로써 가르친다. 만약 바라문들에게 있으면 바라문 중에 가장 높아서 그들의 아만을 제거해 준다. 만약 대신들에게 있으면 대신 중에 가장 높아서 정법正法으로써 가르친다. 만약 왕자들에게 있으면 왕자 중에 가장 높아서 충성과 효도로써 보여 준다. 만약 내관內官들에게 있으면 내관 중에 가장 높아서 올바른 궁녀로 교화한다. 만약 서민들에게 있으면 서민 중에 가장 높아서 복력을 일으키게 한다. 만약 범천에 있으면 범천 중에 가장 높아서 뛰어난 지혜로써 가르친다. 만약 제석천들에게 있으면 제석천 중에 가장 높아서 무상無常함을 나타내 보인다. 만약 호세護世천들에게 있으면 호세천 중에 가장 높아서 모든 중생을 교화한다. 장자 유마힐이 이와 같은 한량없는 방편으로 중생을 유익하게 한다.

유마 거사는 부처님 당시 세속에서 가장 법력이 높은 분으로 알려졌다. 흔히 출가인出家人들에게는 부처님이 계시고 세속에는 유마 거사가 계신다고 할 정도였다. 그러므로 유마 거사는 어디를 가든지, 또 어떤 수준의 사람들과 어울리든지 가는 곳마다 그곳에서 가장 높은 어른으로 추앙과 존경을 받았던 분이다. 존경만 받는 것이 아니라 반드시 훌륭한 방편을 통해 많은 이들을 바른 삶의 길로 인도하였다. 세속에 살면서 모든 분야 모든 계층에서 한결같이 가장 높은 사람이 되고 그들의 스승이 된다는 것은 참으로 훌륭한 인격을 갖추었음을 알 수 있다.

4. 방편으로 병을 보이다

기이방편 현신유질 이기질고 국왢 대신
其以方便으로 **現身有疾**하야 **以其疾故**로 **國王・大臣**과

장자 거사 바라문등 급제왕자 병여관속무수
長者・居士・婆羅門等과 **及諸王子**와 **並餘官屬無數**

천인 개왕문질 기왕자 유마힐 인이신질
千人이 **皆往問疾**이어든 **其往者**를 **維摩詰**이 **因以身疾**로

광위설법
廣爲說法하니라

그는 방편으로써 몸에 병이 있음을 나타내어 그 병 때문에 국왕과 대신과 장자와 거사와 바라문과 그리고 여러 왕자와 아울러 다른 관속 무수한 천인千人이 모두 다 문병을 가게 되었다. 문병 온 사람들에게 유마힐이 몸의 병으로 말미암아 널리 설법하였다.

중생을 교화하는 데는 여러 가지 방편이 있을 수 있는데 유마 거

사는 특별히 병을 교화의 방편으로 삼았다. 생로병사라고 하여 사람의 병고는 누구도 피할 수 없는 필연적인 운명이다. 병고를 통해서 인생의 무상함을 깨닫고, 나아가서 죽음을 미리 확실하게 예상해 본다는 것은 그 어떤 성인의 가르침이나 교훈보다 그 효과가 우수하다.

필자는 2003년 7월 25일 갑자기 죽음 직전까지 가는 병고가 찾아와서 17년이 지난 지금도 그 후유증으로 하반신이 거의 마비되어 움직이기가 대단히 불편하지만, 좌충우돌하며 이판사판으로 씩씩하게 살아가고 있다. 그래서 어떤 일이 있을 때는 마치 전쟁터에 나가는 심정으로 임한다. 한편 이와 같은 병고 덕택에 스스로 자신에게는 부처님의 6년 고행과 거의 같은 경험을 하였다고 말한다. 건강하게 살았으면 상상하지도 못할 깨달음을 얻었으며 그로 말미암아 불법의 이치와 내 삶에 큰 힘을 얻게 되었다. 평생 경전을 공부하고 참선한 것과는 도저히 비교할 수 없는 큰 소득이다. 백 배 천 배의 큰 이익을 얻은 것이다. 나름대로 『대방광불화엄경 강설』 81권을 완성하여 많은 사람들에게 법공양을 올려 보람이 있었다고 생각한다. 그러나 고통은 여전히 고통인 것을 어찌하랴.

유마 거사는 자신의 병고를 통해 자신도 크게 깨달았지만, 문병 온 사람들에게 만고에 길이 빛날 불가사의하고 미묘한 법문을 들려주었다. 그 법문이 경전으로 전해져서 지금까지 이처럼 무수한 사람들에게 큰 깨달음과 감동을 주고 있다.

5. 육신의 현실

제인자 시신 무상 무강 무력 무견 속
諸仁者여 是身은 無常·無强하며 無力·無堅하야 速

후지법 불가신야 위고위뇌 중병소집 제
朽之法이라 不可信也며 爲苦爲惱하야 衆病所集이니 諸

인자 여차신 명지자 소불호
仁者여 如此身은 明智者의 所不怙니라

"여러분이여, 이 몸은 무상하고 굳건하지 못하며 힘도 없고 견고하지 않아서 빨리 무너지는 법이다. 믿을 것이 못 되며 고통이며 괴로움이니, 온갖 병들의 모인 바니라. 여러분들이여, 이와 같은 몸은 밝은 지혜를 가진 사람들의 믿지 않는 바이니라."

이 몸이란 한마디로 골칫덩어리다. 설사 건강하다 하더라도 먹여 주고 입혀 주고 재워 주고 씻겨 주고 온갖 시중을 들어야 하는데 만약 무거운 병이라도 있는 사람이라면 오로지 그 병을 위해 사느라고 아무 일도 못한다. 또한 병고로 말미암은 마음의 상처는 얼마나 큰가. 그런데 젊고 건강하면 다 잊어버리고 살지만, 지혜로운 사람은 미리 허망하고 무상하다는 것을 알아 크게 믿지 않는다. 어느 날 이 몸이 무너지더라도 별로 실망하지도 않는다. 누구나 병이 드는 것이며, 언젠가 누구나 죽는다는 사실을 잘 알고 있어서 태연하다. 유마 거사는 병들고 죽는 것에 초연한 사람이다.

6. 무상의 비유

시신 여취말 불가촬마 시신 여포 부득
是身은 **如聚沫**하야 **不可撮摩**며 **是身**은 **如泡**하야 **不得**

구립 시신 여염 종갈애생 시신 여파초
久立이며 **是身**은 **如燄**하야 **從渴愛生**이며 **是身**은 **如芭蕉**하야

중무유견
中無有堅이며

"이 몸은 물방울이 모인 것과 같아서 만질 수가 없으며, 이 몸은 거품과 같아서 오래가지 못하며, 이 몸은 아지랑이와 같아서 갈애로부터 생긴 것이며, 이 몸은 파초와 같아서 속이 텅 비었다."

이 몸이 무상한 점을 여러 가지 비유로 밝히고 있다. 특히 아지랑이와 같다는 것은 목이 마른 사슴이 아지랑이를 물로 잘못 보고 그 아지랑이를 쫓아가다가 결국은 목이 말라 죽음에 이른다는 이

야기다. 또 파초는 속 알갱이가 없는 것이 양파와도 같다. 파초나 양파의 껍질을 하나하나 벗기면 결국은 속이 없듯이 이 육신도 사대가 뿔뿔이 흩어지고 나면 아무것도 없다. 그래서 무상하다는 것이다.

시신 여환 종전도기 시신 여몽 위허망
是身은 **如幻**하야 **從顚倒起**며 **是身**은 **如夢**하야 **爲虛妄**

견 시신 여영 종업연현 시신 여향 속
見이며 **是身**은 **如影**하야 **從業緣現**이며 **是身**은 **如響**하야 **屬**

제인연
諸因緣이며

"이 몸은 환영과 같아서 전도顚倒된 생각으로부터 생긴 것이며, 이 몸은 꿈과 같아서 허망하게 본 것이며, 이 몸은 그림자와 같아서 업의 인연으로부터 나타난 것이며, 이 몸은 메아리와 같아서 여러 가지 인연에 속해 있다."

환상이나 환영은 모두가 사물을 잘못 보거나 아무것도 없는 곳에서 무엇이 있는 것으로 뒤바뀌게 봄으로 생긴 것이다. 또 꿈이란 잠이 들었을 때 한 생각이 허망하게 움직여서 일어나는 헛것이다. 그림자는 어떤 형체가 있고 그 형체를 비추는 빛이 있을 때 나타나는 것이지만 실체는 없다. 업의 인연으로 된 우리의 몸도 분석해 보면 실체가 없다. 메아리도 인연의 힘이 있는 동안은 있는 듯이 들리지만 그 인연의 힘이 다하면 존재하지 않듯 우리의 육신도 모두가 사대와 오온의 인연의 힘이 있는 동안만 존재하는 것처럼 보일 뿐이다. 이 많은 비유 중에서 한 가지만 철저하게 계합契合이 되면 다른 모든 비유는 다 따라서 계합이 될 것이다. 그러므로 한 가지 비유를 선택해서 깊이 사유하고 명상하여 그 이치를 체득해야 하리라.

시신 여부운 수유변멸
是身은 **如浮雲**하야 **須臾變滅**이며

"이 몸은 뜬 구름과 같아서 잠깐 사이에 변하고 소멸한다."

49재 법문 중에 가장 많이 인용하는 것이 "생종하처래 사향하처거 생야일편부운기 사야일편부운멸 부운자체본무실 생사거래역여연 독유일물상독로 담연불수어생사生從何處來 死向何處去 生也一片浮雲

起 死也一片浮雲滅 浮雲自體本無實 生死去來亦如然 獨有一物常獨露 湛然不隨於生死"라는 내용이다. 즉 "태어남이란 어디로부터 왔으며 죽음이란 어디로 향해 가는가. 태어남이란 한 조각 구름이 생기는 것과 같고 죽음이란 한 조각 구름이 사라지는 것과 같다. 뜬 구름 자체는 본래 실체가 없고 태어나고 죽고 오고 감도 또한 그와 같네. 오직 한 물건이 항상 홀로 드러나 있어서 맑고 고요하게 생사를 따라가지 않도다."라는 뜻이다.

이 육신은 저 하늘의 뜬 구름과 같이 시시각각 변하고 사라진다. 그러나 인용한 게송에서는 한 물건의 영원하고 변하지 않는 내용까지 이야기하였다. 유마 거사의 법문은 다만 이 육신에 한하여 말씀한 것이다.

시신 여전 염념부주
是身은 **如電**하야 **念念不住**며

"이 몸은 번개와 같아서 순간순간 머물지 아니한다."

이 육신이 짧은 시간에 변하고 순간순간 달라지는 것이 마치 번갯불이 번쩍하고 순식간에 지나가 버리는 것과 같다고 하였다. 옛 사람이 말하기를 "사람은 같은 냇물에 두 번 다시 목욕할 수 없다."라고 하였다. 왜냐하면 우리의 육신도 순간순간 변하여 어제 그 사람이 오늘의 그 사람인 듯 보이지만 이미 수많은 것이 달라진 상태며 냇물도 순간순간 흘러가기 때문에 같은 물이 있을 수 없다는 것이다.

시신 무주 위여지 시신 무아 위여화 시
是身은 **無主**라 **爲如地**며 **是身**은 **無我**라 **爲如火**며 **是**
신 무수 위여풍 시신 무인 위여수
身은 **無壽**라 **爲如風**이며 **是身**은 **無人**이라 **爲如水**며

"이 몸은 주인이 없는 것이 땅과 같으며, 이 몸은 나라는 것이 없는 것이 불과 같으며, 이 몸은 수명이 짧은 것이 바람과 같으며, 이 몸은 사람이 없는 것이 물과 같다."

땅은 본래 주인이 없다. 힘이 있거나 돈이 있는 사람의 것이다. 그러므로 언제든지 바뀔 수 있다. '나라는 것'은 몸을 주관하는 고정불변하는 존재를 뜻한다. 무아사상無我思想을 주장하는 불교에서는 육신만 주관하는 존재가 없을 뿐 아니라 마음조차 주관하는

실체가 없다고 하여 무아를 불교의 근본 대의大義라고 설파하는 때도 있지만, 유마 거사의 가르침은 육신에 한하여 말씀하신 것이다. 불이란 것은 나무만으로 불이라 할 수 없고, 성냥만으로 불이라 할 수 없고, 사람의 동작만으로도 불이라 할 수 없어서 비유로 들었다. 바람의 비유나 물의 비유도 그와 같아서 순식간에 지나가 버리고 만다.

시신 부실 사대위가
是身은 **不實**이라 **四大爲家**며

"이 몸은 실답지 아니하여 사대로 집을 삼는다."

『원각경』「보안장普眼章」에 "사대각리 금자망신 당재하처四大各離 今者妄身 當在何處"라는 말이 있다. 즉 "이 육신은 흙과 물과 따뜻한 기운과 바람의 기운으로 구성되어 있는데 만약 그 네 가지가 모두 뿔뿔이 흩어지고 나면 지금의 이 허망한 육신은 도대체 어디에 있단 말인가."라는 것이다. 참으로 이 육신은 실다운 존재가 못 된다.

시신 위공 이아아소
是身은 **爲空**이라 **離我我所**며

"이 몸은 텅 비어서 '나'와 '나의 것'을 다 떠났다."

아我는 나라는 것이며 아소我所는 나에게 딸린 나의 것이다. 이 육신은 나라고 할 만한 고정된 존재가 없다. 따라서 나에게 딸린 나의 것이라는 명예나 재산이나 가족이나 지식이나 지위나 기타 사소한 물건까지도 실로 허망하기 이를 데 없다. 어제까지 가장 높은 자리에 있다가도 내일은 가장 낮은 자리로 떨어지는 것을 무수히 보았다. 그것을 어찌 영원히 존재하는 나의 것이라고 고집할 수 있겠는가.

시신 무지 여초목와력 시신 무작 풍력 소전
是身은 **無知**라 **如草木瓦礫**이며 **是身**은 **無作**이라 **風力所轉**이며

"이 몸은 앎이 없어서 초목이나 기와나 조약돌과 같으며, 이 몸은 지음이 없어서 바람의 힘으로 움직인다."

오온 가운데서 알고 느끼고 생각하는 정신적 모든 작용은 수受·상想·행行·식識이다. 색色이라는 육신은 전혀 그와 같은 능력이 없다. 그래서 초목과 같다고 하였다. 지음이 없다는 것도 생각하는 능력인 마음이 있어야 가능하다. 육신만으로는 불가능하다. 또한 지수화풍 중에서 사람의 몸이 움직일 수 있는 것은 바람의 힘이라고 하였다. 바람의 힘이 흩어지고 나면 이 육신은 그대로 나무 등걸이나 돌멩이와 같다.

시신 부정 예악 충만 시신 위허위 수
是身은 **不淨**이라 **穢惡**이 **充滿**하며 **是身**은 **爲虛僞**라 **雖**

가이조욕의식 필귀마멸
假以澡浴衣食이나 **必歸磨滅**이며

"이 몸은 깨끗하지 못하여 더러운 것으로 가득하며, 이 몸은 헛것이라 비록 목욕하고 옷 입히고 음식을 먹으나 반드시 마멸되어 없어지는 데로 돌아간다."

이 육신은 피·고름·오줌·똥·눈물과 같은 부정한 것들로 가득하다. 이 육신은 또한 아무리 잘 먹이고, 잘 재우고, 잘 입히고,

잘 닦고 하여 그리워하거나 아쉬워하더라도 끝내는 배신하고 만다. 돌아오는 것이라고는 병고와 늙음과 죽음뿐이다. 그동안의 고통은 또 얼마인가. 믿을 것이 못 된다. 거짓된 것이며, 헛된 것이며, 가짜다. 결코 속아 넘어갈 것이 못 된다.

시신　위재　백일병뇌
是身은 **爲災**라 **百一病惱**며

"이 몸은 재앙이라 101가지 병고의 괴로움뿐이다."

흔히 404병病이라고 한다. 지수화풍이라는 네 가지 요소에 각각 101가지의 병고가 있으므로 합하면 404가지의 병고가 된다. 사람은 어려서부터 누구나 한두 가지의 병은 다 가지고 있으며 늙게 되면 곳곳이 아프고 탈이 나며 낡고 고장 난 곳이 10여 곳이다. 병고 때문에 출근하듯이 드나드는 곳이 또한 병원이며 쌓이는 것은 약봉지뿐이다. 사람들과의 대화도 오직 건강 문제뿐이다. 이처럼 병고를 앓고 사는 것은 거의 모든 사람이 다 같다. 그러니 어찌 이 육신이 큰 우환이 아니겠는가.

시신　여구정　위로소핍
是身은 **如丘井**이라 **爲老所逼**이며

"이 몸은 언덕 위의 우물과 같아서 늙음으로부터 핍박을 받는다."

'언덕 위의 우물'은 예부터 우리 인간의 생명이 무상無常하고 고통스럽고 위험하고 시간에 쫓기는 등의 현실을 비유로 설명한 이야기다. 안수岸樹와 정등井藤이라는 말로 많이 표현하기도 한다. 본래『대반열반경』1권에서 "이 몸은 마치 험순한 강기슭에 위태롭게 서 있는 큰 나무[岸樹]와 같아서 무너지기 쉽다. 폭풍을 만나면 반드시 쓰러지기 때문이다."라고 설한 말씀에서 나왔다. 이 비유를 중국에서는 흔히 하유河喩라고 말한다.

정등井藤이라는 우물 속의 등나무에 관해서는『빈두로돌라사위우타연왕설법경賓頭盧突羅闍爲優陀延王說法經』이라는 경의 말씀인데 빈두로돌라사 존자는 우타연 왕을 위하여 이렇게 설하였다.

"대왕이여, 옛날 어떤 사람이 광야廣野를 헤매고 있었습니다. 그때 크고 사나운 코끼리를 만나 쫓기게 되었습니다. 미친 듯이 달렸으나 의지할 곳이 없었습니다. 때마침 언덕 위에 있는 우물을 발견했습니다. 그는 곧 우물 속으로 뻗은 나무뿌리를 잡고 우물 속으로 들어가 숨었습니다. 그런데 그가 매달려 있는 나무뿌리를 흰 쥐와 검은 쥐가 번갈아 가며 이빨로 갉고 있었습니다. 우물의 네 벽에는 네 마리 독사가 있는데 그 사람을 물려고 합니다. 또 우물 밑에는 큰 독룡毒龍이 있습니다. 그 사람은 옆에 있는 네 마리 독사와 아래에 있는 독룡이 무서워서 떨고 있었습니다. 그런데 그가 매달려 있는 나무뿌리는 뽑힐 듯이 흔들리고 그때 나무에 매달려 있는 벌집에서 꿀 세 방울이 그의 입속으로 떨어졌습니다. 때마침 나무가 움직여 벌집을 무너뜨렸습니다. 벌들이 날아와서 그를 쏘았습니다. 그런데 또 들판에는 불이 나서 그가 매달려 있는 나무를 태웠습니다.

대왕이여, 광야는 생사生死를 비유하며, 어떤 사람은 범부凡夫를 비유하며, 코끼리는 무상無常을 비유하며, 언덕 위의 우물은 사람의 몸을, 나무뿌리는 사람의 목숨을 비유합니다. 흰 쥐와 검은 쥐는 밤과 낮을 비유하고, 쥐들이 나무뿌리를 갉는 것은 사람의 목숨이 순간순간 줄어드는 것을 비유합니다. 네 마리 독사는 사대四大를, 꿀은 오욕五欲을 비유하며 그를 쏜 뭇 벌은 나쁜 생각과 견해見解들을 비유한 것입니다. 또 들불[野火]이 번지는 것은 늙음을 비유하고, 아래에 있는 독룡은 죽음을 비유한 것입니다."

이러한 이야기는 불교에서 일반화되어 있어서 『유마경』에서는 간단하게 기술하였다.

시신 무정 위요당사
是身은 **無定**이라 **爲要當死**며

"이 몸은 정해진 것이 없어서 마땅히 죽게 된다."

인류의 역사는 오래다. 최소 2만 년은 된다. 이 지구의 인구는 70억 명이 넘는다. 그러나 가장 오래 산 사람이 110세 정도다. 2만 세는 고사하고 150세가 된 사람도 없다. 그렇다면 그 많은 사람이 모두 죽었다는 의미다. 역사에 기록되어 있는 위대한 사람, 성인聖人, 지능이나 건강이나 힘이 대단히 뛰어난 사람, 재산도 많고 권력도 대단하고 명예도 세상을 뒤덮을 만했던 사람도 부지기수였다. 하지만 모두 죽고 말았다. 그저 그런 사람이 있었다는 이야기로만 전할 뿐이다. 내가 익히 보아 온 할아버지나 할머니나 아버지 어머니도 모두 죽었다. 어릴 때 큰스님이라고 보아 온 그 많은 훌륭한 스승들도 모두 죽었다. 노노스님, 노스님, 은사 스님도 모두 죽었다. 나이를 불과 얼마 더 먹지 않은 선배들도 많이 죽었다. 심지어 나보다 나이가 적은 후배들도 더러 죽었다. 죽음이란 이렇게

도 확실하고 분명하거늘 어찌하여 자신의 죽음은 확신하지 아니하고 나에게는 죽음이 피해 가기를 은근히 바라는가. 참으로 이상하고도 이상한 일이로다.

시신 여독사 여원적 여공취 음 계 제
是身은 **如毒蛇**하고 **如怨賊**하며 **如空聚**라 **陰·界·諸**
입 소공성
入의 **所共成**이니라

"이 몸은 독사와 같으며, 원수나 도적과 같으며, 텅 빈 마을과 같음이라. 오음과 십팔계와 십이입으로 함께 이뤄진 바이니라."

사람이 삶을 영위한다는 것은 이 육신을 근거로 삼고 있지만, 이 육신은 결국 사람에게 있어서 생명을 앗아 가는 독사와 같다. 원수와 같다. 도적과 같다. 모두가 우환덩어리다. 고통의 무더기요, 무거운 짐이다. 늙고 병들어서 매일매일 병고와 싸움을 하고 있어 보라. 왜 아니겠는가. 그래서 사람이 죽음을 당하여 이 육신을 벗어던졌을 때 들려주는 무상계無常戒에서는 "이제부터 오음의 껍질을 모두 벗어 버리고 신령한 의식만 홀로 뚜렷하게 드러나서 부처님의 거룩한 계戒를 받았으니 참으로 쾌활하고 쾌활하다."라고까지 표현하고 있다.

오음五陰이란 색色·수受·상想·행行·식識을 말하고 다시 색은 지·수·화·풍의 사대이며 수·상·행·식은 정신작용이다. 이 사대의 물질과 정신 요소가 한데 모여 사람의 몸과 마음이 된 것이다. 십팔계十八界란 눈·귀·코·혀·몸·의식의 여섯 가지 감각기관을 육근六根이라 하고 색色·성聲·향香·미味·촉觸·법法의 여섯 가지 대상을 육진六塵 또 육경六境, 즉 육근의 상대경계라 하고, 그 육근과 육경이 서로 사귀어 생기는 시각·청각·후각·미각·촉각·의식 등을 육식六識이라고 하는데 이 육근·육경·육식을 합하여 십팔계라고 한다. 십이입十二入이란 육근·육진을 십이입 또는 십이처處라고도 한다. 사람의 육신과 정신은 결국 이와 같은 조건으로 함께 이루어져 있고 이것들이 삶의 모든 영역이 된다. 대승경전에서 큰 법을 설한 뒤에 6종 18상으로 크게 진동하였다는 말은 위에서 말한 사람의 삶의 모든 영역을 뜻한다.

7. 불신佛身은 법신法身이다

제 인 자 차 가 환 염 당 락 불 신 소 이 자 하 불
諸仁者여 **此可患厭**이라 **當樂佛身**이니 **所以者何**오 **佛**

신 자 즉 법 신 야
身者는 **卽法身也**라

"여러분이여, 이 몸은 가히 근심스럽고 혐오스러운 것이다. 마땅히 불신佛身을 좋아해야 한다. 왜냐하면 불신이란 곧 법신法身이다."

이제까지 앞에서는 이 육신肉身의 부정적인 면을 한껏 파헤쳐서 설명하였다. 결론적으로 이 육신은 근심스럽고 혐오스러운 것이므로 마땅히 불신佛身, 즉 부처의 몸을 좋아해야 한다는 것이다. 왜냐하면 부처의 몸이란 곧 법신法身, 진리의 몸이기 때문이다. 육신은 허망하지만, 법신法身은 진실하다. 육신은 고통이 많지만, 법신은 즐겁고 편안함뿐이다. 육신은 곧 무너지지만, 법신은 영원하다.

육신은 형상이 있지만, 법신은 형상이 없다. 육신은 늙고 병들고 죽어 없어지지만, 법신은 아예 태어난 적도 없어서 늙고 병들고 죽는 일이 없다. 그래서 빨리 법신을 깨달아 얻어서 법신으로써 자신의 몸을 삼아야 한다.

필자의 공상空想이 꼭 법신의 작용이라고는 할 수 없으나 몸이 항상 고통스러워서 공상을 자주한다. 공상 속에서는 아픔이 전혀 없고, 몸은 날아다니듯 가볍고, 필요한 만치 힘도 세고, 빠르기도 하여 못하는 일이 없는 아주 자유로운 자신을 상상할 때가 많다. 그와 같은 공상만이 그나마 위로가 되고 약간의 쉴 곳이 되기 때문이다. 그러므로 이 육신을 벗어 버린 법신만의 삶이라면 얼마나 즐거울까. 어떤 환자는 잠이 들 때마다 내일은 깨어나지 않기를 기도하면서 잠을 청한다고 한다.

8. 법신의 출처

종무량공덕 지혜생
從無量功德과 **智慧生**하며

"법신이란 한량없는 공덕과 지혜로부터 생긴 것이다."

법신이 생기는 여러 가지 경우를 밝혔다. 불교적 삶이란 복을 짓고 공덕을 닦는 삶이다. 복을 짓고 공덕을 닦는 사람은 육신의 안락에 연연하지 않는다. 육신의 안락에 연연하지 않는다는 것은 육신을 허망하게 보아서 육신으로부터 초월한 것이다. 오로지 복을 짓고 공덕 닦는 일만 그의 화두가 될 뿐이다. 그의 삶은 법신의 삶이다. 진리의 삶이다. 법신은 여기에서 생긴다.

또한 법신은 지혜로부터 생긴다고 하였다. 불교공부의 제1조는 지혜다. 공덕을 닦는 사람은 지혜가 있는 사람이며 지혜가 있는 사람이 공덕을 닦을 줄 안다. 복을 짓고 공덕을 닦는다는 것은 내가 아닌 다른 사람을 이롭게 하고 다른 사람을 행복하고 편안하게 갖

가지로 도움을 주는 회향하는 일이다. 여기에서 법신이 생기며 그것이 곧 법신의 작용이다.

종계 정 혜 해탈 해탈지견생
從戒·定·慧·解脫·解脫知見生하며

"또 법신이란 계와 정과 혜와 해탈과 해탈지견으로부터 생겨났다."

계戒와 정定과 혜慧는 삼학三學이며 해탈과 해탈지견까지 합하여 오분법신五分法身이라 한다. 먼저 삼학이란 불법을 수행하여 깨달음에 이르는 데 반드시 닦아야 할 세 가지 배움이다. 계학戒學은 마음의 청정을 지키고 말과 행동을 단속하여 마음의 진실을 지켜 가는 행이다. 정학定學은 마음에 흔들림이 없는 것을 배우는 것인데 마음의 안팎에서 일어나는 동요에도 초연하여 마음이 한결같음을 말한다. 혜학慧學은 마음의 밝은 빛을 드러내어 바르게 쓰는 지혜이다. 수행하는 사람의 행실에 계행이 없으면 마음이 흔들리고 거칠어져서 고요하고 밝은 본성을 보지 못하게 되며 이것은 지혜가 어두운 것이어서 수행은 성장하지 못하게 된다. 그래서 예로부터 삼학을 비유하기를 계戒를 그릇에 비유하고, 계의 그릇이 완전하고 든든해야 거기에 맑은 선정禪定의 물이 담기게 되고, 선정의 물이 맑고 고요해야 거기에 밝은 지혜의 달이 원만하게 드러난다고 하였다.

해탈과 해탈지견은 앞의 삼학의 결과인 해탈에 귀속되기 때문이다. 한마디로 불교수행의 목적은 해탈을 누리는 데 있고 자신이 깨달아 얻은 해탈을 자비심으로 가르쳐서 다른 사람도 누리게 하려고 그 해탈의 법과 그 길과 그 결과를 널리 전하는 일이다. 이와 같은 지견이 없으면 해탈을 깨달아 얻었다고 할 수 없으므로 해탈에는 반드시 그 지견이 따라야 한다. 이와 같은 경지가 곧 법신의 경지며 법신의 작용이 된다. 그래서 "법신은 계와 정과 혜와 해탈과 해탈지견으로부터 생겨났다."라고 하였다.

종자 비 희 사생
從慈 · 悲 · 喜 · 捨生이며

"법신은 자慈 · 비悲 · 희喜 · 사捨로부터 생겨났으며,

종보시 지계 인욕 유화 근행정진 선정
從布施·持戒·忍辱·柔和와 **勤行精進·禪定·**

해탈 삼매 다문 지혜제바라밀생
解脫·三昧와 **多聞·智慧諸波羅蜜生**이며

법신은 또 보시布施와 지계持戒와 인욕忍辱과 유화柔和와 근행정진勤行精進과 선정禪定과 해탈解脫과 삼매三昧와 다문多聞과 지혜智慧 등 온갖 바라밀로부터 생겨났으며,

종방편생 종육통생 종삼명생
從方便生이며 **從六通生**이며 **從三明生**이며

법신은 또 방편으로부터 생겨났으며, 육신통으로부터 생겨났으며, 삼명으로부터 생겨났으며,

종삼십칠도품생
從三十七道品生이며

37도품으로부터 생겨났으며,

종 지 관 생
從止觀生이며

지止와 관觀으로부터 생겨났으며,

종 십 력 　 사 무 소 외 　 십 팔 불 공 법 생
從十力・四無所畏・十八不共法生이며

십력과 사무소외와 18불공법으로부터 생겨났으며,

종 단 일 체 불 선 법 　 집 일 체 선 법 생
從斷一切不善法하고 **集一切善法生**이며

일체 선善하지 않은 법은 끊어 버리고, 일체 선한 법을 모으는 것으로부터 생겨났으며,

종 진 실 생
從眞實生이며

진실로부터 생겨났으며,

종 불 방 일 생
從不放逸生이며

방일하지 않음으로부터 생겨났으며,

종 여 시 무 량 청 정 법　　생 여 래 신
從如是無量淸淨法하야 **生如來身**하나니라

이와 같은 한량없는 청정한 법으로부터 여래의 몸이 생겨났느니라."

진리의 삶, 즉 법신이 생기는 여러 가지 길을 밝힌 내용인데 이 내용은 불교의 가르침 중에서 가장 중요한 덕목들을 열거하였다. 부처님께서는 6년 고행을 마치고 큰 깨달음을 이룬 뒤 모든 사람이 사람으로 태어나서 가장 보람 있고 가치 있는 인생을 살아가게 하려면 어떤 덕목을 실천해야 할 것인가가 화두였다. 위에서 열거한 덕목들은 불교가 발생하여 상당한 기간을 지나는 동안 다듬어지고 정리된 실천 덕목이다. 그러므로 대승大乘의 가르침을 논하는 자리에는 반드시 등장하여야 한다. 부처님뿐만 아니라 세속의 부처님이라고 칭송을 받는 유마 거사도 또한 대승의 바른 가르침을 펴는 자리라면 당연히 소개될 수밖에 없다. 달리 표현하면 부처님의 몸인 불신佛身으로서 세상을 살아가는 모습 그대로다.

앞의 「불국품」에서 자세하게 설명하였기 때문에 여기서는 생략한다. 다만 대승불교의 실천 덕목으로서 매우 중요한 내용이라는 사실만 강조한다. 대승불교의 실천 덕목이며 따라서 법신을 얻고 여래신如來身을 얻는 지름길이며, 이는 곧 법신法身인 불신의 작용이며, 법신인 불신이 세상에 처하는 처세의 길이기 때문에 불교적 삶이며 부처의 삶이라는 사실을 알아야 할 것이다.

제인자 욕득불신 단일체중생병자 당발아
諸仁者여 **欲得佛身**하야 **斷一切衆生病者**인댄 **當發阿**

뇩다라삼먁삼보리심
耨多羅三藐三菩提心이니라

"여러분이여, 불신佛身을 얻어서 일체중생의 병고를 끊고자 한다면 마땅히 최상의 깨달음에 대한 마음을 내어야 한다."라고 하였다.

여시　　장자유마힐　위제문질자　　여응설법
如是하야 **長者維摩詰**이 **爲諸問疾者**하사 **如應說法**하야

영무수천인　　개발아뇩다라삼먁삼보리심
令無數千人으로 **皆發阿耨多羅三藐三菩提心**케하니라

이처럼 장자 유마힐이 문병하러 온 여러 사람을 위하여 알맞게 잘 맞추어 법을 설해서 셀 수 없는 천만 사람들로 하여금 모두 다 최상의 깨달음에 대한 마음을 내게 하였다.

「방편품」의 결론이다. 불신佛身은 병고가 없는 몸이다. 청정하고 안락한 몸이다. 법희선열法喜禪悅의 몸이다. 이와 같은 불신을 얻어 중생이 가지고 있는 온갖 병고와 번뇌를 완전하게 끊어 버리려면 마땅히 최상의 깨달음에 대한 마음을 내어야 한다. 즉 흔히 말하는 발심發心을 해야 한다. 발심하지 않으면 언제나 중생의 차원에서 벗어나지 못하므로 중생으로서 모든 성공을 다 이뤘다 하더라도 그것은 역시 중생일 뿐이며 온갖 번뇌와 병고가 항상 뒤따를 것이기 때문이다.

최상의 깨달음에 대한 마음인 발심이란 무엇인가. 첫째, 사람의 진실상을 꿰뚫어 보아 알고[徹見], 둘째, 유형무형 모든 존재의 진실상을 꿰뚫어 보아 알아서 사람과 모든 존재를 그 진실상에 맞

도록 받들어 섬기며 위하여 사는 마음이다. 진실로 이와 같은 마음을 낸 사람은 이미 그는 부처다. 그와 같은 사람에게는 어떤 병고도 이미 병고가 아니며 번뇌도 번뇌가 아니다. 무엇을 하든 법희선열뿐이다.

유마 거사는 병고라는 방편을 통해서 문병을 온 사람들에게 만고에 빛나는 가장 멋지고 의미 있고 수준 높은 설법을 하신 것이다. 이 설법을 듣는 사람들은 당시의 현전 대중이나 후대의 사람들이나 무수한 사람이 모두 맹인들은 눈을 뜨게 되고, 귀가 먹은 사람들은 진리의 소리를 듣게 되고, 언어장애인은 말을 하게 되고, 마음이 답답하던 사람들은 답답한 마음이 툭 터져서 저 드넓은 하늘과 같이 되고, 천지만물은 각각 그 살 곳을 얻게 되었다.

三. 제자품弟子品

『유마경』의 이야기는 점입가경이다. 유마 거사는 병고를 앓게 되고 그에게 문병을 온 수많은 사람에게 병을 인연으로 하여 눈부신 설법을 하게 되었다. 그러나 문병을 온 사람 중에 당연히 와야 할 세존이나 세존의 제자들이 보이지 아니하자 유마 거사는 '세존께서 큰 자비로써 어찌 연민스럽게 여기는 마음을 내지 아니하시는가?'라는 생각을 하였다. 그리고 세존은 유마 거사의 그 마음을 아시고는 자신을 대신하여 제자들에게 문병 가기를 부탁하게 된다. 그러나 놀랍게도 제자들은 하나같이 문병을 갈 수 없다고 사양하였다. 그 이유는 유마 거사의 하늘이 놀라고 땅이 놀랄 정도의 뛰어난 설법 때문이다. 마치 은하수가 쏟아지는 것과 같은 화려하고 현란한 설법 때문이다. 부처님의 십대제자라는 설도 바로 이『유마경』의「제자품弟子品」에서 기인한 것이다. 십대제자가 하나같이 유마 거사에게 호되게 당하면서 비로소 대승의 진리에 눈을 뜨게 되는 극적인 장면이 이「제자품」에서 펼쳐진다.

1. 사리불과 좌선坐禪

이시 장자유마힐 자념침질어상 세존 대자
爾時에 長者維摩詰이 自念寢疾於牀하니 世尊의 大慈

영불수민 불지기의 즉고사리불 여
로 寧不垂愍인가하더니 佛知其意하시고 卽告舍利弗하시대 汝

행예유마힐 문질
行詣維摩詰하야 問疾하라

그때에 장자 유마힐이 병상에 누워 스스로 생각하였다.

'세존께서 큰 자비로써 어찌 연민스럽게 여기는 마음을 내지 아니하시는가?'

부처님께서 그 뜻을 아시고 곧 사리불에게 말씀하였다.

"그대는 유마힐에게 가서 문병하여라."

사리불은 마갈타국 왕사성 북쪽의 나라촌 바라문의 가문에서 태어났다. 당시 갠지스 강 중류 지방에서는 사문들의 탁월한 지도

자 6명이 잇달아 출현했다. 이들을 '육사외도'라고 불렀으며, 사리불은 육사외도 중의 한 사람인 산자야의 제자였다.

사리불은 아사지[馬勝]라는 석가모니의 제자가 탁발하며 지나가는 것을 보고 탁발이 끝나길 기다려 그에게 질문을 했다고 한다. 석가모니의 가르침[3]을 전하는 그의 말에 감복하여 친구 목건련과 산자야의 제자 250명을 이끌고 석가모니에게 귀의했다고 한다. 이 사건으로 인도에서 석가모니의 명성이 높아지고, 그의 설법에 귀를 기울여 가르침을 받고자 귀의하는 이가 늘어났다고 전한다. 주로 교화활동에 종사했으며, 석가모니의 실질적인 후계자로 여겨졌으나 석가모니보다 먼저 입적했다고 한다.

사리불 백불언 세존 아불감임예피문질
舍利弗이 **白佛言**하대 **世尊**이시여 **我不堪任詣彼問疾**

소이자하 억념 아석 증어임중 연좌수하
이니다 **所以者何**오 **憶念**하니 **我昔**에 **曾於林中**에 **宴坐樹下**

3) 諸法從緣生 諸法從緣滅 我佛大沙門 常作如是說.

시 유마힐 내위아언 유사리불 불필시좌
러니 **時**에 **維摩詰**이 **來謂我言**하되 **唯舍利弗**아 **不必是坐**

위연좌야
가 **爲宴坐也**니라

사리불이 부처님께 말씀드렸다.

"세존이시여, 저는 그분에게 가서 문병하는 일을 감당할 수 없습니다. 왜냐하면 기억해 보니 제가 옛적에 일찍이 숲속 나무 밑에서 좌선하고 있었는데 그때에 유마힐이 와서 말하였습니다. '여봐요, 사리불이여, 반드시 그렇게 앉아 있다고 해서 꼭 좌선이라고 하지 않습니다.'

유마힐 거사에게 문병 가기를 지시받은 사리불 존자가 어느 날 좌선하고 있을 때 유마 거사를 만나서 좌선에 대하여 법문 들은 내용을 부처님께 털어놓는 장면이다.

사리불 존자는 부처님의 제자 중에서 지혜가 가장 우수하다고 알려졌다. 그런데 얼마나 혼이 났던지 유마 거사라고 하면 고개를 절레절레 흔들 정도다. 『유마경』은 대승불교운동의 선언서다. 사리불이 어찌 좌선의 근본 취지를 모르겠는가마는 기존의 승단 우월주의 풍토를 개혁하여 불법이 모든 사람에게 평등하다고 하는 부처님의 대승적 깊은 마음을 천하에 알리고자 하는 큰 뜻이 잘 드러나 있는 장면이다.

유마 거사의 "반드시 그렇게 앉아 있다고 해서 좌선이라고 하지 않습니다."라는 일침은 사리불뿐만 아니라 오늘날까지 앉아 있는 것으로 좌선을 삼는 수많은 선사禪師들이 귀담아들어야 할 경책이며 법어法語다. 앉아만 있는 것도 모자라서 반드시 결가부좌結跏趺坐를 해야 좌선인 줄 오해하여 우리나라 사람들의 체질에도 맞지 않는 결가부좌를 고집하다가 몸만 병들어 수술하는 사례까지 있으니 유마 거사의 이 좌선 법문을 반드시 귀담아듣고 깨달아야 하리라.

부 연 좌 자　불 어 삼 계　현 신 의　시 위 연 좌
夫宴坐者는 **不於三界**에 **現身意**가 **是爲宴坐**며

'대저 좌선이란 삼계三界에 몸과 마음을 나타내지 않는 이것이 좌선입니다.'

이 몸을 가진 사람으로서 어찌 몸과 마음을 이 세상에 나타내지 않을 수 있겠는가. 마음껏 활동하며 부지런히 살되 아상我相과 인

상人相을 내지 말고, 배운 사람으로서 배웠다는 상相을 내지 말고, 수행했으되 수행을 했다는 상을 내지 말고, 재산이 있어도 상을 내지 말고, 벼슬이 높아도 상을 내지 말라는 뜻이리라. 그와 같은 마음을 가진 사람이라야 비로소 진정으로 좌선을 수행하는 사람이라고 할 수 있을 것이기 때문이다.

불기멸정　　이현제위의　　시위연좌
不起滅定하고 **而現諸威儀**가 **是爲宴坐**며

'모든 것이 다 소멸해 버린 선정에서 일어나지 않고, 온갖 위의威儀를 다 나타내는 이것이 좌선입니다.'

그러나 좌선이란 무엇인가. 깊고 깊은 선정 삼매에 들어 하늘이 무너지고 땅이 꺼지더라도 요지부동하고 태산 같은 선정의 힘을 유지해야 한다. 그러면서 한편 온갖 위의를 다 나타내어야 한다. 온갖 위의란 사찰에 손님이 오면 손님을 맞이하고, 설법할 때는 설법하며, 중생을 보살피고 배려하여 교화하는 일이다.

만약 좌선한다고 하여 남편이 퇴근하여 집에 돌아왔는데도 모른척하고 앉아 망상만 피우고 있다면 그것은 크게 잘못된 생각이다.

또 좌선을 한다고 하여 사찰의 온갖 일을 한 가지도 보살피지 않고 자만심만 높아 아만공고我慢貢高하는 선객이라면 그는 좌선의 의미를 전혀 모르는 사람이다. 성불成佛이란 사람이 되는 일이며 사람 노릇 하는 일이다. 그러므로 여기서라도 유마 거사를 꼭 만나야 한다.

불 사 도 법　　이 현 범 부 사　시 위 연 좌
不捨道法하고 **而現凡夫事**가 **是爲宴坐**며

'도법道法을 버리지 않고 범부의 일을 다 나타내는 이것이 좌선입니다.'

도법이란 깨달음의 길이며 성인聖人의 생활이다. 성인이 되어도 보통 사람의 일을 잘 이해하여 때로는 보통 사람과 똑같이 생활할 줄 알아야 동사섭同事攝이 된다. 성인이 성인의 경지에 치우쳐 있으면 그것은 반쪽 성인이다. 성인이면서 보통 사람이고, 보통 사람이면서 성인이라야 진정한 성인이며 훌륭한 좌선이 된다.

심부주내 역부재외 시위연좌
心不住內하고 **亦不在外**가 **是爲宴坐**며

'마음이 안에도 머물지 않고, 또한 밖에도 머물지 않는 이것이 좌선입니다.'

보통의 사람들은 일상생활이 환경과 경계를 따라 움직이며 살아간다. 마음은 눈에 보이고 귀에 들리고 하는 색·성·향·미·촉·법에 굴러다니는 것이 전부다. 그것은 마음이 밖에 있다는 뜻이다. 또한 불교공부를 조금 했다고 하여 번거로운 세상을 등지고 자기 자신 속에 빠져 있고 이기적인 생각만 하며 살아가는 소승적小乘的인 사람도 있다. 그것은 마음이 안에 있다는 뜻이다. 좌선이란 가장 이상적이며 훌륭한 삶을 말하는데 그와 같이 안과 밖에 집착한다면 이상적인 삶인 좌선과는 거리가 멀다. 즉 중도적인 삶은 되지 못한다.

어제견 부동 이수행삼십칠도품 시위연좌
於諸見에 **不動**하고 **而修行三十七道品**이 **是爲宴坐**며

'온갖 소견에도 움직이지 않고 37도품을 수행하는 이것이

좌선입니다.'

세상에는 여러 가지 사상과 주의 주장들이 무수히 많다. 그래서 바르고 참된 이치를 모르는 사람들은 듣는 대로 흔들리며 끌려다니기 일쑤다. 인생의 바른 이치를 터득하여 흔들리지 말고 살아야 한다. 즉 자신의 사상이 있어야 한다. 그러면서 한편으로는 깨달음의 지혜를 얻기 위한 실천수행 방법인 온갖 가르침[三十七道品]을 열심히 수행하는 것이 가장 중도적中道的이며 이상적인 삶이라고 할 수 있다. 진정한 좌선이란 이와 같은 것이다.

부단번뇌 이입열반 시위연좌 약능여시좌
不斷煩惱하고 **而入涅槃**이 **是爲宴坐**니 **若能如是坐**

자 불소인가 시아세존 문시어 묵연이
者라사 **佛所印可**니라 **時我世尊**이시여 **聞是語**하고 **默然而**

지 불능가보 고아불임예피문질
止하야 **不能加報**니다 **故我不任詣彼問疾**호이다

'번뇌를 끊지 않고 열반에 드는 이것이 좌선입니다. 만약 능히 이처럼 좌선하는 사람이라야 부처님이 인가하는 바입니

다.' 라고 하였습니다. 그때 저는 세존이시여, 이 말을 듣고 묵묵히 가만히 있었습니다. 아무런 대답도 할 수가 없었습니다. 그러므로 저는 그분에게 가서 문병하는 일을 감당할 수가 없습니다."

흔히 일반 불교에서 가르치기를 모든 번뇌를 다 끊고 일체 분별심이 일어나지 말아야 그것이 좌선이며, 또한 나무가 다 타서 재가 식듯이 싸늘하게 식은 상태와 같은 정신을 열반涅槃이라고 한다. 그러나 그것은 목석木石이며 얼음이다. 사람이라고 할 수 없다. 그래서 유마 거사는 "인간의 마음에서 일어나는 일체 번뇌는 본래로 끊을 수 없다. 끊을 수 없는 번뇌를 끊으려고 하지 말고 그 번뇌를 오히려 왕성하게 활용하여 보살행菩薩行으로 회향하라. 그리고 또한 본래로 고요한 마음의 본성을 잃지 않는 그것이 진정한 좌선이며 이상적인 삶이다."라는 의미로서 좌선을 설명하였다.

이와 같은 좌선이라야 부처님이 인가하시며, 유마 거사 자신이 인가하며, 따라서 모든 진리를 깨달은 사람들이 다 인가하는 바라는 것이다.

천하에서 지혜가 제일이라고 알려진 사리불이 유마 거사에게 이와 같은 청천벽력과도 같은 설법을 듣고는 얼마나 놀랐을까. 아마도 그 기억은 평생의 교훈이 되었을 것이다. 그때 그만 고개를 숙인 채 꿀 먹은 벙어리가 되어 한마디도 답을 하지 못하였다고 한다. 이 같은 사연이 있는 사리불로서는 도저히 유마 거사를 문병할 엄두가 나지 않았을 것이다. 아마 쳐다보는 것도 두려웠을 것이다. 당시의 불교 교단에서 사리불 존자의 권위와 위치가 어떠했는가는 익히 아는 바다.

2. 목건련과 거사를 위한 설법說法

불고대목건련 여행예유마힐문질 목련
佛告大目健連하사대 汝行詣維摩詰問疾하라 目連이

백불언 세존 아불감임예피문질 소이자
白佛言하되 世尊이시여 我不堪任詣彼問疾이니다 所以者

하 억념 아석 입비야리대성 어리항중 위
何오 憶念하니 我昔에 入毘耶離大城하야 於里巷中에 爲

제거사설법 시 유마힐 내위아언 유대목련
諸居士說法이러니 時에 維摩詰이 來謂我言하되 唯大目連

위백의거사설법 부당여인자소설
이여 爲白衣居士說法인댄 不當如仁者所說이니라

부처님께서 대목건련에게 말씀하였다.

"그대가 유마힐에게 가서 문병하여라."

대목건련이 부처님께 말씀드렸다.

"세존이시여, 저는 그분에게 가서 문병하는 일을 감당할 수 없습니다. 왜냐하면 기억해 보니 제가 옛적에 일찍이 비야리대성大城에 들어가서 마을 길거리에서 여러 거사를 위하여 설법하였습니다. 그때 유마힐이 저에게 와서 말하였습니다. '여봐요, 대목건련이여, 백의거사白衣居士들을 위하여 설법하려면 스님이 설한 것과 같이 해서는 옳지 않습니다.'

부처님께서 앓고 있는 유마 거사에게 병문안을 보내려고 처음 사리불에게 지시하였으나 사리불의 갈 수 없다는 말을 듣고 다시 대목건련에게 부탁하였다. 대목건련도 역시 과거에 유마 거사와 만난 적이 있었다. 그때 마침 거사들을 위하여 설법하고 있었는데 유마 거사가 설법의 정도正道가 무엇인지에 대하여 확연하게 가르치는 기회가 있었으므로 그때를 상기하여 대목건련도 역시 문병을 갈 수 없다고 하였다. 대목건련이 유마 거사에게 들은 설법의 문제에 대해서 설해지고 있다.

사리불이 혼자 좌선을 하고 있다가 유마 거사를 만나 좌선의 진정한 의미에 대해 들었다면 대목건련은 수많은 거사들과 함께한 자리에서 유마 거사로부터 설법의 진정한 의미에 대해 듣게 되었다. 독자들은 그 광경을 그림으로 그리면서 읽어야 할 것이다.

부설법자 당여법설 법무중생 이중생구고
夫說法者는 **當如法說**이니 **法無衆生**이라 **離衆生垢故**며

'대저 설법이란 마땅히 여법하게 설해야 합니다. 법에는 중생이 없으니 중생의 때를 떠났기 때문입니다.'

설법이란 미혹한 중생을 가르쳐서 깨닫게 하기 위한 것이 일반적인 목적이다. 그러나 엄격하게 말하자면, 법의 실상에 딱 맞게 말하자면 중생이란 없다. 흔히 중생에게는 번뇌의 때가 있어서 그 더러움을 설법으로 씻어 낸다고 하지만 그것은 소승적 입장에서 하는 여법如法하지 못한 설법이다. 중생이란 본래 공空한 존재며, 나아가서 중생이란 본래로 부처인 까닭에 번뇌의 때란 있을 수 없다는 것이다. 마음과 부처와 중생, 이 셋은 차별이 없다고 하지 않던가.

법무유아 이아구고
法無有我라 **離我垢故**며

'법에는 나라는 것이 없으니 나라는 때를 떠났기 때문입니다.'

소승불교에서 '나[我]'라는 것은 문제 · 허물 · 잘못 · 번뇌 · 집착 등으로 여긴다. 왜냐하면 '나'란 주체主體며, 주재자主宰者며, 자아自我며, 개아個我며, 자아에 대한 집착 등이 되기 때문이다. 그래서 '나'라고 하면 당연히 온갖 허물과 때와 죄와 번뇌와 문제들이 따르게 되어 있다. 그러나 불교다운 불교인 대승大乘에서는 진리 자체[法]에는 나도 없고 나의 때도 없다고 본다. 그래서 『반야심경』에도 '무안이비설신의無眼耳鼻舌身意 무색성향미촉법無色聲香味觸法'이라고 하지 않던가. 나[我]니, 나의 때[垢]니, 나의 죄과罪過니, 나의 번뇌니 하면 그것은 대승적 가르침을 설하는 것이 되지 못한다.

법 무 수 명　　이 생 사 고
法無壽命이라 **離生死故**며

'법에는 수명이 없으니 생사를 떠났기 때문입니다.'

수명이란 어떤 존재의 시간적 한계를 뜻한다. 시간적 한계가 있는 것은 모두가 생성하고 소멸하게 마련이다. 진리란 그와 같은 수명이나 시간적 한계가 없다. 그리고 당연히 생긴 바도 없다. 따라서 죽어 없어진 바도 없다. 부처님의 바르고 참된 이치를 설하려면 이러한 이치에 맞아야 한다. 불교는 말할 때마다 항상 일컫기를 생사해탈이라고 한다. 생사해탈이란 본래로 생사가 없는 이치를 터득하는 것을 말한다.

법 무 유 인 　　전 후 제 단 고
法無有人이라 **前後除斷故**며

'법에는 인이 없으니 전후가 끊어졌기 때문입니다.'

경전상에서 '인人'이란 나를 중심으로 해서 남이라는 차별 의식을 뜻한다. 중생의 무지몽매한 입장이거나 소승들의 어리석은 안목에서는 나[我]니 남[他]이니 하는 자아의식과 차별의식이 있지만, 대승법의 차원에서는 나도 없고 남도 없다. 따라서 본래로 부처인 까닭에 중생이라는 열등의식도 없다. 그리고 수명이라는 한계의식도 없다. 진리의 입장에서는 모든 존재가 불생불멸하여 영원하기 때문이다. 진정한 법의 입장에서는 중생이 그대로 부처이기 때문이다. 그러므로 법다운 법을 설하려면 이와 같은 이치에 알맞게 설해야 한다. 마치 선사는 입만 떼면 언제나 선禪 도리를 설해야 하는 것과 같다. 여기까지 유마 거사의 설법은 『금강경』의 종지를 요약하여 밝혔으나 강설은『화엄경』이나『법화경』의 차원으로 좀 더 향상해서 이야기하였다.

법상적연　　멸제상고　법리어상　　무소연고
法常寂然이라 **滅諸相故**며 **法離於相**이라 **無所緣故**며

'법은 항상 고요하니 온갖 형상을 소멸하였기 때문입니다. 법에는 상을 떠났으니 반연하는 바가 없기 때문입니다.'

불교란 법을 이해하고 법을 깨닫고 법을 전하는 일인데 그 법을 어떤 차원으로 이해하고 깨닫고 전하는가가 또한 대단히 중요하다.『유마경』에서 법을 논하는 안목은 법의 적멸성寂滅性과 무상성無相性과 무연무작성無緣無作性을 위주로 설해졌다. 그러므로 그동안『유마경』이전의 견해인 유위법有爲法인 현상과 인연에 대한 교설을 부정하고 무시하였다. 또한 개인의 안락만을 추구하던 소승적 견해에서 보살행을 주장하는 가르침이기 때문에 법을 논하는 처지에서는 철저히 소승적 견해인 유위법인 현상과 인연을 부정하였다. 달리 표현하면 단순한 공空의 이치를 설하고 있다.

법무명자 언어단고
法無名字라 言語斷故며

'법에는 명자가 없으니 언어가 끊어졌기 때문입니다.'

법을 단순한 공의 측면에서 보면 이름도 있을 수 없으며 언어도 설 자리가 없다. "언어의 길이 끊어지고 마음 행할 곳이 없다[言語道斷 心行處滅]."라고 말한 그대로다.

법무유설 이각관고
法無有說이라 離覺觀故며

'법에는 설함이 없으니 지각하고 관찰함을 떠났기 때문입니다.'

사물을 헤아리는 마음의 조악한 작용을 지각[覺]한다 하고, 자세한 작용을 관찰[觀]이라 하는데, 법은 본래 그와 같은 것을 떠났기 때문에 설할 것이 있을 수 없다. 언어로 무엇인가를 설명하는 것은 보고 느끼고 헤아리는 작용이 있을 때 일어나는 일이다.

법무형상　　여허공고　법무희론　　필경공고
法無形相이라 如虛空故며 法無戱論이라 畢竟空故며

'법에는 형상이 없으니 허공과 같기 때문입니다. 법에는 희론이 없으니 결국 공하기 때문입니다.'

법은 진리며 존재의 실상이다. 어떤 형상이 있을 수 없다. 존재의 실상은 근본이 허공과 같이 텅 비었다. 그래서 비어 있는 입장을 허공과 같다고 하였다. 또한 법은 희론戱論이 없다. 희론이란 무엇인가. 분별심이 언어로 표현되는 것을 희론이라 한다. 진리인 존재의 실상을 어찌 분별심으로 왈가왈부하겠는가. 그래서 법에는 그와 같은 희론은 없다. 끝까지 공空하기 때문이다.

법무아소　이아소고
法無我所라 離我所故며

'법에는 나의 것이 없으니 나의 것을 떠났기 때문입니다.'

존재의 실상인 진리의 입장에서는 너도 없고 나도 없고, 너의 것도 없고 나의 것도 없다. 완전무결한 통일된 하나일 뿐이다. "법성은 원융해서 두 가지 모양이 없다."라고 하지 않았는가.

법 무 분 별　　이 제 식 고
法無分別이라 **離諸識故**며

'법에는 분별이 없으니 모든 의식을 떠났기 때문입니다.'

눈앞에 드러난 현상들을 이해하고 설명하는 데는 의식이 필요하다. 의식이 있어야 모든 것을 분별한다. 그러나 법성法性의 입장에서는 의식으로 사량思量 분별하여 이해하는 것이 아니다. 의식과 사량 분별을 초월한 경지이다.

법 무 유 비　무 상 대 고
法無有比라 **無相待故**며

'법에는 비교할 것이 없으니 상대가 없기 때문입니다.'

차별현상에서는 온갖 것이 다르므로 서로 상대하여 비교하지만 법의 입장, 즉 존재의 실상에서는 차별도 없고 상대할 것도 없다.

따라서 비교할 것도 없다.

법불속인　부재연고
法不屬因이라 **不在緣故**며

'법은 인因에도 속하지 않으니 연緣에도 속하지 않기 때문입니다.'

진리의 본체는 인연으로 된 것이 아니다. 그러나 일체의 현상들은 모두가 인연으로 이루어졌다. 인연을 혹은 연기라고도 한다. 일반 불교에서는 불교의 중요한 교의教義가 연기의 이치를 깨달아 설명한 것이라고 말한다. 깨달음의 문제까지도 연기에 의해서 이루어진 것이라고도 한다. 그래서 온갖 육도 만행을 오랫동안 수행하여야 가능한 일이라고 한다.

그러나 진리의 궁극적 입장에서는 그렇지 않다. 설사 무수한 수행을 쌓았더라도 수행을 쌓기 이전의 본래 그곳[行行發處]인 사람일 뿐이며, 설사 수행을 많이 해서 어떤 경지에 이르렀다 하더라도 이르기 이전의 본래 그곳인 사람일 뿐이다[至至本處]. 모든 수행은 인연이며 연기다. 그러나 진리의 궁극적 차원에서는 그와 같은 수행이라는 인연이나 연기가 존재할 수 없다. 같은 불교라고 하더라도 이처럼 서로 차원이 다르다. 이 구절은『유마경』의 명구다.

법동법성　　입제법고　법수어여　무소수고
法同法性이라 **入諸法故**며 **法隨於如**라 **無所隨故**며

'법은 법성과 같으니 모든 법에 들어가기 때문입니다. 법은 진여를 따름이니 따르는 바가 없기 때문입니다.'

법이란 사람을 위시하여 유형이나 무형의 모든 존재를 뜻한다. 그리고 모든 존재에는 그것을 존재하게 하는 본성이 있다. 그것을 법성法性이라 한다. 그러므로 법성은 모든 존재에 다 들어 있는 것이다. 그렇다면 법성은 원융圓融하여 두 가지 모양이 없는 통일된 하나다. 이 하나의 이치에 맞게 법을 설해야 제대로 된 설법이라 할 수 있다.

또한 법은 진여眞如의 원리를 따르는데 법과 진여는 둘이 아니다. 그래서 따르더라도 따르는 것이 아니다. 달리 표현하면 법이 곧 진여라는 것이다.

법 주 실 제　제 변 부 동 고
法住實際라 **諸邊不動故**며

'법은 실제에 머무나니 모든 치우친 것에 움직이지 않기 때문입니다.'

실제란 허망을 떠난 진실한 진리의 자리며 곧 진여다. 또한 실제는 중도中道다. 법이 실제에 머문다는 것은 곧 중도에 머문다는 뜻이다. 그래서 여러 가지 치우친 경계[邊]에 대해서 조금도 움직이지 않고 그 치우치고 편벽된 경계들을 다 수용하여 조화를 이룬다. 그것이 진정한 법이다. 그러므로 설법을 하려면 이와 같은 이치에 알맞아야 하고 치우치고 공정하지 못한 문제들을 다 수용하고 융화融和하여야 한다.

법 무 동 요　불 의 육 진 고
法無動搖라 **不依六塵故**며

'법은 동요가 없으니 육진을 의지하지 않기 때문입니다.'

사람은 색·성·향·미·촉·법이라는 여섯 가지 경계를 만나면 동요한다. 동요하여 끌려다니다 보면 문제가 발생하고 문제가 발생하면 고통이 생긴다. 그래서 본래 동요가 없는 법이라는 참다운 이치와 서로 꼭 들어맞아서 이상적인 삶을 영위하려는 것이다. 동요가 없는 법이 사람에게 인격화가 되면 해탈한 사람 또는 도인道人, 법을 깨달은 사람이라 할 수 있다. 그래서 예부터 자신은 법을 몰라도 법을 아는 사람을 알아보는 방법이 있는데 그것은 여덟 가지 바람, 곧 여덟 가지 경계에 동요하지 않음이다. 여덟 가지 바람, 즉 팔풍八風은 수행하는 사람들의 마음을 동요시키는 여덟 가지 바람을 말한다. 팔풍은 크게 사순四順과 사위四違로 나눈다. '사순'은 이利·예譽·칭稱·낙樂의 네 가지이며 사람들을 기쁘게 하는 바람이다. '사위'는 쇠衰·훼毁·기譏·고苦의 네 가지로 사람들이 싫어하는 바람이다.

'사순'을 좀 더 자세히 알아보면 이렇다. 이利는 금전적·물질적인 이익을 말한다. 예譽는 명예와 명성을 말한다. 칭稱은 칭찬을 받는 것이다. 낙樂은 향락과 즐거움을 말한다. 다음 '사위'에서 쇠衰는 힘의 쇠퇴로 손해를 입는 것이다. 훼毁는 상처를 입히는 것으로 나쁜 평판을 받는 것이다. 기譏는 남을 나쁘게 헐뜯는 것이다. 고苦는 고뇌이며 곤경에 처하게 되는 것, 고통 등이다.

이와 같은 팔풍에 흔들리지 않는 것은 곧 해탈의 삶이며 도인의 삶이며 깨달은 사람의 삶이다.

법무거래　상부주고
法無去來라 **常不住故**며

'법은 거래가 없으니 항상 머물지 않기 때문입니다.'

이 내용을 『화엄경』「광명각품光明覺品」에 있는 문수보살의 게송으로 대신하면, "일념보관무량겁 무거무래역무주 여시요지삼세사 초제방편성십력一念普觀無量劫 無去無來亦無住 如是了知三世事 超諸方便成十力"이 된다. 한순간에 한량없는 겁을 모두 다 관찰해 보니 감도 없고 옴도 없고 머무름도 없네. 이처럼 과거와 현재와 미래의 일을 알고 나면 모든 방편을 다 초월하고 부처[十力]를 이루리라." 법의 진실은 본래로 이와 같은 것이 그 실체다.

법순공수무상　응무작
法順空隨無相하고 **應無作**하며

'법은 공을 수순하며 상이 없음을 수순하며 지음이 없음에

응합니다.'

공空과 무상無相과 무작無作에 대해서는 『법화경』「신해품信解品」에서 사대 성문聲聞 제자들이 자신들의 그동안의 수행에 대해서 솔직하게 고백한 내용이 있어서 인용한다.

부처님께 사뢰어 말하였습니다.

"저희가 대중 중에 상수제자上首弟子로서 나이는 늙었으며 스스로 생각하기를 '이미 열반을 얻었으며 더 할 일이 없다.'라고 하여, 더는 최상의 깨달음을 구하려 하지 않았습니다. 세존께서 지난 옛적부터 법을 설하신 것이 오래되셨는데 그때 저희가 자리에 있었으나 몸이 피로하여 공空과 형상이 없음[無相]과 지을 것이 없음[無作]만을 생각하였습니다. 보살의 법인 신통으로 유희함과 부처님의 세계를 청정하게 하는 것과 중생을 성취하는 일은 마음에 즐거워하지 않았습니다. 그 까닭은 세존께서 저희로 하여금 삼계에서 벗어나 열반을 얻게 하였으며, 또 지금 저희는 나이가 이미 늙었으므로 부처님이 보살들을 교화하시는 최상의 깨달음에 대하여는 조금도 좋아하는 마음을 내지 아니하였기 때문입니다. 저희가 오늘 부처님 앞에서 성문들에게 최상의 깨달음에 대한 수기授記 주시는 것을 듣고는 마음이 매우 환희하여 미증유未曾有를 얻었습니다. 생각지도 않다가 이제 홀연히 희유한 법을 듣고 매우 경사스럽고 다행이오며 큰 이익을 얻었습니다. 마치 한량없는 보물을 구하지도 않았는데 저절로 얻은 것과 같습니다."

아직도 현상의 문제에 걸려 있는 목건련을 깨우치기 위해서 유마거사는 법의 공空과 무상無相과 무작無作의 차원을 설명하고 있으나 필자가 인용한 『법화경』은 한 차원 더 올라가서 부처의 삶을 밝히는 수기授記의 내용이다. 그들 사대 성문의 고백에는 공空과 무상無相과 무작無作밖에 몰랐으며 부처의 삶인 수기에 대해서는 꿈도 꾸지 못하였다는 뜻이 담겨 있다.

불교의 교의를 간단하게 3단계로 말하면 현상의 문제를 해결하려는 상교相教의 입장과 현상을 부정하는 공교空教의 입장과 또 모든 존재를 진리로 보고 사람을 그대로 부처로 보는 성교性教의 입장이 있다. 『유마경』의 이 내용은 공교의 견해를 밝히고 있다. 그러나 『법화경』은 성교의 입장이다. 그동안 목건련은 상교의 차원에 있었다.

법리호추 법무증손 법무생멸 법무소귀
法離好醜하고 **法無增損**하며 **法無生滅**하고 **法無所歸**하며

'법은 아름다움과 추함을 떠났습니다. 법은 더하고 줄어듦이 없습니다. 법은 생기고 소멸함이 없습니다. 법은 돌아갈 바가 없습니다.'

이 부분은 『반야심경』의 "모든 법의 공한 모양은 불생불멸 불구부정 부증불감不生不滅 不垢不淨 不增不減"이라는 내용을 그대로 옮겨온 것과 같다. 역시 상교相敎의 차원에 젖어 있는 목건련의 사고思考를 깨뜨리기 위한 가르침이다. 그러나 이 역시 아직은 자리自利의 차원이지 보살의 이타행利他行은 아니다.

법과안 이 비 설 신 심
法過眼·耳·鼻·舌·身·心하고

'법은 눈과 귀와 코와 혀와 몸과 마음을 지나갔습니다.'

이 부분도 역시 『반야심경』의 무안이비설신의無眼耳鼻舌身意를 그대로 표현하였다. 사람의 육신이 눈에 보이는 현상 그대로 존재하

는 것으로 집착하고 있는 목건련을 깨우치는 설법이다. 아직은 보살의 길이나 부처의 삶에 대해서는 설명할 단계가 아니라 공空을 터득하여 편안한 열반이나 누리는 자리행自利行이 바람직하다는 의미가 포함되어 있다.

법무고하 법상주부동 법리일체관행
法無高下하여 **法常住不動**하고 **法離一切觀行**이니

'법은 높고 낮음이 없습니다. 법은 항상 머물러서 움직이지 아니합니다. 법은 일체의 관행을 떠났습니다.'

진리는 높고 낮음이 없으며 언제 어디서나 늘 존재하는 것이다. 사람이 그것을 알고 모르고는 관계가 없다. 『법화경』에서 "이 진리가 진리의 자리에 있으므로 세간의 상태 그대로 늘 항상 머물러 있다[是法住法位 世間相常住]."라고 하였다. 그러므로 달리 수행을 할 필요가 없다. 그래서 일체의 관행觀行을 떠났다고 하였다. 관행이란 관심행법觀心行法 또는 관심수행이라고 한다. 요즘에 많이 알려진 '마음챙김' 또는 '마음의 흐름을 예의주시함'인 위파사나 수행이다. 대승적 관점에서 보면 진리는 본래로 원만하게 갖춰져 있으며 한순

간도 사람을 떠나 있는 것이 아니다. 만약 한순간이라도 사람을 떠나 있다면 그것은 진리가 아니다. 그래서 그와 같은 온갖 수행이나 참선 또는 관행은 불필요한 것이다.

유대목련 법상여시 기가설호
唯大目連이여 **法相如是**어늘 **豈可說乎**아

'여보시오, 대목련이여, 법의 모습이 이와 같거늘 어찌 가히 설할 수 있습니까?'

덧붙여 설명하자면 "법이란 본래 이와 같아서 아예 설할 것이 없이 저절로 원만하게 갖춰져 있는데 목건련 당신은 무엇을 그리 설할 것이 많아서 사람들에게 횡설수설 왈가왈부 법을 설하는가."라는 뜻이다. 뒤의 「불이법문품不二法門品」에서 침묵으로 최상의 진리를 보여 줄 것을 이 자리에서 얼핏 보이는 형식을 취하고 있다.

부설법자 무설무시 기청법자 무문무득
夫說法者는 **無說無示**하고 **其聽法者**는 **無聞無得**이니

비여환사 위환인설법 당건시의 이위설법
譬如幻士가 **爲幻人說法**이라 **當建是意**하여 **而爲說法**이니라

'대저 법을 설하는 사람은 설함도 없고 보임도 없으며, 법문을 듣는 사람은 들음도 없고 얻음도 없습니다. 비유하자면 마치 마술을 하는 사람이 마술로 만든 사람을 위해서 법을 설하는 것과 같습니다. 마땅히 이러한 뜻을 세워서 법을 설해야 할 것입니다.'

"설법을 하는 사람은 설할 것도 없고 보일 것도 없으며 듣는 사람은 들을 것도 없고 얻을 것도 없다."라는 말은 유명한 「관음찬觀音讚」의 "관음보살무설설 남순동자불문문觀音菩薩無說說 南巡童子不聞聞"이라는 게송 그대로다. 즉 "관세음보살은 법을 설해도 전혀 설하는 것이 없이 설하며, 그 설법을 듣는 남순[선재]동자는 역시 듣는 것 없이 듣는다."라는 뜻이다. 백아와 종자기의 관계를 거문고 소리를 잘 알아듣는 지음자知音者의 관계라고 하는데 관음보살과 남순동자는 진리를 잘 설하고 그 진리의 말씀을 잘 이해하는 동도同道, 즉 도가 같은 수준에 오른 관계다.

선재동자를 남순동자南巡童子라고 부르는 까닭은 선재동자가 문

수보살을 친견하고 난 뒤 문수보살의 지시를 따라 남쪽으로 남쪽으로 53명의 선지식을 찾아다니면서 법을 물었기 때문에 남순동자라고 부른다. 관음보살과 선재동자가 만나서 왜 말이 없었겠는가마는 그들의 말은 법을 설해도 전혀 설하는 것 없이 설하며, 그 설법을 듣는 선재동자도 역시 듣는 것 없이 듣기 때문이다.

당료중생 근유이둔 선어지견 무소가애
當了衆生의 **根有利鈍**하며 **善於知見**에 **無所罣礙**하며

이대비심 찬어대승 염보불은 부단삼보연
以大悲心으로 **讚於大乘**하고 **念報佛恩**하야 **不斷三寶然**

후설법
後說法이라하니

'마땅히 중생의 근기에 영리하고 둔함이 있음을 알아야 합니다. 지견이 훌륭하여 걸리는 바가 없어야 합니다. 큰 자비심으로 대승법을 찬탄하며, 부처님의 은혜 갚을 것을 생각해서 삼보의 맥이 끊어지지 않도록 법을 설해야 합니다.' 라고 하였습니다."

유마힐 설시법시 팔백거사 발아뇩다라삼먁
維摩詰이 說是法時에 八百居士가 發阿耨多羅三藐

삼보리심 아무차변 시고 불임예피문질
三菩提心이라 我無此辯일세 是故로 不任詣彼問疾이니다

"유마힐이 이러한 법을 설하였을 때에 8백 명의 거사가 최상의 깨달음에 대한 마음을 내었습니다. 저는 이러한 변재가 없습니다. 그러므로 저는 그분에게 가서 문병하는 일을 감당할 수가 없습니다."

그렇다. 설법할 때 가장 먼저 알아야 할 일이 중생의 근기根機가 둔하고 영리함이다. 시대의 상황과 청중의 입장을 고려해서 법을 알맞게 설해야 한다. 그리고 지견이 뛰어나야 한다. 자신의 안목도 좁고 아는 것도 부족하다면 남을 향해 설법하기가 여간 곤란하지 않다. 무엇보다 진정으로 법을 듣는 사람이 최상승의 진리를 모르는 점을 가련하게 여겨서 불교의 궁극적 진리를 찬탄하여 설명해야 한다. 부처님의 마음이 무엇인가를 생각하고 부처님의 은혜를 갚으려는 마음과 삼보의 바른 전통이 계승되기를 늘 생각하여 설법해야 한다. 이와 같은 자세로 간절히 법을 설한다면 듣는 사람들은 반드시 감동할 것이며 큰 이익을 얻게 될 것이다.

목건련도 앞의 사리불과 같이 유마 거사에게 큰 감동을 받았을 것이며 법의 눈을 떴을 것이다. 한편 혼이 나가고 학을 뗀 과거의 전력 때문에 자신도 유마힐에게 가서 문병할 수 없다고 사양하였다.

3. 가섭과 걸식乞食

불고대가섭 여행예유마힐문질 가섭 백
佛告大迦葉하시되 汝行詣維摩詰問疾하라 迦葉이 白

불언 세존 아불감임예피문질 소이자하
佛言하되 世尊이시여 我不堪任詣彼問疾이니다 所以者何

억념 아석 어빈리이행걸 시 유마힐 내
오 憶念하니 我昔에 於貧里而行乞이러니 時에 維摩詰이 來

위아언 유대가섭 유자비심 이불능보 사
謂我言하되 唯大迦葉이여 有慈悲心하되 而不能普하야 捨

호부 종빈걸
豪富하고 從貧乞가

부처님께서 대가섭에게 말씀하였다.

"그대가 유마힐에게 가서 문병하여라."

가섭이 부처님께 말씀드렸다.

"세존이시여, 저도 그분에게 가서 문병하는 일을 감당할 수 없습니다. 왜냐하면 기억해 보니 제가 옛적에 가난한 마을에서 걸식乞食하고 있었는데 그때에 유마힐이 저에게 와서 말하였습니다. '여보시오. 대가섭이여, 자비심은 있으나 넓지가 못해서 부잣집을 버리고 가난한 집에 가서 걸식하는가요?'

부처님께서는 다시 마하가섭에게 문병하러 가기를 부탁하였다. 그러나 마하가섭도 역시 유마 거사와의 과거의 만남을 상기하며 문병 갈 수 없음을 밝히는 내용이다. 가섭존자와는 걸식의 문제를 가지고 설법하였다. 걸식하는 법도는 일곱 집을 순서대로 밥을 빌게 되어 있는데, 가섭존자는 평소 자비심이 많아서 가난한 사람들에게 복을 지어 주려고 특별히 가난한 집만 골라 가면서 걸식을 하였다. 그래서 유마 거사에게 자비심은 있으나 넓지 못하다는 지적을 듣게 되었다. 가난한 집이든 부잣집이든 다 같이 복을 짓게 하여야 하는 것이 불교의 자비다. 그래서 그로 말미암아 유마 거사로부터 진정한 걸식에 대해 법문을 듣게 된 사연을 설명하고 있다.

가 섭　　주 평 등 법　　응 차 행 걸 식
迦葉이여 **住平等法**하야 **應次行乞食**이며

'가섭이여, 평등한 법에 머물러서 차례대로 걸식해야 합니다.'

세속의 법이라 하더라도 법 앞에서는 만인이 평등하다. 하물며 부처님의 법과 참다운 진리 앞에서야 말해 무엇하랴. 법을 따르는 출가수행자는 반드시 평등한 법으로 살아야 한다. 그렇다면 걸식을 할 때도 밥을 빌기 시작한 곳에서부터 순서에 맞게 걸식해야 하는 것이 이치에도 맞고 법도에도 맞고 수행자로서 보기에도 좋다. 세상에 어떤 부자가 "나는 이 재산으로 만족하다. 나는 더는 재물이 없어도 된다. 복도 더는 필요치 않다."라고 말하는 사람이 있던가. 재산이 많을수록 더 가지려고 하는 것이 모든 사람의 상정常情이다.

위불식고　응행걸식
爲不食故로 **應行乞食**이며

'먹으나 먹지 아니함이 되기 때문에 걸식합니다.'

음식을 먹되 오로지 그 음식에만 탐닉하여 먹는다면 그것은 동물의 수준이다. 사람이라면 현명하게 몸을 생각하고 음식물의 대상을 생각하고 자연과 환경을 생각하고 먹어야 할 것이다. 만약 수행자라면 수행하는 데 필요한 육신을 유지하기 위해서 먹어야 하며, 다만 도업道業을 이루기 위해서 먹어야 한다. 나아가서 음식을 주는 사람과 음식과 음식을 받는 자신까지 이 모두가 텅 비어 공하다는 사실을 관찰하고 음식을 먹어야 먹어도 먹지 않는 이치에 들어맞을 것이다.

위 괴 화 합 상 고　응 취 단 식
爲壞和合相故로 **應取摶食**이며

'화합상和合相을 깨뜨림이 되기 때문에 덩이로 된 밥을 취합니다.'

사람의 육신이나 정신작용이나 모두가 화합하여 이루어졌다. 사대와 오온과 육근 육진 육식이 화합하여 인간을 형성한다. 따라서 이 화합상인 육신과 정신을 통해서 온갖 고통과 번뇌가 일어나므로 수행자는 그 고통과 번뇌를 없애기 위해서 음식을 먹는 것이다. 다른 목적은 없다. 예부터 인도 사람들은 식사할 때 수저를 이용하지 않고 손으로 직접 덩어리를 뭉쳐서 입에 넣었다. 그래서 덩이로 된 밥이라 한 것이다.

위불수고　응수피식
爲不受故로 **應受彼食**이며

'받아도 받지 아니함이 되기 때문에 그 밥을 받습니다.'

불교에서는 "무엇을 하되 하지 아니하며, 하지 아니하되 한다."라는 무위無爲의 이치를 가르친다. 걸식을 나가서 밥을 받을 때 받아도 받지 아니하는 마음으로 그 음식을 받는다. 수행자는 어떤 행위를 하더라도 그 행위의 흔적이 있거나 상이 있거나 대가나 보상에 대한 마음이 있어서는 안 된다. 걸식하여 밥을 받을 때도 받지 아니함이 되기 때문에 그 음식을 받는다.

이공취상　입어취락
以空聚想으로 **入於聚落**하며

'텅 빈 마을이라는 생각으로 마을에 들어갑니다.'

걸식을 하려면 당연히 사람들이 사는 마을이나 여러 사람이 들끓는 도시에서 걸식하게 된다. 그런데 존재의 실상을 꿰뚫어 보는 수행자는 텅 빈 마을이라는 생각을 하고 그 마을에 들어가서 걸식해야 여법한 걸식이 된다. 만약 온갖 사람이 많다는 생각을 하고 걸식하게 되면 이미 분별심을 일으켜 경계에 집착하고 이끌리게 되어 수행자로서 여법한 걸식이 되지 못한다. 마치 구름에 달 가듯이 무심히 흘러가는 걸식이 되어야 한다.

소견색 여맹등 소문성 여향등 소후향
所見色은 **與盲等**하고 **所聞聲**은 **與響等**하며 **所齅香**은

여풍등 소식미 불분별 수제촉 여지증
與風等하고 **所食味**는 **不分別**하며 **受諸觸**하되 **如智證**하고

지제법 여환상
知諸法을 **如幻相**하야

'보는 사물에는 눈먼 사람과 같이 하고, 듣는 소리에는 메아리와 같이 여깁니다. 맡는 향기는 바람과 같이 여기고, 먹는 음식의 맛은 분별하지 아니합니다. 모든 감촉을 받아들이지만 지혜로 아는 것과 같이 하고, 모든 법을 알지만 환상과 같이

여겨야 합니다.'

수행하는 사람이 걸식을 위하여 마을에 내려가서 온갖 것을 보고 듣고 냄새를 맡으면서 육근의 작용을 함부로 할 수 있는 상황이 생길 때 그 마음가짐에 대한 가르침이다. 육근을 흔히 육적六賊이라고 하여 여섯 가지 도적이라는 표현을 쓴다. 이것저것 보고 듣는 데 마음을 빼앗기다 보면 자신의 순수한 정신이 흐려져서 본성을 잃게 되기 때문이다. 그것은 사람의 마음을 훔쳐 가고 공덕을 훔쳐 가는 도적이 되기 때문이다. 그러므로 유마 거사는 위와 같은 설법을 하였다.

무자성 무타성 본자불연 금즉무멸

無自性하고 **無他性**이니 **本自不然**이나 **今則無滅**이니다

'스스로 성품이 없으며 다른 이의 성품도 없으니, 본래는 저절로 그러한 것이 아니나 지금은 곧 없어진 것도 없습니다.'

걸식을 하는데 자신의 성품과 남의 성품을 엄연히 존재하는 것으로 이해한다면 자신에게도 집착하고 상대에게도 집착하게 된

다. 남의 집에 가서 걸식하더라도 자신도 남도 모두가 본성이 공空하여 텅 빈 것으로 알고 걸식하는 자세가 필요하다는 가르침이다. 삼륜청정三輪淸淨이라는 원칙, 즉 자신도 남도 음식도 모두가 공하다는 이치를 알라는 뜻이다. 지금 눈앞에서는 모든 것이 없지 아니하여 존재하는 것처럼 보이나 본래는 저절로 그렇지 않다는 말이다.

가섭 약능불사팔사 입팔해탈
迦葉이여 **若能不捨八邪**하면 **入八解脫**하며

'가섭이여, 만약 능히 여덟 가지 삿된 것을 버리지 아니하면 여덟 가지 해탈에 들어갑니다.'

불교의 근본 가르침 중에 매우 중요한 것이 팔정도八正道인데 여기서 팔해탈이란 곧 팔정도를 뜻한다. 팔정도八正道란 팔성도八聖道 또는 팔지성도八支聖道라고 하는데 사성제 가운데 마지막의 도제에서 가르치는 깨달음[滅諦]을 성취하는 원인이 되는 '여덟 개의 부분으로 이루어진 성스러운 길이며 수단 또는 실천 덕목'이다. 팔정도의 여덟 부분 또는 여덟 개의 길은 다음과 같다. 정견正見 바르게 보

기, 정사유正思惟·정사正思 바르게 생각하기, 정어正語 바르게 말하기, 정업正業 바르게 행동하기, 정명正命 바르게 생활하기, 정정진正精進·정근正勤 바르게 정진하기, 정념正念 바르게 깨어 있기, 정정正定 바르게 집중하기이다.

팔사八邪란 위에서 말한 팔정도가 모두 삿되게 된 것을 말한다. 즉 사견邪見, 사사유邪思惟·사사邪思, 사어邪語, 사업邪業, 사명邪命, 사정진邪精進·사근邪勤, 사념邪念, 사정邪定이다. 모두를 삿되게 한다는 것이다. 유마 거사는 기존의 가르침과는 달리 이 여덟 가지 삿된 것을 버리지 아니하여야 여덟 가지 바른 길이 되며 바른 해탈에 들어간다고 하였다. 깨달음의 궁극적 차원에서는 정도正道와 사도邪道가 따로 없다. 무엇을 버리며 무엇을 취할 것인가.

이 사 상　　입 정 법
以邪相으로 **入正法**하며

'삿된 모습으로써 정법에 들어갑니다.'

앞에서 "여덟 가지 삿된 것을 버리지 아니하면 여덟 가지 해탈에 들어갑니다."라고 하였다. 여기서는 "삿된 모습으로써 정법正法에 들어갑니다."라고 하였다. 진정한 정법이라면 정법과 사법이 따로 있을 수 없다. 굳이 정법에 집착하는 사람들에게 정법과 사법을 멀리 떠난 불교 궁극의 가르침을 밝히기 위해서 하신 말씀이리라.

이일식 시일체 공양제불 급중현성연후
以一食으로 **施一切**하여 **供養諸佛**과 **及衆賢聖然後**에
가식 여시식자 비유번뇌 비이번뇌 비입정의
可食이니 **如是食者**는 **非有煩惱**며 **非離煩惱**며 **非入定意**
비기정의 비주세간 비주열반
며 **非起定意**며 **非住世間**이며 **非住涅槃**이라

'한 그릇의 밥으로 모든 사람에게 베풀어서 여러 부처님과 여러 성현에게 공양한 뒤에 가히 먹습니다. 이처럼 먹는 사람은 번뇌가 있지도 않으며 번뇌를 떠난 것도 아니며, 선정에 들어감도 아니며 선정에서 일어남도 아니며, 세간에 머묾도 아니며 열반에 머묾도 아닙니다.'

사찰에 전해 내려오는 말 가운데 "중생 공양이 제불諸佛 공양"이라는 말이 있다. 실로 지금 눈앞에 있는 온갖 사람을 떠나서 달리

무슨 부처님이 있으며 성현聖賢들이 있겠는가. 유마 거사의 말씀 그대로다. 일체중생에게 베풀어서 제불과 성현에게 공양하는 것이다. 음식을 이처럼 이해하고 먹는 사람에게는 번뇌가 있느니 번뇌를 떠났느니 하는 일이 있을 수 없다. 또 선정에 들어 참선하느니 마느니 하는 것도 있을 수 없으며, 세간이니 열반이니 하는 차별도 없다. 모든 사람 모든 생명 그대로가 성현이며 부처님인 사람에게 무슨 번뇌가 있으며 무슨 참선이 있으며 무슨 열반이 있겠는가.

기유시자 무대복 무소복 불위익 불위손
其有施者는 **無大福·無小福**하며 **不爲益**하고 **不爲損**

시위정입불도 불의성문 가섭 약여시식
이니 **是爲正入佛道**요 **不依聲聞**이니다 **迦葉**이여 **若如是食**

불위공식인지시야
이면 **不爲空食人之施也**니라

'음식을 베푸는 사람은 큰 복도 없으며 작은 복도 없으며, 이익도 되지 않으며 손해도 되지 않으니, 이것이 불도에 바로 들어감이 되고 성문을 의지하지 않는 것입니다. 가섭이여, 만약 이처럼 먹을 수 있으면 남이 베푼 음식을 헛되게 먹는 것이 되지 않습니다.' 라고 하였습니다."

불교에서 "시주를 하면 복을 받는다."라고 한다. 그래서 사찰에서는 시주하고 시주를 받는 일이 매우 성하다. 그러나 복을 염두에 두고 시주해서는 옳지 않다. 그것은 소승적 생각이다. 진정한 대승大乘 정신에서는 "베푸는 사람은 큰 복도 없으며 작은 복도 없으며 이익도 되지 않으며 손해도 되지 않으니 이것이 불도에 바로 들어감이 된다."라고 한 것이다.

덧붙여 설명하자면 "가섭이여, 설식이란 내가 지금 설명한 것과 같이 이러한 이치를 알고 이러한 이치에 맞게 걸식하고 식사해야 남이 베푼 음식을 헛되게 먹는 것이 되지 않습니다."라고 한 것이다. 즉 삼륜청정三輪清淨의 도리를 다시 일깨운 것이다.

시 아 세 존 　 문 설 시 어 　 득 미 증 유 　 즉 어 일
時我世尊이시여 **聞說是語**하고 **得未曾有**하야 **卽於一**

체 보 살 　 심 기 경 심 　 부 작 시 념 　 사 유 가 명 　 변 재
切菩薩에 **深起敬心**하고 **復作是念**하되 **斯有家名**의 **辯才**

지혜 내능여시 기수불발아뇩다라삼먁삼보리
智慧가 乃能如是어니 其誰不發阿耨多羅三藐三菩提

심 아종시래 불부권인이성문벽지불행
心이리오 我從是來로 不復勸人以聲聞辟支佛行하나이다

시고 불임예피문질
是故로 不任詣彼問疾이니다

"그때 저는 세존이시여, 이 말을 듣고 미증유를 얻었습니다. 곧 일체 보살에게 공경심을 깊이 일으키고 다시 이러한 생각을 하였습니다. '이분은 이름난 집안에 있으면서 변재와 지혜가 능히 이와 같은데 그 누가 최상의 깨달음에 대한 마음을 일으키지 않겠는가? 나는 지금부터 다시는 다른 사람들에게 성문이나 벽지불의 행동을 권하지 않겠다.' 라고 하였습니다. 그러므로 저는 그분에게 가서 문병하는 일을 감당할 수가 없습니다."

가섭존자는 선불교禪佛敎의 전통에 의하면 세존의 법을 이어받은 상수제자上首弟子다. 그러나 유마 거사의 설법을 듣고 비로소 진정한 불법이 무엇인가에 대해서 눈을 뜨게 되었다. 그래서 대승보살大乘菩薩에 대해 깊이 공경하는 마음을 일으키게 되었다고 털어놓았다. 또한 스스로 생각하기를 '가정에 있으면서도 변재와 지혜가 능히 이와 같은데 그 누가 최상의 깨달음에 대한 마음을 일으키지 않겠는가? 나는 지금부터 다시는 다른 사람들에게 성문이나 벽지불의 행동을 권하지 않겠다.'라고 하였다. 이러한 말의 바탕에는 근본불교나 초기불교는 뒤에 발전한 대승불교와는 안목에서 큰 차이가 있다는 사실을 증명해 보인 것이다. 부처님의 수많은 교설 중에 최상의 가르침은 대승불교로 귀결된다는 점을 밝힌 내용이라고 하겠다.

필자는 보살대승불교와 초기근본불교의 차이를 비유를 들어 이야기하는 경우가 있다. 예컨대 초기근본불교는 전화기로 말하면 처음에 나온 유선전화와 같고, 보살대승불교는 요즘의 첨단 스마트폰과 같다고 한다. 단순한 통화만 하던 기능이 발달하여 온갖 세상의 정보를 다 검색할 수 있는 경지에까지 이른 것의 차이다. 그럼에도 아직도 유선전화만 고집한다면 좀 이상하지 않은가. 의리 때문인가? 안목이 부족해서인가?

4. 수보리와 취식取食

불고수보리 여행예유마힐문질 수보리백
佛告須菩提하시다 汝行詣維摩詰問疾하라 須菩提白

불언 세존 아불감임예피문질 소이자
佛言하시다 世尊하 我不堪任詣彼問疾하나이다 所以者

하 억념 아석 입기사 종걸식 시 유마
何오 憶念하니 我昔에 入其舍하여 從乞食이러니 時에 維摩

힐 취아발 성만반 위아언 유수보리 약
詰이 取我鉢하야 盛滿飯하고 謂我言하되 唯須菩提여 若

능어식 등자 제법 역등 제법 등자 어식
能於食에 等者는 諸法에도 亦等하고 諸法에 等者는 於食

역등 여시행걸 내가취식
에 亦等하나니 如是行乞이라야 乃可取食이니다

부처님께서 수보리에게 말씀하였다.

"그대가 유마힐에게 가서 문병하여라."

수보리가 부처님께 말씀드렸다.

"세존이시여, 저도 그분에게 가서 문병하는 일을 감당할 수 없습니다. 왜냐하면 기억해 보니 제가 옛적에 그분의 집에 들어가서 걸식을 하였는데 그때 유마힐이 저의 발우를 가져다가 밥을 가득히 담아 주고 저에게 말하였습니다. '여보시오. 수보리여, 만약 능히 음식에 평등한 사람은 모든 법에도 평등하며, 모든 법에 평등한 사람은 음식에도 또한 평등합니다. 이처럼 걸식해야 음식을 취할 수 있습니다.'

'걸식'이 단순히 '밥을 빈다'는 뜻이라면 '취식取食'이란 '밥을 받아 가진다'는 뜻이다. 가섭존자는 가난한 집에만 가서 걸식하지만, 수보리는 늘 부잣집에 가서 걸식하였다. 자신의 생각에는 부잣집이라야 남에게 줄 음식이 있다고 여겼기 때문이다. 유마 거사의 집은 당연히 부잣집이다. 어느 날 유마 거사의 집에 가서 걸식으로 밥을 얻었는데 그때 유마 거사에게 들은 법문에 크게 감동하였고 한편 출가수행자로서 평등하지 못한 걸식에 부끄러웠던 일도 생각이 나서 문병을 갈 수 없노라고 사양하는 내용이다.

그리고 여기에 또 『유마경』의 명구가 등장한다. 즉 "음식에 평등한 사람은 모든 법에도 평등하며 모든 법에 평등한 사람은 음식에도 또한 평등하다[於食等者 諸法亦等 諸法等者 於食亦等].”라는 말이 그것이다. 밥을 얻을 때는 반드시 평등하여야 한다. 부잣집이든 가난한 집이든 사람은 진리 앞에 평등하다. 수행자가 걸식하여 밥을 취하는 일은 단순히 허기진 배를 채우는 데 그 뜻이 있는 것이 아니다. 수행자는 일상의 모든 일이 평등한 진리에 맞게 행해져야 한다. 불교에서 “수단과 방법을 가리지 않고 목적달성[견성성불]만 하면 된다.”라는 말은 절대 금물이다. 방법이나 목적이 똑같아야 하기 때문이다. 그래서 “음식에 평등한 사람은 모든 법에도 평등하다.”라고 하였다.

약수보리 부단음 노 치 역불여구
若須菩提여 **不斷婬・怒・痴**하고 **亦不與俱**하며

‘수보리여, 음욕심과 분노와 어리석음을 끊지도 않고 또한 함께하지도 아니합니다.’

불교에서 말하는 8만4천 가지 번뇌 중에서 가장 무겁고 끊기 어려운 번뇌가 삼독번뇌三毒煩惱라고 한다. 탐욕과 진심과 어리석음이 그것이다. 그리고 일반 불교에서는 한결같이 그것을 끊어야 한

다고 한다. 유마 거사는 법문에서 그것을 끊지도 않고 함께하지도 않는다고 하였다. 그러나 『제법무행경諸法無行經』에는 "탐욕즉시도 진에역부연 여시삼법중 구일체불법貪慾卽是道 瞋恚亦復然 如是三法中 具一切佛法"이라 하였다. 즉 "탐욕이 즉시 도며 진심도 역시 그러하다. 이와 같은 세 가지 법 가운데 일체 불법을 다 갖추었다."라는 뜻이다. 삼독심이 곧 불법심이고 불법심이 곧 삼독심이다. 밥을 담은 몸이 곧 대소변을 담은 몸이고 대소변을 담은 몸이 곧 밥을 담은 몸이다. 번뇌에 대한 소승적 견해와 대승적 안목의 차이는 이와 같다. '살림에는 눈이 보배'라고 하였다. 불교를 공부하는 데는 경계가 문제가 되는 것이 아니고 그 경계를 보는 안목이 가장 중요하다.

불괴어신　이수일상
不壞於身하고 **而隨一相**하며

'몸을 파괴하지도 아니하고 하나의 형상을 따릅니다.'

대소변과 피와 고름 등 사람의 온갖 더러운 것들을 잔뜩 담고 있는 이 육신을 버리거나 부정하지 않고 그대로의 상태에서 일상一相

인 공상空相을 수순한다는 뜻이다. 즉 색즉시공色卽是空이며 공즉시색空卽是色인 이치를 알아 육신에도 걸리지 않고 공상에도 걸리지 않는다. 영명연수 선사가 말한 "몸이 없음을 보되 온갖 모양을 잘 갖춘다[鑒無身而具相]."는 뜻이다. 관세음보살은 이 육신이 텅 비어 공한 줄을 누구보다도 잘 알기에 누구보다도 아름답게 장엄하였다. 값을 매길 수 없는 보석을 걸치고 가장 비싼 옷을 입었으며 진한 화장까지 하였다. 이러한 모습이 곧 중도적 삶이다.

불 멸 치 애　　기 어 명 탈
不滅痴愛하고 **起於明脫**하며

'어리석음과 애착을 없애지도 아니하고 밝은 지혜와 해탈을 일으킵니다.'

어리석음과 애착은 사람의 어두운 면이다. 지혜와 해탈은 사람의 밝은 면이다. 그러나 밝음과 어둠은 둘이 아니다. 어두운 곳이 곧 밝은 곳이고 밝은 곳이 곧 어두운 곳이다. 그러므로 "어리석음과 애착을 없애지도 아니하고 밝은 지혜와 해탈을 일으킨다."라고 한 것이다.

필자가 1970년 무렵 송광사 문수전文殊殿에서 정진할 때 관음전 법당 부전 소임을 맡아 아침저녁 예불을 드렸는데, 어느 날 새벽 3시 예불을 올리려고 밖에 나가니 칠흑같이 어두운 밤이었다. 전기도 없던 때라 대강 더듬으며 관음전에 이르러 늘 출입하던 옆문으로 가서 문을 열고 익숙한 걸음으로 방향을 잡아 탁자 앞에 이르렀다. 항상 하던 대로 손을 뻗어 성냥을 찾아 불을 켜는 순간, 그렇게 어둡던 법당 안이 환하게 밝아졌다. 어둠이 어디로 나간 것도 아니고 밝음이 어디에서 들어온 것도 아니었다. 그 순간 나는 어두운 것이 곧 밝음이고 밝음이 곧 어두운 것이라는 사실과 함께 번뇌 무명이 곧 지혜 해탈이고 지혜 해탈이 곧 번뇌 무명이라는 사실을 깨달았다. 즉 사람의 삶이 그대로 부처의 삶이요 부처의 삶 그대로가 곧 사람의 삶이라는 사실이었다.

영가 스님의 「증도가」의 "무명실성無名實性이 즉불성卽佛性이요 환화공신幻化空身이 즉법신卽法身"이라는 말 그대로였다.

이오역상　　이득해탈　　역불해불박
以五逆相으로 **而得解脫**하며 **亦不解不縛**하며

'오역죄의 모습으로써 해탈을 얻으며, 또한 해탈도 아니고

속박도 아닙니다.'

오역죄五逆罪란 불교에서 말하는 모든 죄 가운데서 가장 무거운 다섯 가지 죄를 말한다. 아버지를 죽이는 죄, 어머니를 죽이는 죄, 아라한을 죽이는 죄, 부처님의 몸에서 피가 나게 하는 죄, 승단의 화합을 깨뜨리는 죄다. 특히 승단의 화합을 깨뜨리면 불법을 널리 전파하는 데 큰 장애가 되기 때문에 곧 불법을 파괴하는 것과 같다. 이와 같은 큰 죄로써 해탈을 얻는다는 것은 유마 거사의 법력으로는 죄의 속박과 죄로부터의 해탈이 둘이 아니라는 것이다. 그래서 해탈도 아니며 속박도 아니라고 하였다.

영가 스님의 「증도가」에도 "욕망 속에서 선을 행하는 것은 곧 지견의 힘이다[在欲行禪知見力]."라고 하였다.

불견사제 비불견제 비득과 비부득과 비범
不見四諦나 **非不見諦**며 **非得果**나 **非不得果**며 **非凡**

부 비리범부법 비성인 비불성인
夫나 **非離凡夫法**이며 **非聖人**이나 **非不聖人**이며

'네 가지 진리를 보지 않으나 그 진리를 보지 않은 것도 아

니며, 결과를 얻지 않으나 결과를 얻지 않은 것도 아니며, 범부가 아니나 범부의 법을 떠난 것도 아니며, 성인이 아니나 성인이 아님도 아닙니다.'

네 가지 진리란 사성제四聖諦다. 초기불교에서 매우 중요하게 생각하는 진리다. 그러나 대승불교에서는 중도적 관점에서 보기 때문에 그 진리에 치우치지 않는다. 그러므로 "사성제를 보지 않으나 또한 사성제를 보지 않는 것도 아니다."라고 하였다. 또한 사성제를 닦아서 얻은 결과에 대해서도 "그 결과를 얻지 않으나 결과를 얻지 않은 것도 아니다."라고 한다. 초기불교 수행의 사향사과四向四果를 두고 하는 말이다. 이러한 관점에서 범부와 성인의 문제 역시 중도적으로 무엇에도 치우치지 않는 견해를 밝히고 있다. 범부니 성인이니 하는 것은 모두가 이름일 뿐이다. 천상천하에 오직 사람이 있을 뿐이다.

수성취일체법 이이제법상 내가취식
雖成就一切法이나 **而離諸法相**이라사 **乃可取食**이니라

'비록 일체 법을 성취하였으나 모든 법의 상을 떠나야 이에

가히 음식을 취할 수 있습니다.'

여기서 일체 법이란 부처님의 온갖 종류의 가르침을 말한다. 불교를 공부하는 수행자는 가장 먼저 부처님의 가르침에 대해서 잘 알아야 한다. 잘 알고 나서는 관행觀行을 통해서 법의 이치가 깊어지게 해야 하고, 나아가서는 일상생활에 적용되도록 해야 한다. 이것을 듣고[聞] 생각하고[思] 수행하는[修] 세 가지 지혜[三慧]라 한다. 그러나 유마 거사는 이와 같은 일체 법을 모두 성취하고 나서는 다시 모든 법의 상을 떠나야 비로소 음식을 취할 수 있다고 하였다.

사찰에서는 마당을 쓸 때 앞으로 가면서 쓸지 않고 뒤로 물러나면서 쓴다. 그래야 발자국까지 다 쓸 수 있기 때문이다. 이것은 없는 것마저 없애는 이치며, 공空한 것까지 공하게 하는 이치며, 일체 법을 얻고 그 얻은 법마저 떠나야 한다는 이치다.

약수보리 불견불 불문법 피외도육사 부
若須菩提여 **不見佛**하고 **不聞法**하며 **彼外道六師**인 **富**

란나가섭 말가리구사리자 산사야비라지자 아
蘭那迦葉과 **末伽梨拘賒梨子**와 **刪闍夜毘羅胝子**와 **阿**

기다시사흠바라 가라구타가전연 니건타야제자
耆多翅舍欽婆羅와 **迦羅鳩馱迦旃延**과 **尼犍陀若提子**

등 시여지사 인기출가 피사소타 여역수타
等이 **是汝之師**어든 **因其出家**하여 **彼師所墮**에 **汝亦隨墮**

내가취식
라사 **乃可取食**이니다

'수보리여, 부처님을 보지 말고 법을 듣지도 말며 저 외도들의 육사인 부란나가섭과 말가리구사리자와 산사야비라지자와 아기다시사흠바라와 가라구타가전연과 니건타야제자 등이 그대의 스승이니 그들로 말미암아 출가하여 그들 스승이 떨어진 곳에 그대도 또한 떨어져야 이에 가히 음식을 취할 수 있습니다.'

"외도들이 떨어진 곳에 그대도 따라서 떨어지라[彼師所墮 汝亦隨墮]"라는 말 역시 『유마경』의 명구다. 일반 불교에서는 기본적으로 외도外道나 사도邪道를 배척한다. 그래서 혹 다른 소견을 가진 자를 마군이라고까지 비난한다.

그러나 대승적 가르침을 표방하는 유마 거사의 주장은 "굳이 부처님에게도 집착할 것이 아니며 부처님의 법에도 집착할 것이 아니다. 외도육사外道六師라고 해서 스승이 되지 말라는 법도 없다. 그들에게 귀의하여 그들의 가르침을 들어라. 실로 부처님의 십대제자 중 목건련과 사리불과 같은 이들도 한때 그들에게 귀의하여 공부하지 않았는가. 일찍이 그들에게 공부하지 않았더라면 오늘과 같이 훌륭한 제자가 되지 못했을 것이다. 부처님의 법에도 치우치지 말 것이며 외도육사에도 치우치지 말라."라는 것이다. 그래야 신도가 베푸는 음식을 얻어먹을 자격이 된다는 것이다. 참고로 외도육사에 대한 간단한 내용을 소개한다.

외도육사 또는 육사외도라고 하는데 기원전 5~3세기 인도 우파니샤드 철학의 영향을 받아 형성된 사상이 62견見, 또는 360여 종의 이설異說이 있었다고 하는데 그중에서 세력이 컸던 부란나가섭·말가리구사리자·산사야비라지자·아기다시사흠바라·가라구타가전연·니건타야제자 등이다. 이들은 힌두교의 기본 경전인 베다와 우파니샤드에 배치되는 점이 많았고, 불교에 수용되어 외도外道라는 말이 붙여졌다. 하나하나 간단히 살펴보면 아래와 같다.

1. 부란나가섭[富蘭那迦葉, Pūraṇakāśyapa]은 인과응보를 부정하고 윤리에 대한 회의를 표명하여 도덕이 필요 없다고 주장하였다.

2. 말가리구사리자[末伽梨拘賒梨子, Maskari Gośālīputra]는 숙명론을 내세웠다. 흔히 사명외도邪命外道라 불리는 이 파派는 인간을 포함한 모든 생명체의 운명이 숙명적으로 결정되어 있다는 견해를 밝혀 인간의 삶에는 인연이 작용하지 않고 모든 자연현상에는 고유의 생명이 있다고 주장하였다.
3. 산사야비라지자[刪闍夜毘羅胝子, Sañjayi Vairaṭiputra]는 회의론을 주장하여 진리를 있는 그대로 인식하고 서술하기란 불가능하다는 불가지론不可知論을 폈다. 진리에 대한 인식이 상황에 따라 달라질 수 있다고 하여 기분파라고도 불렸다. 부처님의 십대제자 중 목건련과 사리불이 부처님께 귀의하기 전에 이 파에 속했으나 윤리적 또는 실천적 태도를 밝히지 않아 외도로 일컬어졌다.
4. 아기다시사흠바라[阿耆多翅舍欽婆羅, Ajita Keśa-kambala]는 유물론의 견해를 밝혔다. 도덕을 부정하고 현실의 쾌락이 인생의 목적이라고 주장하여 순세파順世派 또는 사탕발림파라는 별명을 얻었다. 이 파에서 내세우는 우주의 구성 원소인 흙 · 물 · 불 · 바람의 사대四大는 인도의 모든 사상체계가 인정하는 것이었다.
5. 가라구타가전연[迦羅鳩馱迦旃延, Krakuda-kātyāyana]은 불멸론不滅

論을 폈다. 인간의 생명이나 특질은 영원하다는 점에서 유물론과 반대이나 선악의 인과因果를 부정하는 면에서 도덕부정론에 가깝다. 생명은 태어나지도 죽지도 않는다는 불생불멸을 주장하여 죽이는 자도 없고 죽는 자도 없으며 가르치는 자도 없고 가르침을 받는 자도 없다고 하였다.

6. 니건타야제자[尼犍陀若提子, Nirgranthajñā tīputra]는 자이나교를 창시하였다. 이원론二元論을 주장하고, 인내를 강조하는 극단적인 고행과 생명에 대한 경외를 강조하였다. 특히 불살생不殺生을 강조하여 생명을 해칠 수밖에 없는 농업보다 상업에 종사하는 것을 장려하였다.

이들 육사六師는 한결같이 베다의 권위를 부인하고 브라만교에 반항하였다. 그들은 신흥도시의 왕후·귀족·부호들의 정치적·경제적 원조 밑에 활약하였다. 이들 각 유파의 형성은 그 기원과 성립 연대가 다른데, 기원전 5세기에서 기원전 3세기 사이로 추정된다.

약수보리 입제사견 부도피안
若須菩提여 **入諸邪見**하야 **不到彼岸**하며

'수보리여, 온갖 삿된 견해에 들어가서 저 언덕에 이르지 마시오.'

삿된 견해에 들어가지 않으면 어찌 삿된 견해를 가진 사람들을 교화할 수 있겠는가. 만약 저 언덕에만 올라 있다면 이 언덕에 있는 사람들을 어찌 제도하겠는가. 그래서 지장보살은 "내가 지옥에 들어가지 않으면 누가 지옥에 들어가겠는가."라고 하여 스스로 지옥까지 찾아다녔다. 외도가 무슨 대수겠는가. 그래서 사섭법四攝法 중에서 동사섭同事攝을 가장 훌륭하게 여긴다.

주어팔난 부득무난
住於八難하여 **不得無難**하며

'여덟 가지 어려움에 머물러 어려움이 없음을 얻지 마시오.'

여덟 가지 어려움, 즉 팔난八難이란 불교의 정법을 배우는 데 장애가 되는 여덟 가지 조건을 말한다. 곧 지옥地獄·축생畜生·아귀餓鬼·장수천長壽天·맹롱음아盲聾瘖瘂·울단월鬱單月·세지변총世智辨聰·생재불전불후生在佛前佛後다.

즉 지옥과 같은 삶을 살거나, 축생과 같은 삶을 살거나, 아귀와 같은 삶을 살거나, 너무 오래 사는 곳에 태어나거나, 시각장애인이나 청각장애인이나 언어장애인으로 태어나거나, 대단한 재산가의 집에 태어나거나, 세속적인 잔머리를 잘 굴리는 사람으로 태어나거나, 불교가 없는 곳이나 없을 때에 태어나는 것 등은 불법佛法을 가까이하여 공부하는 데 큰 장애가 되므로 이러한 것을 어려움이라고 하는데, 일반 불교에서는 이러한 것을 만나지 말아야 한다고 하지만 유마 거사는 이와 같은 어려움 속에서 살라는 것이다. 어려움이 있어야 불법이 귀한 줄을 안다. '기한飢寒에 발도심發道心'이라는 뜻과 같다.

동어번뇌 이청정법
同於煩惱하야 **離淸淨法**하며

'번뇌와 함께하여 청정한 법을 떠나시오.'

소승불교에서는 탐·진·치 삼독과 8만4천 번뇌를 부정한 것으로 생각하여 반드시 제거해야 할 것으로 삼는다. 그러나 그 누구 삼독번뇌를 제거하고 떠난 사람이 있던가. 떠나서도 안 된다. 번뇌를 떠나면 청정한 법도 없다. 청정한 법은 반드시 번뇌와 함께한다. 아름다운 연꽃은 언제나 진흙에서 피어난다. 진흙을 떠나면 연꽃은 죽고 만다. 분별하여 취사선택을 하면 이미 불법이 아니다. 유마 거사의 설법은 화려함을 넘어서 현란하다 하겠다. 저 높은 33천이며, 나이아가라의 폭포수다.

여 득 무 쟁 삼 매　　일 체 중 생　역 득 시 정
汝得無諍三昧하면 **一切衆生**도 **亦得是定**하며

'그대가 무쟁삼매를 얻으면 일체중생도 또한 이러한 선정을 얻을 것입니다.'

자세히 설명하면 "수보리여, 그대가 만약 다툼이 없고 번뇌가 없고 욕심이 없고 갈등이 없는 무쟁삼매無諍三昧를 얻었다면 일체중생도 다 이러한 선정을 얻는다."라는 뜻이다. 『금강경』에서 수보리를 두고 "무쟁삼매를 얻은 사람 중에 제일이다."라고 하는 말이 있다. 제일은 무슨 제일인가. 수보리가 제일이라면 모든 중생들도 제일이다. 사람마다 모두 본래 갖추고 있으며 하나하나가 본래로 원만한 존재다. 나음과 못함이 무엇이 있겠는가. 실로 유마 거사의

법문은 누구도 넘지 못할 태산준령이다.

기 시 여 자　불 명 복 전　공 양 여 자　타 삼 악 도
其施汝者는 **不名福田**이요 **供養汝者**는 **墮三惡道**하고

'그대에게 보시하는 사람은 복전이 되지 못하며, 그대에게 공양하는 사람은 삼악도에 떨어집니다.'

불교에서는 시주施主를 많이 하면 큰 복을 받아서 세세世世에 삼악도에 떨어지지 않고 천상의 낙을 누린다 하여 보시를 보살의 실천덕목 가운데 첫 번째로 여긴다. 그러나 아무리 보시를 많이 하여 큰 복을 얻었다 한들 사람마다 본래 가지고 있는 기존의 한량없는 근본 복과 어찌 비교할 수 있겠는가. 밥을 시주하여 얻은 복은 억만 분의 일도 되지 않으니 그것을 어찌 복이라 하겠는가. 자신이 가지고 있는 본래의 무량대복을 버리고 밥 한 끼 시주하여 얻은 복을 바란다면 그것은 삼악도에 떨어지고도 남음이 있으리라. 유마 거사의 법문은 실로 소승성문으로서는 기절초풍하고도 남을 일이다.

위여중마 공일수 작제노려 여여중마 급
爲與衆魔로 **共一手**하여 **作諸勞侶**하며 **汝與衆魔**와 **及**

제진로 등무유이
諸塵勞로 **等無有異**하며

'온갖 마군과 함께 손잡고 모든 번뇌의 벗이 됩니다. 그대는 온갖 마군과 모든 번뇌와 평등하여 다를 것이 없습니다.'

『유마경』의 절정은 불이법문不二法門이다. 「불이법문품不二法門品」에는 많은 성인聖人이 등장하여 차례차례 불이不二의 이치를 밝히는 장면이 있는데 최후에 유마 거사가 침묵으로써 불이의 도리를 보여준다. 세상의 일체 차별한 존재들이 궁극적으로 불이라는 관점에서 보면 모두가 평등한 하나다. 마군과 함께 손잡고 번뇌의 벗이 된다는 것은 당연한 이치다. 부처가 어디에 있으며 마군은 또 어디에 있겠는가. 누구를 취하고 누구를 버릴 것인가. 중생과 부처를 따로 보고 나와 마군을 둘로 나눈다면 쉴 날이 없을 것이다. 아름다운 연꽃은 언제나 진흙탕과 둘이 아니다.

어일체중생 이유원심 방제불 훼어법
於一切衆生에 而有怨心하며 謗諸佛하고 毁於法하며

불입중수 종부득멸도 여약여시 내가취식
不入衆數하야 終不得滅度니 汝若如是라사 乃可取食이라

하니라

'일체중생에게 원한의 마음이 있으며 모든 부처님을 비방하고 법을 헐뜯습니다. 대중의 단체에 들어가지 아니하고 마침내 열반도 얻지 말아야 하나니 그대가 만약 이와 같으면 비로소 가히 음식을 취할 수 있습니다.' 라고 하였습니다."

이것은 또한 무슨 소리인가? 일체중생을 어여삐 여기고 사랑하고 아끼고 위해 줘야 하거늘 일체중생에게 원한의 마음을 가지다니. 나아가서 부처님을 비방하면 지옥에 떨어지고 법을 헐뜯어도 역시 지옥에 떨어지는데도 부처님을 비방하고 법을 헐뜯으라 한다. 또 대중생활의 모범인 수보리에게 대중의 단체에 들어가지도 말고 마침내 열반도 얻지 말아야 한다고 하였다. 이 무슨 청천벽력과 같은 소리인가? 중생과 부처님과 법과 대중과 열반까지 다 부정하고 있다. 수보리는 중생을 너무 생각하는가? 부처님을 너무 존경하는가? 법을 너무 찬탄하는가? 대중생활을 너무 잘하는가?

벌써 열반에 빠져 있는가? 그래서 오히려 병이 되지나 않았는가? 아마도 수보리에게는 유마 거사의 이러한 극약과도 같은 처방이 꼭 필요하였으리라. 독약이 꼭 사람을 죽이기만 하는 것이 아니다. 사람을 살리는 명약名藥이 되기도 한다. 그래서 "그대가 만약 이와 같으면 비로소 가히 음식을 취할 수 있다."라고 한 것이리라. 음식을 취할 수 있다고 한 것은 공양을 받을 만한 자격이 있다는 뜻이다.

시아세존 문차망연 불식시하언 부지이하
時我世尊하 **聞此茫然**하야 **不識是何言**이며 **不知以何**

답 변치발 욕출기사
答하야 **便置鉢**하고 **欲出其舍**러니

"그때에 저는 세존이시여, 이 말을 듣고 망연자실하여 이것이 무슨 말인지를 알지 못했으며 어떻게 답을 해야 할지를 알지 못해서 곧 발우를 두고 그 집에서 나오려고 했습니다."

편협하고 치우친 소승적 안목에 젖어 있는 수보리로서는 이와 같은 말을 듣고 망연자실할 수밖에 없다. 말의 근본 실상을 꿰뚫어 보지 못하고 말을 하는 사람과 말만 좇아가는 사람으로서는 그것이 무슨 말인지 알 수 없다. 아마도 유마 거사를 마군魔軍의 무리라고 생각하였을 것이다. 수보리에게 묻노니, 마군은 무엇이며 유마 거사는 또한 무엇인가? 여법如法한 말은 무엇이며 여법하지 못한 말은 또한 무엇인가? 『유마경』은 무엇이며 이 글은 무엇이며 이 글을 쓰는 나는 무엇인가?

유마힐 언 유수보리 취발물구 어의운
維摩詰이 言하사대 唯須菩提여 取鉢勿懼하라 於意云

하 여래소작화인 약이시사힐 영유구부 아
何오 如來所作化人이 若以是事詰에 寧有懼不아한대 我

언불야 유마힐 언 일체제법 여환화상
言不也니다하니 維摩詰이 言하사대 一切諸法이 如幻化相

여금 불응유소구야
하니 汝今에 不應有所懼也니라

"그때 유마힐이 말하였습니다. '여보시오. 수보리여, 발우를 가져가시고 두려워하지 마시오. 왜냐하면 여래께서 변화하여 만든 사람이 만약 이 일을 따진다면 어찌 두려움이 있겠습니까?' 라고 하여 저는 '두려움이 없습니다.' 라고 하였습니다. 유마힐이 말하기를, '일체 모든 법이 환화의 모습과 같으니 그대는 지금 두려워할 것이 없습니다.' 라고 하였습니다.

유마힐 거사는 스스로 설명하기를, 변화하여 만든 사람[化人]이라는 말을 하였다. 즉 환술幻術이나 마술로 만든 사람이지 실제로 존재하는 사람이 아니라는 말이다. 엄청나게 파격적이며 상식에서 벗어난, 부처님을 비방하고 법을 헐뜯는다는 등의 말을 한 사람은 유마 거사라는 환술로 만든 거짓 사람이 말한 것이니 결코 두려워하거나 의아해하지 말라는 뜻이다. 모두 가짜 사람이 가짜 말을 했다는 뜻이다. 그렇다. 진실로 존재하는 사람이 있는가? 진실로 존재하는 말은 있는가? 진실로 존재하지 않는 사람은 또 있는가? 진실로 존재하지 않는 말은 또 있는가? 모두가 진실이며 진실이 아니며 진실이 아님도 아니다. 모든 것을 이와 같이 알아야 중도정견中道正見으로 아는 것이 된다.

소이자하　일체언설　불리시상　지어지자
所以者何오 **一切言說**이 **不離是相**하며 **至於智者**하야는

불착문자고 무소구 하이고 문자성리 무
不着文字故로 無所懼하나니 何以故오 文字性離하야 無

유문자 시즉해탈 해탈상자 즉제법야 유
有文字가 是則解脫이요 解脫相者는 卽諸法也라하니다 維

마힐 설시법시 이백천자 득법안정 아고불
摩詰이 說是法時에 二百天子가 得法眼淨일세 我故不

임예피문질
任詣彼問疾이니다

'왜냐하면 일체의 언설이 이 환화의 모습을 떠나지 않았습니다. 지혜로운 사람들은 문자에 집착하지 아니하기 때문에 두려워하는 바가 없습니다. 왜냐하면 문자의 본성을 떠나서 문자가 없는 것이 해탈입니다. 해탈의 모습이란 곧 모든 법입니다.'라고 하였습니다. 유마힐이 이러한 법을 설할 때에 2백 명의 천자天子가 법안法眼이 청정함을 얻었습니다. 그러므로 저는 그분에게 가서 문병하는 일을 감당할 수가 없습니다."

그러므로 모두가 환화幻化다. 일체의 언설言說이 환화다. 일체의 문자가 환화다. 환화이기 때문에 어떤 내용의 말도 집착할 까닭이 없으며 두려워할 것이 없다. 꿈속에서 꿈인 줄 분명히 알면 그 어떤 무서운 현상도 아무렇지가 않다. 오히려 무서운 현상을 놀이 삼아 즐기는 이것이 해탈이다. 알고 보면 모든 법이 다 이렇게 환화며 해탈이다. 유마 거사가 이와 같은 설법을 할 때 2백 명의 천자天子가 모두 진리를 보는 안목이 청정해짐을 얻었다. 유마 거사로부터 이러한 경험을 한 수보리는 자신으로서는 도저히 문병 갈 용기가 나지 않았다. 그래서 사양하고 말았다.

5. 부루나와 설법說法

불고부루나미다라니자 여행예유마힐문질
佛告富樓那彌多羅尼子하사대 汝行詣維摩詰問疾하라

부루나 백불언 세존 아불감임예피문질
富樓那가 白佛言하대 世尊이시여 我不堪任詣彼問疾하나

소이자하 억념 아석 어대림중 재일수하
이다 所以者何오 憶念하니 我昔에 於大林中에 在一樹下

위제신학비구설법
하야 爲諸新學比丘說法이러니

부처님께서 부루나미다라니자에게 말씀하였다.

"그대가 유마힐에게 가서 문병하여라."

부루나가 부처님께 말씀드렸다.

"세존이시여, 저도 그분에게 가서 문병하는 일을 감당할 수 없습니다. 왜냐하면 기억해 보니 제가 옛적에 큰 숲속, 한 나무 밑에서 새로 배우는 여러 비구를 위하여 설법하고 있었습니다."

부처님은 다시 부루나에게 문병하러 가기를 부탁하였다. 부루나는 부처님의 많은 제자 중에서 설법이 제일 뛰어나다고 칭송받는 스님이다. 그는 설법도 잘하거니와 무엇보다 부처님 법을 전파하다가 돌아가신 첫 번째 순교자다. 그의 위법망구爲法忘軀 정신은 아무리 높이 찬탄하고 기려도 부족하다. 그러므로 『법화경』에서 부처님은 이렇게 말씀하였다.

"너희는 이 부루나미다라니자를 보는가. 나는 항상 그를 칭찬하여 법을 설하는 사람 중에 가장 제일이라 하였느니라. 또 그의 여러 가지 공덕을 찬탄하되, 부지런히 정진하여 나의 가르침을 수호守護하고 나를 도와서 선전하느니라. 사부대중에게 보여 주고 가르쳐서 이롭고 기쁘게 하며 부처님의 바른 법을 제대로 해석하여 함께 범행梵行을 닦는 이들에게 큰 이익이 되게 하느니라. 실로 여래를 제외하고는 그의 언론과 변재辯才를 따를 이가 없느니라."

그 외에도 많은 칭찬을 하였으나 다 인용하지 못한다. 이처럼 뛰어난 부루나이지만 그 역시 문병하러 가기를 사양하였다. 어느 날 큰 숲속, 한 나무 밑에서 새로 배우는 여러 비구를 위하여 설법하다가 유마 거사를 만나 설법의 진정한 의미에 대해서 듣고 깨우침을 받은 기억이 있기 때문이다.

시 유마힐 내위아언 유부루나 선당입정
時에 維摩詰이 來謂我言하되 唯富樓那여 先當入定하야

관차인심연후 설법 무이예식 치어보기
觀此人心然後에 說法이니 無以穢食으로 置於寶器어다

"그때 유마힐이 저에게 와서 말하였습니다. '여보시오. 부루나여, 먼저 선정에 들어가서 이 사람들의 마음을 관찰한 후에 설법해야 합니다. 더러운 음식으로써 보배로 된 그릇에 담아서는 안 됩니다.'

유마 거사의 첫 번째 깨우침은 설법을 하려면 먼저 선정에 들어가서 법을 듣는 사람의 마음을 잘 관찰한 뒤에 그의 수준과 근기에 맞게 설법을 해야 한다는 것이다. 그때나 지금이나 설법을 하는 사람은 반드시 지켜야 할 사항이다. 더러운 음식을 보배 그릇에 담아서는 안 된다고 하신 말씀은 성문들의 소승적 견해로 알고 있는 소소하고 자질구레한 이치, 즉 초기근본불교를 가지고 본래로 사람이 부처님인 대승보살에게 설법을 한다면 득이 되는 것이 아니라 오히려 손해를 끼치는 일이 된다는 것이다. 요즘 한국불교에서 흔히 행해지고 있는 일이기도 하다.

그러므로 불교에 처음 들어온 사람이라고 해서 흔히 말하는 초기근본불교를 가르쳐서는 안 된다는 뜻이다. 오히려 최상승의 고급불교부터 가르치라는 말이다. 필자는 『화엄경』을 공부하고부터는 모든 불자들에게는 승속을 막론하고 『화엄경』부터 가르쳐야 옳다고 생각한다. 부처님이 정각正覺을 이루고 나서 처음으로 설하신 경전도 『화엄경』이 아니던가. 부루나도 아마 나무 밑에서 새로 배우는 여러 비구를 위하여 초기근본불교부터 설법하고 있었기 때문에 이와 같이 꾸중을 했으리라.

당 지 시 비 구 심 지 소 념 　무 이 유 리 　동 어 수 정
當知是比丘心之所念이니 **無以瑠璃**로 **同於水精**이어다

'비구들의 마음에 생각하는 바를 마땅히 알아야 합니다. 유리瑠璃를 수정과 같이 취급해서는 안 됩니다.'

앞에서는 "먼저 선정禪定에 들어가서 이 사람들의 마음을 관찰한 후에 설법해야 합니다."라고 하였고 여기서는 "비구들의 마음에 생

각하는 바를 마땅히 알아야 합니다."라고 하였다. 역시 법문을 듣는 사람의 마음을 잘 관찰하라는 뜻이다. 그리고 여기서 유리瑠璃란 값지고 귀한 칠보에 드는 그릇이며 수정이란 질이 낮은 물질을 말하는데 존귀한 대승 근기大乘根機에 수준이 낮은 소승법小乘法을 담지 말라는 경고이다. 소승불교를 사정없이 꾸짖는 내용이다. 그래서『유마경』을 소승을 꾸짖는 탄가불교憚訶佛教라고 하는 것이다.

여불능지중생근원 무득발기이소승법 피자
汝不能知衆生根源인댄 **無得發起以小乘法**이니 **彼自**

무창 물상지야
無瘡하니 **勿傷之也**어다

'그대가 능히 중생의 근원을 알지 못하면서 소승법으로써 일으켜서는 안 됩니다. 그에게는 스스로 상처가 없는데 구태여 상처를 내지 마십시오.'

"중생의 근원을 알지 못하면서 소승법으로써 일으켜서는 안 됩니다."라는 말은 중생의 근본은 본래 스스로 불성을 갖추고 있으며 사람마다 모두 원만한 존재라는 것이다. 그와 같이 사람이 본래로 부처님인 이치를 저버리고 사성제四聖諦니 팔정도八正道니 십이연기十二緣起니 하는 소승법을 가르친다면 그것은 아무런 상처와 병이 없는 사람에게 구태여 상처와 병을 만드는 일이라고 강하게 경고하고 있다.

욕행대도 막시소경 무이대해 내어우적
欲行大道인댄 **莫示小徑**이니 **無以大海**로 **內於牛跡**하며

무이일광 등피형화
無以日光으로 **等彼螢火**어다

'큰길을 가고자 한다면 작은 길을 보아서는 안 됩니다. 큰 바닷물을 소의 발자국에 넣을 수는 없습니다. 태양의 광명을 저 반딧불과 같이 생각하지 마십시오.'

무문대도無門大道와 무주대도無住大道를 희망하는 수행자라면 소소한 작은 길을 기웃거려서는 안 된다. 설법하는 사람도 설법을 듣는 사람도 인류 역사에서 가장 위대한 스승이신 부처님이 깨달으신 최극상승最極上乘의 가르침이 있는데 왜 협소하고 한쪽으로 치우친 소승의 가르침을 전하는가. 부처님의 궁극적 가르침은 저 큰 바

닷물이다. 부처님 진리의 가르침은 저 밝게 비치는 태양빛이다. 그것을 알아서 잘 가르치라.

부 루 나　차 비 구　구 발 대 승 심　중 망 차 의　여
富樓那여 **此比丘**는 **久發大乘心**이나 **中忘此意**어늘 **如**

하 이 소 승 법　이 교 도 지
何以小乘法으로 **而教導之**리오

'부루나여, 이들 비구는 오래전에 대승의 마음을 내었으나 중간에 이 뜻을 잊어버린 것인데 어찌 소승법으로써 그들을 가르치십니까?'

아무리 설법이 제일이며 불법을 전파하다가 순교까지 한 사람이라 하더라도 법문을 듣는 사람의 내면을 관찰하지 못한다면 소승법을 설하여 엉뚱한 길을 가르치게 된다. 지금은 이들이 새로 막 발심한 사람들이지만, 본래로 부처님이라는 큰 그릇이다. 이 사실을 관찰하여 그것에 맞게 대승법으로써 설법해야 한다는 것을 밝혔다. 이 얼마나 통탄할 일인가.

아관소승 지혜미천 유여맹인 불능분별일
我觀小乘하니 **智慧微賤**이 **猶如盲人**하야 **不能分別一**

체중생 근지이둔
切衆生의 **根之利鈍**이라하고

'내가 소승들을 살펴보니 지혜가 미천한 것이 마치 맹인과 같아서 능히 일체중생의 근기가 영리하고 둔한 것을 분별하지 못합니다.' 라고 하였습니다."

불교에는 사람들의 수준과 근기에 맞추어서 진리를 설명하다 보니 각양각색의 가르침이 있다. 그것을 8만4천 근기에 따른 8만4천의 법문이라 한다. 『유마경』에 소개되고 있는 부처님의 십대제자는 모두가 소승적 편협한 지견에 떨어져 있는 사람들이라고 표현하고 있는데 불교의 발달 과정에서 보면 『유마경』은 대승불교운동이 한창 일어나서 마음껏 소승을 비판하던 시기에 편찬되었기 때문이다. 불교를 전체적으로 이해하려면 경전의 발달 과정과 그 견해의 차이점을 알아야 한다. 십대제자들이 생존해 있던 근본불교나 초기불교에서는 뒤에 발달한 대승불교와는 큰 차이점이 있다. 그래서 "소승들을 살펴보니 지혜가 미천한 것이 마치 맹인과 같다."라고 하고 있다.

소승小乘의 교리가 해당하는 근기도 있지만, 사람의 지혜가 발달함에 따라 초기불교로서는 마음에 차지 않는 사람들이 늘어나자 자연히 불교의 교의教義도 대승으로 발달하게 되어 보다 큰 근기들을 제도하게 된 것이다. 그러므로 근기의 영리하고 둔함을 잘 분별해서 설법해야 한다는 것이다.

시 유마힐 즉입삼매 영차비구 자식숙명
時에 **維摩詰**이 **卽入三昧**하여 **令此比丘**로 **自識宿命**케

증어오백불소 식중덕본 회향아뇩다라삼먁
하니 **曾於五百佛所**에 **植衆德本**하야 **廻向阿耨多羅三藐**

삼보리 즉시활연 환득본심 어시 제비구
三菩提라 **卽時豁然**하여 **還得本心**하고 **於是**에 **諸比丘**가

계수례유마힐족 시 유마힐 인위설법 영아
稽首禮維摩詰足커늘 **時**에 **維摩詰**이 **因爲說法**하여 **令阿**

뇩다라삼먁삼보리 불부퇴전
耨多羅三藐三菩提에 **不復退轉**케하니

"그때에 유마힐이 곧 삼매에 들어가서 이 비구들로 하여금 스스로 숙명을 알게 하였습니다. 그들은 일찍이 5백 부처님의

처소에서 여러 가지 덕의 근본을 심어서 최상의 깨달음에 회향하였습니다. 즉시에 그 사실을 활연히 알고 다시 본심을 얻었습니다. 이에 여러 비구가 유마힐의 발에 머리 숙여 예배하였습니다. 그때에 유마힐은 그로 말미암아 그들에게 설법하여 최상의 깨달음에서 다시는 물러서지 않게 하였습니다."

유마 거사는 법을 설하기 전에 근기를 알아보는 본보기를 보여주었다. 자신은 선정에 들고 청중은 스스로 근기와 숙명을 알게 하였다. 일찍이 온갖 덕의 근본을 심어서 최상의 깨달음, 즉 부처의 경지에 회향하고 있다는 사실을 알았다고 하였다. 또한 본심本心을 얻었다고도 하였다. 이러한 말은 모든 사람은 본래로 불성佛性을 갖추고 있기 때문에 궁극적으로 부처의 경지를 드러내어 부처로 사는 법을 설해야 한다는 뜻이다. 공연히 죄업과 번뇌와 고집멸도苦集滅道를 말하여 본래의 불성을 매몰시키는 가르침으로 일관한다면 그것은 태양을 저버리고 반딧불을 논하는 격이 된다는 뜻이다. 불교를 공부하고 불교를 말하는 사람들은 반드시 알아야 하고 꼭 알아야 할 문제다.

아념성문 불관인근 불응설법 시고 불임
我念聲聞은 **不觀人根**하며 **不應說法**일새 **是故**로 **不任**

예피문질
詣彼問疾이니다

"제가 생각하니 성문聲聞들은 사람의 근기를 살펴볼 줄도 모르고 알맞게 법을 설하지도 못합니다. 그러므로 저는 그분에게 가서 문병하는 일을 감당할 수가 없습니다."

진정한 성인聖人은 무엇보다 사람의 지극히 고귀한 가치를 정확하게 알고 그것을 사람들에게 알려서 태어난 보람과 가치를 한껏 누리도록 하는 데 있다. 내 생명이 그대로 부처님의 무량공덕생명이라고 하지 않던가. 만약 성인이라고 알려졌더라도 사람의 진정한 실상實相과 가치를 모르고, 또한 사람의 진실한 내면을 가르쳐주지 못한다면 진정한 성인이라고 할 수 없다. 부루나는 스스로 생각하였다. 소승성문들은 사람의 진정한 가치를 알지 못하며, 또한 그것에 맞춰서 법을 설할 줄도 모른다는 것이다. 그러므로 하늘과도 같은 대승보살인 유마 거사에게 가서 문병한다는 것은 도저히 자신이 없으므로 갈 수 없다고 하였다.

6. 가전연과 논의論議

불고마하가전연 여행예유마힐문질 가전
佛告摩訶迦旃延하사대 汝行詣維摩詰問疾하라 迦旃

연 백불언 세존 아불감임예피문질 소
延이 白佛言하대 世尊이시여 我不堪任詣彼問疾하나이다 所

이자하 억념 석자 불위제비구 약설법요
以者何오 憶念하니 昔者에 佛爲諸比丘하야 略說法要어늘

아즉어후 부연기의 위무상의 고의 공의 무
我卽於後에 敷演其義하되 謂無常義며 苦義며 空義며 無

아의 적멸의
我義며 寂滅義라하니

부처님께서 마하가전연에게 말씀하였다.

"그대가 유마힐에게 가서 문병하여라."

가전연이 부처님께 말씀드렸다.

"세존이시여, 저도 그분에게 가서 문병하는 일을 감당할 수 없습니다. 왜냐하면 기억해 보니 옛적에 부처님께서 여러 비구를 위하여 법의 요점을 간략하게 설명하셨는데 제가 곧 그 뒤에 더 알기 쉽게 자세히 설명하였습니다. 이를테면 무상無常의 뜻이며 괴로움[苦]의 뜻이며 공空의 뜻이며 무아無我의 뜻이며 적멸의 뜻이라고 하였습니다."

다음에 유마 거사에게 문병하러 가기를 권유받은 제자는 부처님의 법문을 좀 더 친절하게 해석하여 들려주는 일에 마음을 쏟았던 마하가전연이다. 경전이나 어록語錄이 설해진 때와 상황이 다르므로 그것을 시대와 상황에 알맞게 다시 해석하는 일이 중요하다. 부처님 당시에도 법문을 듣고 나서 그것을 좀 더 자세하게 설명하는 제자가 있었다. 그중에서 마하가전연이라는 제자가 그 부분에는 가장 뛰어났다. 뒷날에 성행한 논論이나 소疏나 초抄나 강설, 해설, 강의 등이 그것에 해당한다. 다른 사람을 위해 좀 더 친절하게 풀어서 해석하는 것은 매우 좋은 일이지만 자칫 오류를 범하여 부처님의 뜻을 왜곡되게 전한다면 그것은 작은 문제가 아니다. 남의 이야기보다 필자가 스스로를 살펴보아야 할 문제이다.

소승불교에서 주로 어떤 교의敎義를 설파하였는가를 알 수 있는 부분이다. 그것은 곧 무상無常과 고苦와 공空과 무아無我와 적멸寂滅

의 이치였다. 인생을 비관적으로 보아 부정하고 무가치하게 보는 내용이다. 인생은 "무상하다. 괴롭다. 텅 비었다. 무아다. 고요하여 아무것도 없다."라고 설명하였다. 이와 같은 설명에 대하여 유마 거사는 어떻게 비판하고 있는가?

시 유마힐 내위아언 유가전연 무이생멸
時에 **維摩詰**이 **來謂我言**하되 **唯迦旃延**이여 **無以生滅**

심행 설실상법
心行으로 **說實相法**이어다

"그때에 유마힐이 저에게 와서 말하였습니다. '여보시오. 가전연이여, 생멸生滅하는 마음으로 실상의 법을 설하지 마십시오.'

"무이생멸심행 설실상법無以生滅心行 說實相法"이라는 말은 『유마경』의 명구名句다. 수많은 조사祖師가 인용하였다. 모든 문제가 그렇듯이 존재의 실상은 그 실상을 깨달은 사람이라야 정확하게 안다. 생멸하는 마음으로 존재의 실상을 설명할 수는 없다. 마치 빠르게 달리는 기차를 타고 가면 차창 밖에 보이는 건물들이나 사람은 물론이거니와 산을 봐도 모두가 움직이며 빠르게 지나간다. 사실은 움직이지 않는 것들이지만, 기차를 타고 있는 내가 빠르게 지나가기 때문이다. 내가 가지 아니하면 생멸하는 것은 아무것도 없는 것과 같다. 모두가 자기의 안목만큼만 알고 본다. 그러므로 불교는 불교로 설명해야 하고, 기독교는 기독교로 설명해야 하고, 유교와 도교는 유교와 도교로 설명해야 한다. 만약 불교적으로 기독교를 설명한다든지 유교나 도교적으로 설명한다면 그것은 옳지 않다. 다른 종교도 마찬가지다. 하물며 생멸의 문제이겠는가.

가전연 제법 필경 불생불멸 시무상의 오
迦旃延이여 諸法이 畢竟에 不生不滅이 是無常義오 五

수음 통달 공무소기 시고의 제법 구경무
受陰이 洞達하야 空無所起가 是苦義오 諸法이 究竟無

소유 시공의 어아무아 이불이 시무아의 법
所有가 是空義오 於我無我에 而不二가 是無我義오 法

본불연 금즉무멸 시적멸의 설시법시 피
本不然이거늘 今則無滅이 是寂滅義라한대 說是法時에 彼

제비구 심득해탈 고아불임예피문질
諸比丘가 心得解脫일세 故我不任詣彼問疾이니다

'가전연이여, 모든 법은 마침내 불생불멸하는 것이 이것이 무상無常의 뜻입니다. 오음五陰을 통달하여 텅 비어 고통이 일어나는 바가 없는 것이 이것이 괴로움의 뜻입니다. 모든 법이 구경究竟에 있는 바가 없는 이것이 공空의 뜻입니다. 아我와 무아無我가 둘이 아닌 것이 이것이 무아의 뜻입니다. 법은 본래 그렇지 아니하지만, 지금은 소멸하지 않음이 이것이 적멸의 뜻입니다.' 라고 하였습니다. 이러한 법을 설할 때에 저 여러 비구가 마음에 해탈을 얻었습니다. 그러므로 저는 그분에게 가서 문병하는 일을 감당할 수가 없습니다."

유마 거사의 해석법을 들어보자. 사람을 포함한 모든 존재는 그 실상이 불생불멸不生不滅이다. 인생이 무상無常하다는 것도 이와 같은 뜻으로 해석해야 한다. 상식적으로 알고 있는 무상無常과는 전혀 다르다. 고통이라는 것도 오음五陰으로 된 이 육신이 텅 비어 고통이 생길 곳이 없다는 사실이 고통이라는 뜻이다. 아와 무아가 둘이 아닌 것이 무아無我의 뜻이다. 이처럼 법을 풀이하는 말을 듣고 법문을 듣던 비구들은 해탈을 얻었다. 가전연은 이와 같은 경험이 있으므로 도저히 유마 거사에게 문병을 갈 수 없다고 사양하였다.

7. 아나율과 천안天眼

불고아나율 여행예유마힐문질 아나율
佛告阿那律하사대 汝行詣維摩詰問疾하라 阿那律이

백불언 세존 아불감임예피문질 소이자
白佛言하대 世尊이시여 我不堪任詣彼問疾이니다 所以者

하 억념 아석 어일처경행 시유범왕 명
何오 憶念하니 我昔에 於一處經行이러니 時有梵王이 名

왈엄정 여만범구 방정광명 내예아소 계
曰嚴淨이라 與萬梵俱하야 放淨光明하고 來詣我所하여 稽

수작례 문아언 기하아나율 천안소견
首作禮하고 問我言하되 幾何阿那律의 天眼所見인가한대

아즉답언 인자 아견차석가모니불토삼천대천
我卽答言하되 仁者여 我見此釋迦牟尼佛土三千大千

세계 여관장중암마륵과
世界를 如觀掌中庵摩勒果라하니

부처님께서 아나율에게 말씀하였다.

"그대가 유마힐에게 가서 문병하여라."

아나율이 부처님께 말씀드렸다.

"세존이시여, 저도 그분에게 가서 문병하는 일을 감당할 수 없습니다. 왜냐하면 기억해 보니 제가 옛적에 한 곳에서 경행徑行하던 그때 범천왕이 있었습니다. 이름은 엄정嚴淨이었으며 일만 명의 범천梵天들과 함께 청정한 광명을 놓으며 제가 있는 곳에 와서 머리 숙여 예배하고 저에게 물었습니다. '아나율의 천안天眼으로 보는 바가 얼마나 됩니까?' 제가 곧 대답하였습니다. '어진 이여, 저는 석가모니 부처님의 국토인 삼천대천세계 보기를 마치 손바닥에 있는 암마륵庵摩勒 과일을 보는 것과 같이 합니다.' 라고 하였습니다."

부처님께서 다음에는 아나율에게 문병하러 가기를 부탁하였다. 아나율은 잠을 자지 않고 공부하다가 시력을 완전히 잃었지만, 천안통을 얻은 스님이다. 그래서 유마 거사와의 대화도 천안天眼과 관계 있는 내용이다. 어느 날 범왕梵王이 범천梵天의 무리를 데리고 광명을 놓으면서 아나율에게 와서 천안으로 볼 수 있는 범위를 물었다. 아나율은 "저는 석가모니 부처님의 국토인 삼천대천세계 보기를 마치 손바닥에 있는 암마륵 과일을 보는 것과 같이 합니다.”라고 하였다. 다시 말해서 지구를 손바닥에 올려놓은 밤톨 보듯이 한다는 뜻이다. 요즘에 발달한 과학이나 천문학의 능력으로는 평범한 이야기지만 개인의 능력으로는 대단한 실력이다.

시 유마힐 내위아언 유아나율 천안소견
時에 **維摩詰**이 **來謂我言**하되 **唯阿那律**아 **天眼所見**을

위작상야 무작상야 가사작상 즉여외도오통
爲作相耶아 **無作相耶**아 **假使作相**인댄 **則與外道五通**

등 약무작상 즉시무위 불응유견
으로 **等**이요 **若無作相**인댄 **卽時無爲**라 **不應有見**이니라

“그때에 유마힐이 저에게 와서 말하였습니다. ‘여보시오. 아나율이여, 천안으로 보는 것이 형상을 지음이 됩니까, 형상을 지음이 없습니까? 가령 형상을 짓는다면 곧 외도들의 다섯 가지 신통과 같고 만약 형상을 짓지 않는다면 즉시 작위作爲가 없음이라 응당히 봄[見]이 있지 아니합니다.’ 라고 하였습니다.”

유마 거사가 말한 형상을 지음과 형상을 짓지 않음은 “사물이나

세계를 보는데 형상으로서 보는가, 아니면 형상이 없는 것으로 보는가?"라는 뜻이다. 『금강경』에 "무릇 형상이 있는 것은 모두 다 허망하다."라고 하였다. 그리고 또 "일체 유위의 법은 꿈과 같고, 환영幻影과 같고, 물거품과 같고, 그림자와 같고, 이슬과 같고, 번갯불과 같다."라고 하였다. 이와 같은 관점에서 불 때 세계를 아무리 많이 본다 하더라도 형상이 있는 것으로 본다는 것은 불교적 관점이 아니고 외도들이 신통으로 보는 정도라는 뜻이다. 또한 만약 형상이 없는 것으로 본다면 그것은 보는 것이 아니라는 말이다. 형상이 있음과 없음이 둘이 아닌 이치를 모르는 아나율로서는 어찌할 바를 몰랐다.

세존 아시묵연 피제범 문기언 득미증
世尊하 **我時默然**이러니 **彼諸梵**이 **聞其言**하고 **得未曾**

유 즉위작례 이문왈세숙유진천안자 유
有하야 **卽爲作禮**하고 **而問曰世孰有眞天眼者**이니까 **維**

마힐 언 유불세존 득진천안 상재삼매
摩詰이 **言**하되 **有佛世尊**이 **得眞天眼**하시니 **常在三昧**하야

실견제불국 불이이상 어시 엄정범왕 급
悉見諸佛國하되 **不以二相**이니라 **於是**에 **嚴淨梵王**과 **及**

기권속오백범천 개발아뇩다라삼먁삼보리심
其眷屬五百梵天이 **皆發阿耨多羅三藐三菩提心**하고

예유마힐족이 홀연불현 고아불임예피문질
禮維摩詰足已에 **忽然不現**일새 **故我不任詣彼問疾**이니다

"세존이시여, 저는 그때에 묵묵히 아무 말을 못하였습니다. 저 모든 범천이 그 말을 듣고 미증유를 얻어서 곧 예를 올리고 물었습니다. '세상에서 누가 진정한 천안을 얻은 사람입니까?' 유마힐이 말하였습니다. '부처님 세존이 참다운 천안을 얻은 분입니다. 항상 삼매에서 모든 부처님의 국토를 다 보되 두 가지 모양이 아닌 것으로 봅니다.' 라고 하였습니다. 이에 엄정범왕과 그리고 그 권속 5백 범천이 모두 최상의 깨달음에 대한 마음을 내어서 유마힐의 발에 예배하고 나서 홀연히 사라졌습니다. 그러므로 저도 그분에게 가서 문병하는 일을 감당할 수가 없습니다."

엄정범천왕과 아나율 두 분의 법거량法擧揚이 결국은 부처님의 견해로 돌아왔다. 부처님은 삼매에 있으면서 모든 세계를 다 보지만,

있음과 없음의 두 가지 모양이 아닌 것, 즉 유무를 초월한 유무의 견해로 본다는 것이라고 설명하였다. 그 말을 듣고 범왕과 5백 명의 범천이 모두 최상의 깨달음에 대한 마음을 내었다. 이러한 전력이 있는 아나율로서는 아무리 생각해도 도저히 유마힐에게 가서 문병할 자신이 없음을 알고 사양하였다.

8. 우바리와 계율戒律

불고우바리 여행예유마힐문질 우바리
佛告優波離하사대 汝行詣維摩詰問疾하라 優波離가

백불언 세존 아불감임예피문질 소이
白佛言하사대 世尊이시여 我不堪任詣彼問疾하나이다 所以

자하 억념 석자 유이비구 범율행 이위
者何오 憶念하니 昔者에 有二比丘하여 犯律行하고 以爲

치 불감문불 내문아언 유우바리 아등
恥라하여 不敢問佛하고 來問我言하되 唯優波離여 我等이

범율 성이위치 불감문불 원해의회 득면
犯律하니 誠以爲恥라 不敢問佛하니 願解疑悔하야 得免

사구 아즉위기여법해설
斯咎케하소서 我卽爲其如法解說이니라

부처님께서 우바리에게 말씀하였다.

"그대가 유마힐에게 가서 문병하여라."

우바리가 부처님께 말씀드렸다.

"세존이시여, 저도 그분에게 가서 문병하는 일을 감당할 수 없습니다. 왜냐하면 기억해 보니 옛적에 두 비구가 계율을 범하고 부끄러워하여 감히 부처님께 묻지 못하고 저에게 와서 물었습니다. '여보세요. 우바리여, 우리가 계율을 범하여 진실로 부끄럽습니다. 감히 부처님께 묻지 못하니 바라건대 의혹을 풀고 참회하는 법을 가르쳐서 이 허물을 면할 수 있게 하여 주십시오.' 라고 하였습니다. 제가 곧 그들을 위하여 그 일을 여법하게 설명하였습니다."

다음은 부처님의 제자 중에서 계율戒律을 가장 잘 지킨다는 우바리 존자에게 문병하러 가기를 부탁하였다. 아무튼, 사실 여부는 고사하고 우바리를 통해서 그 말 많은 계율의 문제를 통쾌하게 설파해 보고자 하는 것이 『유마경』을 편찬한 사람의 의도다. 우바리도 역시 과거에 유마 거사를 만난 적이 있는데 그때 공교롭게 두 비구가 자신들이 깨뜨린 계율 문제를 들고 와서 우바리에게 참회를 구하고 있었다. 두 비구가 계戒를 깨뜨린 내용에 대해서 전하는 이야기에 의하면 이렇다.

인도의 어느 숲속에서 두 비구가 수행하고 있었다. 마침 한 비구는 음식을 얻으러 마을에 내려갔다. 그 사이에 나무를 하려고 헤매던 한 여인이 공부하다 졸려서 잠깐 낮잠을 자는 남아 있던 한 비구를 발견하였다. 순간 그 여인은 음욕심淫慾心이 일어나서 갑자기 비구에게 강제로 음행을 범했다. 마침 밖에 나갔던 비구가 돌아오다가 그것을 목격하고 그만 화가 치밀어서 여인을 무섭게 핍박하였고 여인은 겁이 나서 도망가다가 잘못하여 언덕에서 굴러 떨어져 죽고 말았다. 이렇게 하여 두 비구는 수행자로서 가장 무거운 음행계淫行戒와 살인계를 범하고 말았다. 두 비구는 정신을 차리고 참회하기 위해서 계율의 스승인 우바리 존자를 찾게 되었다.

우바리는 자신이 알고 있는 대로 여법하게 설명하였다. 여법하다고 한 것은 이런 것이다. '비구로서 음행淫行과 살인은 4바라이죄에 해당하기 때문에 불통참회不通懺悔다. 더는 참회도 되지 않으며 승단에 머물 수도 없다. 수행이고 무엇이고 이제는 다 끝난 일이다.'라고 하는 것이다. 이것이 우바리 존자가 알고 있는 여법함이다.

시 유마힐 내위아언 유우바리 무중증차
時에 **維摩詰**이 **來謂我言**하되 **唯優波離**여 **無重增此**

이비구죄 당직제멸 물요기심
二比丘罪하고 **當直除滅**하야 **勿擾其心**하라

"그때 유마힐이 저에게 와서 말하였습니다. '여보시오. 우바리여, 이 두 비구의 죄를 더는 무겁게 하지 말고 마땅히 곧바로 소멸하여 주시오. 그리고 그 마음을 흔들지 마시오.' 라고 하였습니다."

그때 유마힐이 나타나서 우바리에게 경고한 말은 두 비구의 죄를 더는 무겁게 하지 말고 곧바로 소멸하여 주라는 것이었다. 만약 우바리의 말대로 "불통참회不通懺悔다. 더는 참회도 되지 않으며 승단에 머물 수도 없다. 수행이고 무엇이고 이제는 다 끝난 일이다."라고 한다면 두 비구는 이제부터 참으로 절망에 빠져서 될 대로 되라는 식으로 살 것이다. 지금까지 지은 죄보다 몇 십 배나 더 무거운 죄를 지을 수도 있을 것이다. 죄의 소멸은 고사하고 그들을 저 깊은 나락으로 떠밀어 넣는 꼴이 되고 말 것이다. 그래서 영가 스님의 「증도가」에서도 언급하였다. "유이비구범음살 바리형광증죄결 유마대사돈제의 환동혁일소상설有二比丘犯淫殺 波離螢光增罪結

維摩大士頓除疑 還同赫日銷霜雪"이라 하였다. "두 비구가 있어서 음행과 살인을 범하였는데 우바리 존자의 반딧불 같은 소견은 죄의 결박만 증장시키고 유마 대사는 몰록 의심을 제거한 것이 뜨거운 태양이 서리나 눈을 녹이는 것과 같네."라는 뜻이다.

소이자하 피죄성 부재내 부재외 부재중
所以者何오 **彼罪性**이 **不在內**하고 **不在外**하며 **不在中**

간 여불소설 심구고 중생구 심정고 중
間이니 **如佛所說**하야 **心垢故**로 **衆生垢**하고 **心淨故**로 **衆**

생정 심역부재내 부재외 부재중간 여
生淨이어니와 **心亦不在內**하고 **不在外**하며 **不在中間**이니 **如**

기심연 죄구역연 제법역연 불출어여
其心然하야 **罪垢亦然**하며 **諸法亦然**하야 **不出於如**라

"'왜냐하면 그 죄의 본성은 안에 있는 것도 아니며, 밖에 있는 것도 아니며, 중간에 있는 것도 아닙니다. 부처님이 말씀하신 바와 같이 마음이 더러운 까닭에 중생이 더럽고, 마음이 청정한 까닭에 중생이 청정합니다. 그러나 그 마음 또한 안에 있는 것도 아니며, 밖에 있는 것도 아니며, 중간에 있는 것도 아

닙니다. 마음이 그러한 것과 같이 죄의 더러움도 또한 그러하며 모든 법이 또한 그러하여 진여를 벗어나지 않습니다.'

유마 거사가 말하는 죄의 성품이란 안팎이나 중간에 없으며, 단지 사람의 마음에 때가 있으면 중생이 더럽고 마음이 청정하면 중생이 청정하다. 그렇다고 마음이 실제로 존재하는 것도 아니다. 마음이 그렇듯이 죄 또한 그와 같다. 따라서 모든 법이 그와 같아서 오로지 진여眞如일 뿐이다.

이 이야기는 『천수경』에서 말하는 "죄무자성종심기 심약멸시죄역망 죄망심멸양구공 시즉명위진참회罪無自性從心起 心若滅時罪亦亡 罪亡心滅兩俱空 是卽名爲眞懺悔"라는 내용 그대로다. 즉 "죄란 자성自性이 없다. 다만 마음으로부터 일어난다. 마음이 만약 소멸하면 죄 또한 없어진다. 죄도 없어지고 마음도 소멸하여 두 가지가 다 공空하면 이것이 참다운 참회다."라는 뜻이다.

죄란 마음 위에 건립된 가상 건물이다. 죄의 근본이 되는 마음 또한 가상이지 실재하는 것이 아니다. 이러한 이치를 알면 마음도 죄도 문젯거리가 될 것이 없다. 죄가 없는데 참회가 무엇이겠는가. 참으로 뜨거운 태양이 서리나 눈을 녹이는 것과 같은 유마 거사의 법문이다.

여우바리 이심상 득해탈시 영유구부 아
如優波離가 以心相으로 得解脫時에 寧有垢不아 我

언불야 유마힐 언 일체중생 심상무구 역
言不也니다 維摩詰이 言하대 一切衆生의 心相無垢도 亦

부여시
復如是하나이다

'만약 우바리가 마음의 모습으로써 해탈을 얻었을 때에 더러움이 있을 수 있겠습니까?' 제가 말하였습니다. '아닙니다.' 유마힐이 말하였습니다. '일체중생의 마음의 모습에 때가 없는 것도 또한 이와 같습니다.'

마음에 죄의 성품이 없듯이 해탈에도 그 흔적이 없다. 유마 거사는 우바리에게 마음으로 해탈을 얻었을 때 그 흔적이 있는가를 물어서 일체중생의 마음에도 그 흔적이 없음을 밝혔다. 마음의 형상이나 사물의 형상이나 근본은 모두가 연기의 원리로 이루어진 것이기 때문에 고정된 모양이 없다. 순간순간 변한다. 그와 같은 것을 무상無相이라 하고 공空이라 한다.

유우바리 망상 시구 무망상 시정 전도시
唯優波離여 妄想이 是垢요 無妄想이 是淨이며 顚倒是

구 이전도 시정 취아시구 불취아시정
垢요 離顚倒가 是淨이며 取我是垢요 不取我是淨이니다

'우바리여, 망상이 더러움이요 망상 없음이 청정함이며, 전도가 더러움이요 전도를 떠난 것이 청정함입니다. 나를 취함이 더러움이요 나를 취하지 않음이 청정함입니다.'

더러움과 깨끗함을 밝혔다. 궁극적으로는 더러움과 깨끗함이 둘이 아니지만 굳이 그것을 이야기하자면 망상은 더러운 것, 전도는 더러운 것, 나를 취하는 것은 더러운 것이며, 망상이 없음은 깨끗한 것, 전도를 떠난 것은 깨끗한 것, 나를 취하지 않는 것은 깨끗한 것이라고 하였다.

우바리 일체법 생멸부주 여환여전 제법
優波離여 一切法이 生滅不住함이 如幻如電하며 諸法

불상대 내지일념 부주
이 不相待하며 乃至一念이라도 不住하며

'우바리여, 일체법이 생기고 소멸하여 머물지 않음이 환영과 같고 번갯불과 같으며, 모든 법이 서로 기다리지 않으며 내지 한순간도 머물지 아니합니다.'

제행무상諸行無常이라고 하지 않던가. 모든 것은 시시각각 변하고 흘러간다. 공자님도 어느 날 흘러가는 강물을 바라보며 "가는 것은 이와 같구나. 밤낮으로 그치지 않구나[逝者如斯夫 不舍晝夜]."라고 하였다. 생멸의 변화는 멈추지 않는다. 번갯불처럼 빠르다. 조금도 무엇을 기다려 주지 않는다. 꺼져 가는 목숨은 천만금을 주더라도 단 1초도 머물러 있게 할 수 없다.

제법 개망견 여몽여염 여수중월 여경
諸法이 **皆妄見**이라 **如夢如燄**하며 **如水中月**하며 **如鏡**

중상 이망상생 기지차자 시명봉율 기지
中像하야 **以妄想生**이니 **其知此者**는 **是名奉律**이며 **其知**

차자 시명선해 어시 이비구언 상지재 시
此者는 **是名善解**니다 **於是**에 **二比丘言**하되 **上智哉**라 **是**

우바리 소불능급 지율지상 이불능설
優波離의 所不能及이로다 持律之上으로 而不能說이로다

'제법은 모두 허망하게 보는 것이라 꿈과 같고 불꽃과 같고 물에 비친 달과 같으며 거울 속의 영상映像과 같아서 망상으로부터 생긴 것입니다. 이러한 것을 아는 사람은 참으로 계율을 받드는 것이 되며, 이러한 것을 아는 사람은 참으로 잘 이해한 사람이라 합니다.' 이에 두 비구가 말하였습니다. '참으로 뛰어난 지혜로다. 우바리로서는 능히 미치지 못할 경지로다. 계율을 가장 잘 지키는 사람으로는 능히 말할 수 없는 경지로다.' 라고 하였습니다."

모든 존재를 눈에 보이고 귀에 들리는 것과 같이 존재하는 것으로 아는 것은 모두가 잘못된 소견이다. 눈에 보이는 모든 것은 실은 꿈과 같이 허망한 것이며 불꽃과 같이 순간순간 변화무쌍한 것이며 물에 비친 달과 같이 가짜며 거울에 비친 그림자와 같이 진실이 아니다. 잘못된 생각으로 있는 듯이 보일 뿐이다. 이러한 사실을 알아야 계율을 잘 받든다고 할 수 있다. 그렇지 않고 계율 조문條文만 붙잡고 왈가왈부하는 것은 계율이 아니다. 이러한 설법을 듣고 두 비구는 유마 거사를 "참으로 뛰어난 지혜로운 분이다. 우바리로서는 능히 미치지 못할 경지로다. 계율을 가장 잘 지키는 사람으로는 능히 말할 수 없는 경지로다."라고 찬탄하였다.

아답언 자사여래 미유성문급보살 능제기
我答言하되 **自捨如來**코는 **未有聲聞及菩薩**이 **能制其**

요설지변 기지혜명달 위약차야 시 이비구
樂說之辯이니 **其智慧明達**이 **爲若此也**니라 **時**에 **二比丘**

의회즉제 발아뇩다라삼먁삼보리심 작시원언
疑悔卽除하야 **發阿耨多羅三藐三菩提心**하고 **作是願言**

영일체중생 개득시변 고아불임예피문질
하야 **令一切衆生**으로 **皆得是辯**일새 **故我不任詣彼問疾**
이니다

"제가 대답하였습니다. '여래가 아닌 성문이나 보살들로서는 능히 그의 변재辯才를 제압할 사람이 없었습니다. 그의 지혜가 밝게 통달한 것이 이와 같았습니다. 그때에 두 비구가 의혹과 회한悔恨이 곧 없어져서 최상의 깨달음에 대한 마음을 내고 서원을 세워 일체중생에게 모두 다 이러한 변재를 얻기를 발원하였습니다. 그러므로 저도 그분에게 가서 문병하는 일을 감당할 수가 없습니다."

끝으로 우바리가 유마 거사를 만나서 계율에 대해 설법을 들은 느낌을 부처님께 말씀드렸다. 이와 같은 설법은 여래가 아니고는 누구도 할 수 없다고 하였다. 성문이나 보살로서는 도저히 생각할 수 없는 설법이며 지혜라고 찬탄하였다. 그리고 계율을 범했던 두 비구는 의혹과 회한이 곧 사라지고 최상의 깨달음에 대한 진정한 마음을 내게 되었다. 이러한 일을 목격한 우바리로서는 도저히 유마 거사에게 가서 문병할 자신이 없었던 것이다. 그래서 문병 가는 것을 감당할 수 없다고 사양하였다.

9. 라후라와 출가 공덕出家功德

불고라후라 여행예유마힐문질 라후라 백
佛告羅睺羅하사대 汝行詣維摩詰問疾하라 羅睺羅가 白

불언 세존 아불감임예피문질 소이자
佛言하사대 世尊이시여 我不堪任詣彼問疾하나이다 所以者

하 억념 석시 비야리제장자자 내예아소
何오 憶念하니 昔時에 毘耶離諸長者子가 來詣我所하여

계수작례 문아언 유라후라 여 불지자 사
稽首作禮하고 問我言하대 唯羅睺羅여 汝는 佛之子라 捨

전륜왕위 출가위도 기출가자 유하등리
轉輪王位하고 出家爲道하니 其出家者는 有何等利닛고

아즉여법 위설출가공덕지리
我卽如法하야 爲說出家功德之利러니

부처님께서 라후라에게 말씀하였다.

"그대가 유마힐에게 가서 문병하여라."

라후라가 부처님께 말씀드렸다.

"세존이시여, 저도 그분에게 가서 문병하는 일을 감당할 수 없습니다. 왜냐하면 기억해 보니 옛적에 비야리 성城의 여러 장자 아들들이 저의 처소에 와서 머리를 숙여 예배하고 물었습니다. '여보시오. 라후라여, 그대는 부처님의 아들입니다. 전륜왕의 지위를 버리고 출가하여 도를 닦으니 그 출가란 것은 무슨 이익이 있습니까?' 저는 곧 여법如法하게 출가한 공덕의 이익을 설명해 주었습니다."

다음은 부처님의 아들 라후라에게 문병하기를 부탁하였다. 경문經文의 내용과 같이 라후라는 부처님의 아들이며, 할아버지가 가비라국의 왕이므로 왕위를 계승할 위치였음에도 그것을 버리고 아버지를 따라 출가하였다. 비야리 성城의 장자 아들들이 질문한 것도 바로 그 점이었다. 상식적으로 생각하면 참으로 어려운 일이다. 그래서 왕자의 지위를 버리는 것보다 더 큰 이익은 도대체 무엇인가? 그 점에 대해서 설명을 하고 있었던 것이다.

자고로 왕이나 왕자가 출가한 예는 중국이나 한국에도 적지 않다. 그릇이 작고 용기가 없어서이지 왕자의 부귀영화를 어찌 출가 수행과 비교할 수 있으랴. 왕자의 부귀영화와는 그 차원이 다르다. 널리 알려진 대표적인 분은 중국 청나라 때의 순치황제다. 그분의 출가시出家詩는 너무도 유명하다. 몇 구절만 인용한다.

나 자신이 이 산하의 주인 노릇 하느라고 [朕乃山河大地主]
나라 걱정 백성 걱정 일이 너무 시끄러웠네. [憂國憂民事轉煩]
백년을 산다 해도 삼만육천 날이건만 [百年三萬六千日]
승가의 한가한 반나절에 미치겠는가. [不及僧家半日閑]
당초에 부질없는 한 생각 잘못으로 [悔恨當初一念差]
가사 장삼 벗어놓고 곤룡포를 둘렀다네. [黃袍換却紫袈裟]
이 몸은 그 옛적에 서방의 한 납자였는데 [我本西方一衲子]
그 어떤 인연으로 제왕가에 떨어졌나. [緣何流落帝王家]

시 유마힐 내위아언 유라후라 불응설출
時에 **維摩詰**이 **來謂我言**하대 **唯羅睺羅**여 **不應說出**

가공덕지리 소이자하 무이무공덕 시위출가
家功德之利니 **所以者何**오 **無利無功德**이 **是爲出家**니

유위법자 가설유이유공덕 부출가자 위무
有爲法者는 **可說有利有功德**이어니와 **夫出家者**는 **爲無**

위법　　무위법중　무이무공덕
爲法이라 **無爲法中**에 **無利無功德**이니라

"그때에 유마힐이 저에게 와서 말하였습니다. '여보시오. 라후라여, 그렇게 출가한 공덕의 이익을 말하지 마십시오. 왜냐하면 이익도 없고 공덕도 없는 것이 출가입니다. 조작이 있는 법이란 이익도 있고 공덕도 있음을 이야기하지만, 대체로 출가란 것은 무위無爲의 법입니다. 무위의 법 가운데는 이익도 없고 공덕도 없습니다.'

라후라가 출가의 공덕을 무엇이라고 설명하였는지는 밝혀지지 않았으나 아마도 세속의 부귀공명보다는 출가하여 수행하는 공덕이 몇 천 배 수승하다고 하였을 것이다. 그러나 유마 거사는 진정한 출가의 공덕이란 아무런 이익도 없고 공덕도 없는 것이라고 하였다. 왜냐하면 출가란 유위법有爲法이 아니기 때문이다. 유위법을 배우기 위한 것이 아니고 무위법無爲法을 배우기 위해서 출가했다면 목적도 방법도 모두가 무위라는 뜻이다. 무위법에서는 이익도 공덕도 논하지 않기 때문이다. 라후라가 이와 같은 차원의 출가를 알지 못하였던 것이다.

라후라 부출가자 무피무차 역무중간 이
羅睺羅여 夫出家者는 無彼無此하며 亦無中間이라 離

육십이견 처어열반 지자소수 성소행처
六十二見하고 處於涅槃이니 智者所受요 聖所行處라

'라후라여, 대저 출가란 저것도 없고 이것도 없으며 또한 중간도 없습니다. 62종의 견해를 떠났으며 열반에 머무나니 지혜로운 이가 받아들일 바며 성인聖人들이 행할 바입니다.'

대체로 진정한 출가란 이쪽이나 저쪽이 없으며 선악이 없으며 시비도 없으며 남녀도 없다. 그 중간도 없다. 그러면서 그 모든 상대적 존재를 다 아우르는 철저하고 완전한 중도中道이기 때문이다. 출가란 모든 존재의 존재 원리와 존재의 실상을 이해하듯이 그렇게 이해하여야 한다는 뜻이다. "62종의 견해를 떠났으며 열반에 머문다."라는 것은 이 세상 어떤 우수한 견해도 모두 초월한 완전한 중도의 경지라는 것이다. 중도를 바른 견해, 즉 중도정견中道正見이라 하고 그 외의 견해는 사견邪見이라 한다. 실은 중도라는 말도 부득이해서 방편으로 표현한 말이다. 그래서 그와 같은 출가는 참으로 지혜로운 사람이라야 가능하며 진정한 성인이라야 가능하다고 하였다.

62견이란 세존 당시 인도의 정통 바라문 사상을 포함한 일반 사상계의 비불교적인 여러 설說을 망라한 것인데, 이는 2류8론二類八論으로 나뉜다. 첫째는 과거에 관한 설로 ① 상주론常住論 4견 ② 일분상주론一分常住論 4견 ③ 변무변론邊無邊論 4견 ④ 궤변론詭辯論 4견 ⑤ 무인론無因論 2견의 18견이며, 둘째는 미래에 관한 설로 ① 사후死後에 관한 논論으로 유상론有想論 16견과 무상론無想論 8견, 비유상비무상론非有想非無想論 8견 ② 단멸론斷滅論 7견 ③ 현재열반론現在涅槃論 5견의 44견을 합하여 62견이다. 이와 같은 62견을 통해서 우리는 세존 당시 인도 일반 사상계의 전체 모습을 알게 되는 것이다.

항복중마　　도오도
降伏衆魔하며 **度五道**하고

'온갖 마군魔軍을 항복받고 5도를 제도합니다.'

나아가서 출가란 마군도 항복받고 5도를 다 제도한다. 마군이란 마, 마라, 악마, 마구니라고도 하는데 후대에 수행하는 사람들의 마음을 흔들거나 갖가지로 방해되는 것들을 모두 마군이라고 한다. 본래 부처님께서 처음 도를 닦아 이루었을 때 제6천天의 마왕이 그의 권속을 거느리고 와서 방해하였다. 험상궂은 악마의 모습, 귀신의 모습, 아름다운 여자의 모습 등으로 나타냈으나 신통력으로 모두 항복받았다고 한다. 5도는 5취聚라고도 하는데 지옥, 아귀, 축생, 인도, 천도를 말한다.

정오안 득오력 입오근 불뇌어피 이중
淨五眼하며 **得五力**하고 **立五根**하야 **不惱於彼**하고 **離衆**

잡악
雜惡하며

'오안五眼이 청정하고, 오력五力을 얻으며, 오근五根을 세워서 남에게 피해가 되지 아니하여 여러 가지 잡되고 나쁜 것들을 떠납니다.'

오안五眼은 수행에 따라 도를 이루어 가는 순서를 보인 다섯 가지 안력眼力이다. 눈으로 볼 수 있는 물질인 색色만을 보는 육안肉眼, 인연과 인과因果의 원리에 따라 이루어진 현상적인 차별과 그 실체를 보는 천안天眼, 공空의 원리와 중생을 이롭게 하는 도리를 보는 혜안慧眼, 다른 이를 깨달음에 이르게 하지만 가행도加行道를 아는 법안法眼, 그리고 모든 것을 보고 모든 것을 다 아는 불안佛眼을 이른다.

오근五根이 깨달음에 나아가는 다섯 가지 근본이며 기능이라면, 오력五力은 그 다섯 가지 기능에 의해서 성취되어 깨달음에 나아가는 다섯 가지 능력이며 힘이다. 오력은 신력信力・정진력精進力・염력念力・정력定力・혜력慧力이다. 그리고 오근五根은 신근信根・정진근精進根・염근念根・정근定根・혜근慧根이다. 모두 앞에서 자세히 설명하였다. 이와 같은 수행이 있어서 다른 사람을 번거롭게 하거나 온갖 악한 일이 없어야 비로소 출가라고 할 수 있다는 것이다.

최제외도 초월가명 출어니 무계착

摧諸外道하고 **超越假名**하며 **出淤泥**하야 **無繫着**하며

'온갖 외도를 다 꺾으며 거짓 이름을 초월하여 진흙에서 벗어나 얽매이거나 집착함이 없습니다.'

불교에서는 바른 이치를 설하는 것을 정법正法이라 하고 바르지 못한 이치를 말하는 것을 사법邪法 또는 외도外道라 한다. 정법正法

밖의 가르침이라는 뜻이다. 대체로 출가한 사람은 모름지기 정법만을 따를 것이요, 조금이라도 정법에서 벗어난 가르침을 따른다면 그것은 외도다. 세상에는 사실이 아닌 거짓 이름도 많다. 모든 것을 버리고 출가한 사람이 어찌 거짓 이름을 따르겠는가. 이런 것들을 모두 진흙 구덩이라고 한다. 출가한 사람은 반드시 진흙 구덩이를 벗어나서 아름다운 연꽃을 피워야 한다. 진흙과 같은 속된 일에 얽매이거나 집착을 한다면 출가를 한들 무슨 소득이 있겠는가?

무아소　무소수　무요란　내회희　호피의
無我所하고 **無所受**하며 **無擾亂**하며 **內懷喜**하야 **護彼意**

수선정　이중과　약능여시　시진출가
하고 **隨禪定**하야 **離衆過**니 **若能如是**면 **是眞出家**니라

'나의 것이 없으며 받아들이는 것도 없으며 흔들리고 어지러움도 없어 안으로는 기쁨을 머금고 다른 이의 뜻을 보호합니다. 선정을 따라서 온갖 허물을 떠남이니 만약 이와 같으면 이것이 참다운 출가입니다.' 라고 하였습니다."

대체로 출가한 사람은 나라는 것도 없는데 나의 것이 있겠는가. 나도 없고 나의 것도 없으니 받아들일 대상은 더욱 없다. 그러므로 흔들림이나 어지러움도 없어서 마음은 언제나 편안하고 넓게 열려 있다. 늘 기쁨으로 가득하다. 다른 이를 배려하고 다른 이의 뜻을 따른다. 그러면서 선정으로 몸도 마음도 지극히 안정되어 있어서 일체 허물 될 것이 없다. 만약 이와 같다면 참으로 출가한 사람이라고 할 수 있다. 겨우 세속의 부귀영화를 버렸다는 것만으로는 출가라고 할 수 없다.

어시 유마힐 어제장자자 여등 어정법중
於是에 **維摩詰**이 **語諸長者子**하대 **汝等**이 **於正法中**에

의공출가 소이자하 불세난치
宜共出家니 **所以者何**오 **佛世難値**니라

"이에 유마힐이 여러 장자의 아들들에게 말하였습니다. '그대들은 정법 가운데서 마땅히 함께 출가할 것이니 왜냐하면 부처님의 세상은 만나기 어렵기 때문이니라.' 라고 하였습니다."

세상의 이치란 유유상종類類相從이라서 젊을 때는 역시 젊은 사람

들과 자주 만나게 된다. 젊은 사람을 만나면 언제나 출가를 권하던 때가 있었다. 권한 덕으로 몇 사람은 출가하였다. 유마 거사도 여러 장자의 아들들을 보고 법을 설한 뒤 정법에 의지하여 출가하기를 권하였다. 왜냐하면 무수한 생명 중에서 사람으로 태어나기가 어려운 일이며, 사람으로 태어났어도 불법을 만나기가 어려운 일이며, 불법을 만났어도 정법 가운데 출가하기는 더욱 귀하고 어려운 일이기 때문에 권고하지 않을 수 없었던 것이다.

특히 소승불교가 세상에 횡행하던 시대에 대승보살불교를 잘 알고 잘 선택하여 정법에 출가하기를 바라는 간절한 유마 거사의 마음이 묻어나는 말씀이다. 만약 출가의 인연을 잘 맺지 못하면 수많은 시간을 허송하기 때문이다. 필자도 살아온 인연들을 지울 수만 있다면 젊고 총명하고 건강할 때 허송세월한 부분들을 지워 버리고 싶을 때가 많지만 이미 지나가 버린 세월을 어찌하겠는가. 안타깝기 그지없다.

제장자자 언 거사 아문불언 부모불청
諸長者子가 **言**하되 **居士**여 **我聞佛言**하니 **父母不聽**이면

부득출가 유마힐 언 연 여등 변발아뇩
不得出家니다 維摩詰이 言하사대 然하다 汝等이 便發阿耨

다라삼먁삼보리심 시즉출가 시즉구족 이
多羅三藐三菩提心이면 是卽出家며 是卽具足이니라 爾

시 삼십이장자자 개발아뇩다라삼먁삼보리심
時에 三十二長者子가 皆發阿耨多羅三藐三菩提心일새

고아불임예피문질
故我不任詣彼問疾이니다

"여러 장자의 아들들이 말하였습니다. '거사시여, 저희가 들으니 부처님께서 말씀하시기를 부모가 허락하지 아니하면 출가할 수가 없다고 하였습니다.' 유마힐이 말하였습니다. '그렇다. 그대들이 곧 최상의 깨달음에 대한 마음을 내면 이것이 곧 출가며, 이것이 곧 계를 구족한 것이니라.' 그때에 32명의 장자의 아들들이 모두 최상의 깨달음에 대한 마음을 내었습니다. 그러므로 저도 그분에게 가서 문병하는 일을 감당할 수가 없습니다."

부모의 허락을 받고 출가한 사람이 어디 있으랴. 세존께서도 한밤중에 아무도 몰래 성을 넘어 도망하듯 출가하지 않았는가. 천하의 모든 출가인出家人은 다 그렇게 하였다. 장자의 아들들은 출가의 뜻이 없었던 것이리라. 그러나 집을 나와야만 꼭 출가라고 할 수 없는 면이 있어서 "보리심을 발하였으므로 그대들은 이미 출가한 것이다."라고 하여 진정한 출가의 의미를 밝혔다. 그렇다. 설사 몸이 출가하여도 보리심菩提心을 발하지 못하면 세속에 사는 것과 같지만, 몸은 세속에 있으나 만약 보리심을 발하였다면 그것이야말로 진정한 출가다. 그리고 온갖 계율을 다 구족具足한 것이 된다.

위와 같은 설법을 들은 라후라는 출가에 대한 자신의 견해와는 하늘과 땅의 차이가 있었음을 기억하고 유마 거사에게 문병 갈 자신이 없다고 사양하였다.

10. 아난과 불신佛身

불고아난 여행예유마힐문질 아난 백불
佛告阿難하사대 汝行詣維摩詰問疾하라 阿難이 白佛

언 세존 아불감임예피문질 소이자하
言하사내 世尊이시여 我不堪任詣彼問疾하나이다 所以者何

억념 석시 세존 신소유질 당용우유 아
오 憶念하니 昔時에 世尊이 身小有疾하사 當用牛乳일새 我

즉지발 예대바라문가 문하입 시 유마힐
卽持鉢하고 詣大婆羅門家하야 門下立이러니 時에 維摩詰

내위아언 유아난 하위신조 지발주차 아
이 來謂我言하되 唯阿難이여 何爲晨朝에 持鉢住此오 我

언거사 세존 신소유질 당용우유 고래지차
言居士여 世尊이 身小有疾하사 當用牛乳일새 故來至此
니다

부처님께서 아난에게 말씀하였다.

"그대가 유마힐에게 가서 문병하여라."

아난이 부처님께 말씀드렸다.

"세존이시여, 저도 그분에게 가서 문병하는 일을 감당할 수 없습니다. 왜냐하면 기억해 보니 옛적에 세존께서 몸에 작은 병이 있어서 우유를 꼭 써야 할 일이라, 제가 곧 발우를 들고 큰 바라문의 집 문 앞에 서 있었습니다. 그때에 유마힐이 저에게 와서 말하였습니다. '여보시오. 아난이여, 어찌하여 이른 새벽에 발우를 들고 여기에 계시오?' 저는 말하였습니다. '거사시여, 세존께서 몸에 작은 병이 있어서 꼭 우유를 써야 하기에 그래서 이곳에 왔습니다.'"

십대제자 중 마지막으로 부처님의 시자侍子인 아난 존자에게 문병을 부탁하였다. 아난 존자도 역시 지난날 유마 거사를 만나서 불신佛身에 대한 설법을 들은 적이 있었는데 다른 제자들과 같이 보기 좋게 유마 거사의 질책을 들었다. 일반적인 불교적 상식을 가진 사람에게는 부처님의 십대제자가 모두 하나같이 불교적 안목이 거사에게 미달한다는 것은 이해할 수 없는 일이다. 그러나 이 『유마경』을 편찬한 의도가 불교는 승단 중심의 불교에서 대승적 재가在家 중심으로 회향해야 한다는 취지를 담고 있기 때문에 그와 같이 설정한 것이다. 그래서 필자는 이 『유마경』을 '대승불교운동의 선언서'라고 지칭한다.

아난 존자는 어느 날 부처님이 병이 났는데 시자의 소임을 다하려는 뜻에서 우유를 구해 드려야겠다 생각하고 이른 새벽에 우유를 탁발하러 나갔다가 마침 유마 거사를 만나게 되었다. 그리고 우유를 얻으러 온 이유를 유마 거사에게 설명하면서 진정한 불신佛身에 대한 설법을 듣게 된다.

유마힐 언지지 아난 막작시어 여래신
維摩詰이 **言止止**어다 **阿難**이여 **莫作是語**하소서 **如來身**

자 금강지체 제악 이단 중선 보회 당유
者는 **金剛之體**라 **諸惡**을 **已斷**하고 **衆善**이 **普會**어늘 **當有**

하질 당유하뇌 묵왕
何疾이며 **當有何惱**리오 **黙往**하소서

"유마힐이 말하였습니다. '그만하시오. 그만하시오. 아난이여, 그런 말 하지 마시오. 여래의 몸이란 것은 금강과 같은 몸입니다. 모든 악을 이미 끊었고 온갖 선을 다 모아서 가졌는데 무슨 병이 있으며 무슨 번뇌가 있겠습니까? 조용히 돌아가십

시오.'

여래의 몸에 병이 나서 약으로 우유가 필요하다는 말을 하지 말라는 뜻이다. 여래의 몸은 금강의 몸이라고 한 것은 "모든 존재의 실상을 깨달은 그 사실"이라는 뜻이다. 달리 말하면 "깨달음의 지혜다. 깨달음에는 모든 악을 이미 다 끊었으며 온갖 선만 다 모였으니 무슨 병이 있겠으며 무슨 번뇌가 있겠는가."라는 뜻을 밝혔다.

아난 물방여래 막사이인 문차추언 무
阿難이여 勿謗如來하며 莫使異人으로 聞此麤言하고 無

영대위덕제천 급타방정토제래보살 득문사어
令大威德諸天과 及他方淨土諸來菩薩로 得聞斯語하라

아난 전륜성왕 이소복고 상득무병 기황여
阿難이여 轉輪聖王이 以少福故로 尙得無病이어든 豈況如

래 무량복회보승자재 행의
來가 無量福會普勝者哉아 行矣어다

'아난이여, 여래를 비방하지 말며, 다른 사람들이 이런 말

같지도 않은 말을 듣지 않도록 하십시오. 큰 위덕이 있는 여러 천신과 그리고 타방他方 정토의 여러 보살로 하여금 이러한 말을 듣지 않도록 하십시오. 아난이여, 전륜성왕은 작은 복만으로도 오히려 병이 없는데 어찌 하물며 여래께서는 한량없는 복으로 널리 수승하신 분이겠습니까? 돌아가십시오.'

앞에서 아홉 명의 제자들에게 말한 것과 달리 그 질책의 강도가 가장 심하다. 아난 존자는 부처님의 법장法藏을 다 지닌 사람이다. 세존의 가르침을 누구보다도 다 들어 다 알고 있는 제자다. 그러므로 아난을 질책하는 것은 기존의 모든 소승적 승단僧團 중심의 원시불교를 모조리 질책하는 것이다.

부처님이 병이 나서 우유가 필요하다는 것은 곧 부처님을 크게 비방하는 처사라는 것이다. 정말이지 "창피한 일이니까 결코 다른 사람들이 그 말 같지도 않은 말을 듣지 않도록 하라."라고까지 말하고 있다. "전륜성왕은 세존과 비교하면 아주 작은 복을 지녔음에도 몸에 병고가 없다. 제발 그따위 소리 하지 말고 어서 돌아가라."라고 하며 차마 못 들을 것을 들은 것처럼 펄쩍 뛰고 있다. 과연 옳은 생각인가?

아난 존자가 그렇게 잘못하였는가? 유마 거사 당신도 병이 들어

지금 그렇게 앓고 있지 않는가? 그리고 병상에 누워서 사람들이 병문안을 와 주기를 기다리고 있지 않는가? 병이 드니 그렇게 외롭고 쓸쓸하던가? 육신 그대로가 법신이며 법신이 곧 육신이라는 사실을 모른다는 말인가? 만약 육신을 떠나서 따로 법신을 찾는다면 그것은 물결을 떠나서 물을 찾는 것과 같으며, 금반지를 두고 금을 찾는 것과 같으며, 조계사에 앉아서 서울을 찾는 것과 같다는 사실을 모른다는 말인가? 무슨 의미로 그렇게 꾸중을 하였는가? 필히 까닭이 있을 것이다.

아난 물사아등 수사치야 외도범지 약
阿難이여 **勿使我等**으로 **受斯恥也**니라 **外道梵志**가 **若**

문차어 당작시념 하명위사 자질 불능구
聞此語하면 **當作是念**하되 **何名爲師**오 **自疾**도 **不能救**어든

이능구제질 인 가밀속거 물사인문
而能救諸疾가하리니 **仁**이여 **可密速去**하야 **勿使人聞**이어다

'아난이여, 나로 하여금 이러한 수치를 받지 않도록 하십시오. 외도나 범지들이 만약 이러한 말을 듣게 되면 마땅히 이런 생각을 하게 될 것입니다. 〈무엇을 이름하여 스승이라 하는

가? 자신의 병도 능히 고치지 못하면서 어찌 다른 사람의 병을 고치는가?〉라고 할 것입니다. 어진 이여, 남몰래 빨리 돌아가시고 다른 사람들이 듣지 않도록 하십시오.'

부처님이 병을 앓는다는 일이 그렇게도 수치스러운 일인가? 그런데 당신은 왜 병을 앓고 있는가? 부처님은 병이 들면 안 되고 당신은 병들어도 된다는 말인가? 부처님이나 당신이나 모든 사람 모든 생명이 다 늙고 병들고 죽는다는 이 사실이 진리 아닌가? 외도나 범지와 같은 이교도들이 부처님이 병을 앓고 있다는 말을 듣는 것이 그렇게도 두려운가? 늙을 때 늙고, 병들 때 병들고, 죽을 때 죽는 것이 스승 아닌가? 스승이 무슨 나무나 돌로 만든 물건인가? 남몰래 돌아가고 다른 사람들이 이런 말을 듣지 않도록 하라니 그게 도대체 무슨 속임수며 사기인가? 만약 당신이 부처님이 열반에 드신 것을 보았다면 어찌하였겠는가?

당지 아난 제여래신 즉시법신 비사욕
當知하라 **阿難**이여 **諸如來身**은 **卽是法身**이요 **非思欲**

신 불위세존 과어삼계 불신무루 제루이
身이니 **佛爲世尊**하야 **過於三界**하며 **佛身無漏**라 **諸漏已**

진 불신무위 불타제수 여차지신 당유하질
盡이며 **佛身無爲**라 **不墮諸數**니 **如此之身**에 **當有何疾**

이리오

'마땅히 아십시오. 아난이여, 모든 여래의 몸은 곧 법신이며 욕망을 생각하지 않는 몸입니다. 부처님은 세상의 어른이 되어 삼계를 초월하였습니다. 부처님의 몸은 새어 흐르는 번뇌가 없습니다. 모든 새어 흐르는 번뇌가 다하였습니다. 부처님의 몸은 조작이 없습니다. 온갖 유위의 제법에 떨어지지 않습니다. 이와 같은 몸에 무슨 병이 있겠습니까?' 라고 하였습니다."

여래의 몸은 곧 법신法身이다. 모든 사람의 몸도 또한 곧 법신이다. 여래가 욕심을 생각하지 않는 몸을 가졌다면 모든 사람도 또한 욕심을 생각하지 않는 몸을 가졌다. 그러나 부처님이 세상에서 가장 존귀하여 삼계에 우뚝한 사실은 옳은 말이다. 부처님에게 모든 번뇌가 없고 부처님은 무위無爲라는 사실도 맞는 말이다. 그러나 무위이기에 유위有爲의 제법諸法에 떨어지기도 한다. 유위와 무위를 다 수용하고 유위와 무위를 조화롭게 활용한다. 그래서 병에 걸리기도 하고 늙기도 하고 죽기도 한다. 부처님은 이 언덕 저 언덕을 다 다니신다. 부처님이 여래라고 하여 결코 병에도 걸릴 줄 모르는 치우친 존재가 아니다.

시 아 세 존 실 회 참 괴 득 무 근 불 이 유 청 야

時我世尊이시여 實懷慚愧하야 得無近佛而謬聽耶아하

즉 문 공 중 성 왈 아 난 여 거 사 언 단 위 불 출

디니 卽聞空中聲하니 曰阿難이여 如居士言이나 但爲佛出

오 탁 악 세 현 행 사 법 도 탈 중 생 행 의 아 난

五濁惡世하야 現行斯法은 度脫衆生이니 行矣어다 阿難

취 유 물 참 세 존 유 마 힐 지 혜 변 재

이여 取乳勿慚하라하였나이다 世尊이시여 維摩詰의 智慧辯才

위 약 차 야 시 고 불 임 예 피 문 질

가 爲若此也일새 是故로 不任詣彼問疾이니다

"세존이시여, 저는 그때 진실로 부끄럽고도 부끄러웠습니다. 부처님을 가까이서 모셨으나 그동안 잘못 들은 것이 아닌가 하는 생각을 하였습니다. 바로 그때 허공중에서 소리가 들렸습니다. '아난이여, 거사의 말씀과 같으나 다만 부처님께서 오탁

악세五濁惡世에 출현하셔서 병을 나타내어 보이신 것은 중생을 제도하기 위함이니 그대로 하십시오. 아난이여, 우유를 가지고 가는 것을 부끄러워하지 마십시오.' 라고 하였습니다. 세존이시여, 유마힐의 지혜와 변재가 이와 같으므로 저도 그분에게 가서 문병하는 일을 감당할 수가 없습니다."

아난 존자는 진실로 부끄러웠다. 오랫동안 부처님의 시자侍子로 살면서 법문을 가장 많이 들었으나 그동안 잘못 들은 것이 아닌가 하는 생각마저 하였다. 그러자 허공중에서 제3의 소리가 들렸다. 유마 거사의 말이 한편으로는 타당성이 있지만, 부처님은 모든 것을 세상과 함께하여 이처럼 몸에 병이 난 것을 나타내 보이고 중생을 제도하기 위한 것이라는 것이다. 그렇다. 만약 부처님이 모든 면에서, 특히 태어나고 늙고 병들고 죽는다는 사실이 우리와 다르고 중생과 다르다면 우리와는 관계가 없는 존재가 되고 만다. 그래서 모순만 잔뜩 제기하고 결론을 내리지 못하게 될 것이었으나 제3의 소리가 있어서 일체의 모순을 다 해결하였다.

유마 거사는 몸에 병이 들어 외롭고 쓸쓸하여 문병 오는 사람을 기다리고 있었다. 사실은 얼마나 인간적인가. 부처님이 병이 들어 우유가 필요했던 것처럼. 스스로 이와 같은 모순을 짊어지고 일부러 그렇게 논설을 펴 본 것이다.

유마 거사의 설법은 대단히 화려하다. 화려하다 못해 현란하다. 허공중에서 제3의 소리를 삽입한 것은 『유마경』을 편찬한 사람의 뛰어난 안목과 지혜의 소산所產이다. 무엇보다 『유마경』의 주제는 부처와 중생이 둘이 아니므로 중생이 아프니 부처님이 아프고, 중생이 아프니 보살(유마 거사)이 아프다는 것이 아닌가.

여시오백대제자 각각향불 설기본연 칭술
如是五百大弟子가 **各各向佛**하야 **說其本緣**하며 **稱述**

유마힐소언 개왈불임예피문질
維摩詰所言하고 **皆曰不任詣彼問疾**이러라

이처럼 5백 명의 큰 제자가 각각 부처님을 향하여 그와의 본래의 인연을 이야기하며 유마힐이 말한 바를 털어놓고 모두 다 "그분에게 가서 문병하는 일을 감당할 수가 없습니다."라고 하였다.

경전에는 부처님의 십대제자가 각자의 주제를 가지고 등장하였으나 실은 자세한 내용은 생략되었으나 5백 명의 큰 제자들이 하나같이 부처님의 부탁을 받았고 하나같이 부처님께 자신들이 유마 거사를 만났던 본래의 사연들을 다 털어놓았다고 하였다. 그러고는 하나같이 "그분에게 가서 문병하는 일을 감당할 수가 없습니다."라고 하였다. 이렇게 하여 부처님의 출가 제자들이 유마 거사에게 문병을 가는 일은 모두 끝이 나고 다음은 보살에게로 이어진다.

四. 보살품菩薩品

부처님은 앞에서 당신의 십대제자들에게 유마 거사에게 문병 가기를 부촉하였다. 그러나 그들은 모두 사양하였다. 유마 거사와 같은 법이 높은 분에게 문병을 갔다가 무슨 봉변을 당할지 모르기 때문이었다. 그래서 부처님이 다시 보살들에게 문병 가기를 부촉하는 내용이다. 보살들도 역시 과거에 유마 거사를 만난 경험이 있어서 그 경험들을 밝히면서 끝내는 사양하기에 이른다. 그러나 보살들과의 대화 속에서 대승의 가르침을 널리 선양하는 부분은 다른 경전에서 찾아볼 수 없는 뛰어난 가르침들이다.

1. 미륵보살과 수기授記와 보리菩提

어시 불고미륵보살 여행예유마힐문질
於是에 佛告彌勒菩薩하사대 汝行詣維摩詰問疾하라

미륵 백불언 세존 아불감임예피문질 소
彌勒이 白佛言하사대 世尊하 我不堪任詣彼問疾이니다 所

이자하 억념 아석 위도솔천왕 급기권속
以者何오 憶念하니 我昔에 爲兜率天王과 及其眷屬하여

설불퇴전지지행
說不退轉地之行이러니라

이에 부처님께서 미륵보살에게 말씀하였다.

"그대가 유마힐에게 가서 문병하여라."

미륵이 부처님께 말씀드렸다.

"세존이시여, 저도 그분에게 가서 문병하는 일을 감당할 수 없습니다. 왜냐하면 기억해 보니 제가 옛적에 도솔천왕과 그의 권속들을 위하여 퇴전하지 않는 지위에 대한 수행을 설하였습니다."

유마 거사에게 문병 가는 책임이 십대제자와 5백 명 제자를 거쳐 미륵보살에게까지 이르렀다. 「보살품」에서는 곧 보살들이 문병 가는 일을 통하여 불교에 대한 중요한 가르침을 하나하나 펼쳐서 대승적 관점에서 살펴보고자 하는 것이다. 처음에 등장한 미륵보살은 석가모니 부처님 다음에 이 세상에 나타날 미래의 부처님으로 수기受記를 받은 보살이다. 그러므로 수기에 대한 문제를 파헤쳐 보려는 것이 미륵보살을 등장시킨 의도다. 미륵보살이 받은 수기는 미래에 부처님이 된다는 보증이지만, 『법화경』의 수기는 지금 현재 이대로 부처님이라는 뜻을 담고 있다. '퇴전하지 않는 지위'란 미륵보살의 수행이 더는 부처의 지위에서 물러서지 않는다는 뜻이므로 아마도 자신의 경우에 대한 내용을 설법하였으리라.

시 유마힐 내위아언 미륵 세존 수인자
時에 維摩詰이 來謂我言하되 彌勒이여 世尊이 授仁者

기 일생 당득아뇩다라삼먁삼보리 위용
記하사대 一生에 當得阿耨多羅三藐三菩提라하시니 爲用

하생 득수기호 과거야 미래야 현재야 약
何生하야 得受記乎아 過去耶아 未來耶아 現在耶아 若

과거생 과거생 이멸 약미래생 미래생
過去生인댄 過去生은 已滅하고 若未來生인댄 未來生은

미지 약현재생 현재생 무주 여불소설
未至하고 若現在生인댄 現在生은 無住라 如佛所說하야

비구 여금즉시 역생역노역멸
比丘야 汝今卽時에 亦生亦老亦滅이라하시니라

"그때에 유마힐이 저에게 와서 말하였습니다. '미륵이여, 세존께서 당신에게 수기하시기를, 〈일생에 마땅히 최상의 깨달음을 얻으리라.〉 하셨으니 어느 생으로 수기를 얻었습니까? 과거입니까? 미래입니까? 현재입니까? 만약 과거 생生이라면 과거 생은 이미 소멸하였고, 만약 미래 생이라면 미래 생은 아직 오지 않았고, 만약 현재 생이라면 현재 생은 머물지 않습니다. 부처님께서 설하신 바와 같이 〈비구여, 그대는 지금 이 순간 또한 생기며 또한 늙으며 또한 소멸한다.〉 하셨습니다.'

미륵보살이 받은 수기는 현재의 일생만 살면 다음 생은 깨달음을 이루고 부처가 된다는 내용이다. 유마 거사는 현재의 일생이라는 것과 다음[미래] 생이라는 것을 들어 시간이라는 존재 여부를 분석하였다. 도대체 일생이란 어떤 생을 말하는가? 과거인가? 미래인가? 현재인가? 경문經文과 같이 과거와 현재와 미래란 실재하지 않는다. 그런데 일생의 수기授記라니, 수기가 어찌 있을 수 있겠는가? 차라리 지금 이대로 부처라고 하는 것이 옳지 않겠는가?

약이무생 득수기자 무생 즉시정위 어정
若以無生으로 **得受記者**인댄 **無生**은 **卽是正位**라 **於正**
위중 역무수기 역무득아뇩다라삼먁삼보리
位中에는 **亦無受記**며 **亦無得阿耨多羅三藐三菩提**어늘
운하미륵 수일생기호
云何彌勒이 **受一生記乎**아

'만약 무생으로서 수기를 얻는 것이라면 무생은 곧 정위正位라서 정위 중에는 또한 수기가 없습니다. 또한 최상의 깨달음을 얻음도 없습니다. 어떻게 미륵이 일생의 수기를 받을 수 있겠습니까?'

무생無生이란 정위正位라고 하였는데 생멸이 없는 경지란 곧 깨달

음의 경지다. 정위도 역시 깨달음의 경지다. 깨달음의 경지에서는 달리 최상의 깨달음을 얻는다는 일이 있을 수 없다. 그러므로 미륵보살이 일생의 수기를 얻었다는 것은 있을 수 없는 일이다.

위종여생 득수기야 위종여멸 득수기야
爲從如生하야 得受記耶아 爲從如滅하야 得受記耶아

약이여생 득수기자 여무유생 약이여멸
若以如生으로 得受記者인댄 如無有生이요 若以如滅로

득수기자 여무유멸 일체중생 개여야 일체
得受記者인댄 如無有滅이니 一切衆生이 皆如也며 一切

법 역여야 중성현 역여야 지어미륵 역여야
法이 亦如也며 衆聖賢이 亦如也며 至於彌勒도 亦如也

약미륵 득수기자 일체중생 역응수기 소이
라 若彌勒이 得受記者인댄 一切衆生도 亦應受記니 所以

자하 부여자 불이불이
者何오 夫如者는 不二不異니라

'여如로부터 생겨서 수기를 얻은 것입니까? 여如로부터 소멸해서 수기를 얻은 것입니까? 만약 여로부터 생겨서 수기를 얻은 것이라면 여는 생김이 없으며, 만약 여로부터 소멸함으로 수기를 얻은 것이라면 여는 소멸이 없으니 일체중생이 다 여입니다. 일체법도 또한 다 여입니다. 모든 성현도 역시 여입니다. 미륵이라 하더라도 또한 여입니다. 만약 미륵이 수기를 받은 것이라면 일체중생도 또한 응당히 수기를 받을 것입니다. 왜냐하면 대체로 여如란 두 가지가 아니며 다른 것도 아니기 때문입니다.'

여기서 말하는 여如란 중도中道 · 실상實相 · 진여眞如 · 진리眞理라는 의미가 있다. 유마 거사의 설법은 모든 존재와 모든 법은 이 여如를 떠나 있는 것이 없으므로 이 여如에 근거하여 수기의 문제를 따져 보자는 것이다. 첫째 여如란 불생불멸이다. 불생불멸이라면 따로 수기를 받을 일이 있겠는가? 또한 일체중생도 모두 여다. 일체 법도 모두 여다. 모든 성현도 모두 여다. 미륵보살도 또한 여다. 여를 떠난 것은 아무것도 없다. 여如의 처지에서 보면 모두가 평등하다. 그러므로 만약 미륵보살이 수기를 받았다면 당연히 일체중생도 수기를 받아야 옳다. 여란 둘이 아니며 다른 것도 아니기 때문이다. 일체 존재의 궁극적 입장과 절대평등의 자리에서 보면 수기를 주느니 수기를 받느니 하는 일이 도대체 허무맹랑한 말이 되고 만다. 그런데 그 점을 모르고 무슨 퇴전退轉이니 불퇴전不退轉이니 하면서 설법을 하는가?

약미륵 득아뇩다라삼먁삼보리자 일체중생
若彌勒이 **得阿耨多羅三藐三菩提者**인댄 **一切衆生**도

개역응득 소이자하 일체중생 즉보리상
皆亦應得이니 **所以者何**오 **一切衆生**이 **卽菩提相**이니라

'만약 미륵이 최상의 깨달음을 얻었을진댄 일체중생도 모두 응당히 얻을 것입니다. 왜냐하면 일체중생이 곧 보리의 모습이기 때문입니다.'

대승불교에는 인간보리人間菩提·중생보리衆生菩提·인즉시불人卽是佛·인불사상人佛思想·인자시불(人者是佛, 당신은 부처님)이라는 말이 있다. 유마 거사의 말씀과 같이 만약 미륵보살이 최상의 깨달음을 얻었다면 일체중생도 모두 다 얻었다. 왜냐하면 중생 그대로가 최상의 깨달음[아뇩보리]이기 때문이다. 참으로 통쾌한 천고千古의 절언切言이다.

약미륵 득멸도자 일체중생 역당멸도 소이
若彌勒이 得滅度者인댄 一切衆生도 亦當滅度니 所以

자하 제불 지일체중생 필경적멸 즉열반상
者何오 諸佛은 知一切衆生이 畢竟寂滅하야 卽涅槃相이

불부갱멸 시고 미륵 무이차법 유제천
라 不復更滅이니 是故로 彌勒이여 無以此法으로 誘諸天

자 실무발아뇩다라삼먁삼보리심자 역무퇴자
子니 實無發阿耨多羅三藐三菩提心者며 亦無退者니라

'만약 미륵이 멸도를 얻었을진댄 일체중생도 또한 응당히 멸도를 얻을 것입니다. 왜냐하면 모든 부처님은 일체중생이 마침내 적멸해서 곧 열반의 모습이기 때문에 더는 열반할 것이 아님을 알기 때문입니다. 그러므로 미륵이여, 이러한 법으로써 모든 천자들을 가르치지 마십시오. 실로 최상의 깨달음에 대한 마음을 낸 사람이 없으며, 또한 최상의 깨달음에서 물러선 사람도 없습니다.'

여기서 말하는 멸도滅度는 열반의 경지 즉 깨달음의 경지이다. 만약 미륵보살이 이러한 경지를 얻었다면 일체중생도 또한 다 얻었다. 왜냐하면 부처님이 알고 있는 중생이란 마침내 적멸해서 지금 그대로 열반이기 때문에 더는 열반이 필요치 않다. 그런데 미륵보살은 이러한 점도 모르고 여러 사람을 엉터리로 가르치는가. 일체 중생이 본래로 최상의 깨달음에 대한 마음을 낸 사람도 없으며 또한 최상의 깨달음에서 물러선 사람도 없다. 모든 사람 모든 생명이 무시겁無始劫으로부터 최상의 깨달음에서 떠나 있지 아니하고 항상 노닐고 있기 때문이다. "도道란 사람에게서 한순간도 떠나 있는 것이 아니다. 만약 한순간이라도 떠나 있다면 그것은 도가 아니다[道不可須臾離 可離非道]."라는 말도 있다.

미륵 당령차제천자 사어분별보리지견 소
彌勒아 **當令此諸天子**로 **捨於分別菩提之見**이니 **所**

이자하 보리자 불가이신득 불가이심득
以者何오 **菩提者**는 **不可以身得**이며 **不可以心得**이라

'미륵이여, 마땅히 이 모든 천자로 하여금 보리를 분별하는 견해를 버리게 하십시오. 왜냐하면 보리라는 것은 몸으로써 얻는 것도 아니며 마음으로써 얻는 것도 아닙니다.'

보리는 깨달음이며, 도道며, 진리다. 인간이 이르러 갈 수 있는 궁

극적 경지다. 그리고 사람 사람의 본래의 자리다. 모든 존재의 당체當體이면서 무한 광대하다. 그러한 보리는 이리저리 분별해서 얻을 물건이 아니다. 몸으로 얻는다거나 마음으로 얻는다거나 하는 것이 아니다. 저절로 그러함이기 때문에 조작이 있을 수 없다.

적멸 시보리 멸제상고 불관 시보리 이제
寂滅이 是菩提니 滅諸相故며 不觀이 是菩提니 離諸
연고 불행 시보리 무억념고 단 시보리 사
緣故며 不行이 是菩提니 無憶念故며 斷이 是菩提니 捨
제견고 이 시보리 이제망상고 장 시보리
諸見故며 離가 是菩提니 離諸妄想故며 障이 是菩提니
장제원고 불입 시보리 무탐착고
障諸願故며 不入이 是菩提니 無貪着故며

'적멸이 보리니 모든 상을 소멸하였기 때문입니다. 관찰하지 않음이 보리니 모든 인연을 떠났기 때문입니다. 행하지 않음이 보리니 기억하여 생각함이 없기 때문입니다. 끊음이 보리니 모든 견해를 버렸기 때문입니다. 떠남이 보리니 모든 망상을 떠났기 때문입니다. 막음이 보리니 모든 원을 막았기 때문

입니다. 들어가지 않음이 보리니 탐욕과 집착이 없기 때문입니다.'

여기서부터는 보리의 속성을 여러 가지로 설명하였다. 보리는 한 가지로 단정할 수 없다. 보리는 모든 것이다. 모든 것의 모든 것이다. 보리菩提는 모든 상相을 소멸하였기 때문에 '적멸'이다. 보리는 모든 인연을 떠났기 때문에 '관찰하지 않음'이다. 보리는 기억하여 생각하지 않기 때문에 '행하지 않음'이다. 보리는 모든 소견을 버렸기 때문에 '끊어짐'이다. 보리는 모든 망상을 떠났기 때눈에 '떠남'이다. 보리는 모든 원願을 막았기 때문에 '막음'이다. 보리는 탐착이 없기 때문에 '들어가지 않음'이다.

순 시보리 순어여고 주 시보리 주법성고
順이 是菩提니 順於如故며 住가 是菩提니 住法性故며

지 시보리 지실제고 불이 시보리 이의법고
至가 是菩提니 至實際故며 不二가 是菩提니 離意法故

등 시보리 등허공고 무위 시보리 무생주
며 等이 是菩提니 等虛空故며 無爲가 是菩提니 無生住

멸고 지 시보리 요중생심행고 불회 시보리
滅故며 知가 是菩提니 了衆生心行故며 不會가 是菩提

제입불회고 불합 시보리 이번뇌습고 무처
니 諸入不會故며 不合이 是菩提니 離煩惱習故며 無處가

시보리 무형색고
是菩提니 無形色故며

'수순함이 보리니 여如를 수순하기 때문입니다. 머무름이 보리니 법성에 머무르기 때문입니다. 이름이 보리니 실제에 이르기 때문입니다. 둘이 아님이 보리니 의식과 법을 떠났기 때문입니다. 평등이 보리니 허공과 평등하기 때문입니다. 무위無爲가 보리니 생기고 머물고 소멸함이 없기 때문입니다. 앎이 보리니 중생의 마음 움직임을 알기 때문입니다. 알지 못함이 보리니 모든 입入이 알지 못하기 때문입니다. 합하지 아니함이 보리니 번뇌와 습기를 떠났기 때문입니다. 처소가 없음이 보리니 형색이 없기 때문입니다.'

보리는 여如를 수순하기 때문에 '수순함'이다. 보리는 법성法性에 머물기 때문에 '머무름'이다. 보리는 실제에 이르기 때문에 '이름[至]'이다. 보리는 의식과 법을 떠났으므로 '둘이 아님'이다. 보리는 허공과 평등하여서 '평등함'이다. 보리는 생기고 머물고 소멸함이 없으므로 '무위無爲'다. 보리는 중생의 마음 흐름을 알기 때문에 '앎'이다. 보리는 육입六入이 알지 못하기 때문에 '알지 못함'이다. 보리는 번뇌와 습기를 떠났으므로 '합하지 아니함'이다. 보리는 형색이 없으므로 '처소가 없음'이다. 이처럼 보리는 모든 이치다.

가명 시보리 명자공고 여화 시보리 무취
假名이 是菩提니 名字空故며 如化가 是菩提니 無取

사고 무란 시보리 상자정고 선적 시보리
捨故며 無亂이 是菩提니 常自靜故며 善寂이 是菩提니

성청정고 무취 시보리 이반연고 무이 시보
性清淨故며 無取가 是菩提니 離攀緣故며 無異가 是菩

리 제법등고 무비 시보리 무가유고 미묘
提니 諸法等故며 無比가 是菩提가 無可喩故며 微妙가

시보리 제법 난지고 세존 유마힐 설시법
是菩提니 諸法을 難知故니라 世尊이시여 維摩詰이 說是法

시 이백천자 득무생법인 고아불임예피문질
時에 二百天子가 得無生法忍일새 故我不任詣彼問疾

하나이다

거짓 이름이 보리니 명자名字가 공空하기 때문입니다. 변화가 보리니 취하고 버림이 없기 때문입니다. 어지러움이 없음이 보리니 항상 스스로 고요하기 때문입니다. 매우 고요함이 보리니 본성이 청정하기 때문입니다. 취함이 없음이 보리니 반연絆緣을 떠났기 때문입니다. 다름이 없음이 보리니 모든 법이 평등하기 때문입니다. 비교할 바 없음이 보리니 비유할 수 없기 때문입니다. 미묘함이 보리니 모든 법을 알기 어렵기 때문입니다.' 라고 하였습니다. 세존이시여, 유마힐이 이러한 법을 설할 때에 2백 명의 천자天子가 모두 생멸이 없는 진리[無生法忍]를 얻었습니다. 그러므로 저는 그분에게 가서 문병하는 일을 감당할 수가 없습니다."

보리는 명자名字가 텅 비었으므로 '거짓 이름'이다. 보리는 취사取捨가 없으므로 '변화'다. 보리는 항상 스스로 고요하므로 '어지러움이 없음'이다. 보리는 본성이 청정하므로 '매우 고요함'이다. 보리는 반연을 떠났으므로 '취함이 없음'이다. 보리는 모든 법에 평등하므로 '다름이 없음'이다. 보리는 비유할 수 없으므로 '비교할 바 없음'이다. 보리는 모든 법을 알기 어려우므로 '미묘함'이다.

미륵보살도 이처럼 하늘에서 은하가 쏟아지는 것과 같은 현란한 법문을 들은 기억이 있어서 도저히 유마 거사에게 문병 가는 일을 감당할 수 없다고 하면서 사양하였다.

2. 광엄동자와 도량道場

불고광엄동자　　여행예유마힐문질　　광엄
佛告光嚴童子하사대 汝行詣維摩詰問疾하라 光嚴이

백불언　　세존　　아불감임예피문질　　소이
白佛言하사대 世尊이시여 我不堪任詣彼問疾이니다 所以

자하　억념　　아석　출비야리대성　　시　유마힐
者何오 憶念하니 我昔에 出毘耶離大城이러니 時에 維摩詰

방입성　　아즉위작례　　이문언거사　종하소래
이 方入城커늘 我卽爲作禮하고 而問言居士여 從何所來

답아언　　오종도량래　　아문도량자　하소시
닛고 答我言하대 吾從道場來니다 我問道場者는 何所是

답왈 직심　시도량　　무허가고
닛고 答曰 直心이 是道場이니 無虛假故며

부처님께서 광엄光嚴동자에게 말씀하였다.

"그대가 유마힐에게 가서 문병하여라."

광엄동자가 부처님께 말씀드렸다.

"세존이시여, 저도 그분에게 가서 문병하는 일을 감당할 수 없습니다. 왜냐하면 기억해 보니 제가 옛적에 비야리 대성大城에서 나오는데 그때 마침 유마힐이 막 성으로 들어오고 있었습니다. 제가 곧 예배하고 거사에게 물었습니다. '거사님, 어디에서 오십니까?' 저에게 대답하였습니다. '나는 도량道場으로부터 옵니다.' 저는 또 물었습니다. '도량이란 어디입니까?' 그가 대답하였습니다. '곧은 마음이 도량이니 헛되거나 거짓됨이 없기 때문입니다.'

다음에는 광엄光嚴동자에게 문병 가기를 부탁하였다. 광엄동자도 역시 과거에 유마 거사를 만나서 설법을 들은 적이 있었다. 곧 도량에 대한 내용이었다. 그 인연으로 도량에 대해 깊이 있고 광범위하게 알아보게 되었다. 일반적으로 도량이란 곧 부처님이 성도成道하신 장소다. 세존이 진리를 깨달으신 부다가야의 보리수나무 밑이다. 그곳에는 높고 아름다운 기념탑이 서 있다. 오늘날에도 세존이 깨달음을 이루신 그 전설의 장소를 찾아 참배하는 불자들의 행렬이 헤아릴 수 없을 정도다. 그러나 유마 거사의 도량에 대한 설명은 다르다. 광엄동자가 도량을 물었다. 유마 거사는 언제나 도량에 있다. 도량에서 나오고 도량에 있다가 도량으로 들어간다. 유마 거사의 행주좌와行住坐臥와 어묵동정語默動靜은 모두 도량이다. 먼저 직심直心, 곧은 마음이 도량이라고 하였다. 그 이유는 헛되거나 거짓됨이 없기 때문이다. 세상에는 헛되고 거짓된 것들이 너무 많다. 사람들의 삶에서 어렵고 고통받고 힘들고 안타깝고 애석하고 억울한 일들이 그토록 많은 이유도 자세히 살펴보면 모두가 헛된 일, 거짓된 일, 정직하지 못한 일 때문이다. 깨달음의 생활이란 세상에 그와 같은 정직하지 못한 부정과 부패와 사기와 위선과 음모와 같은 일이 없어서 모든 사람이 평화롭고 자유로운 삶을 살도록 하자는 것이 그 목적이다. 그래서 먼저 깨달음의 실천으로 그 구체적 표현인 직심을 들었다.

발행 시도량 능변사고 심심 시도량 증
發行이 **是道場**이니 **能辨事故**며 **深心**이 **是道場**이니 **增**
익공덕고 보리심 시도량 무착류고
益功德故며 **菩提心**이 **是道場**이니 **無錯謬故**며

'행동에 옮기는 것이 도량이니 능히 일을 분별하기 때문입니다. 깊은 마음이 도량이니 공덕을 증익하기 때문입니다. 보

리심이 도량이니 그릇되거나 어긋남이 없기 때문입니다.'

무엇이나 옳은 일, 선善한 일이라면 반드시 그것을 행동으로 옮겨야 그 일을 가려낼 수 있다. 만약 옳은 일과 선한 일을 마음속에만 가둬 두고 행동으로 표현하지 아니하면 의미가 없으므로 행동에 옮기는 것을 도량이라 하였다. 또 불법佛法을 이해하고 공덕을 더욱 넓고 깊게 하려면 대충 이해하고 적당히 알아서는 안 된다. 깊이 사유하고 명상하여 가슴속에 갈무리해야 불법의 공덕이 더욱 깊어지므로 도량이라 하였다. 보리심이란 깨달음의 마음이다. 깨달음의 마음을 지혜와 자비라고 간단히 표현하기도 한다. 사람이 살아가는데 지혜와 자비가 충만하다면 더는 바랄 게 없다. 보리심이야말로 진정한 유토피아며 이상향이며 무하유지향無何有之鄕이다. 세상 모든 사람은 이러한 곳, 이러한 도량, 즉 깨달음의 장소에서 살아야 한다.

보시 시도량 불망보고 지계 시도량 득
布施가 **是道場**이니 **不望報故**며 **持戒**가 **是道場**이니 **得**

원구고 인욕 시도량 어제중생 심무애고 정
願具故며 **忍辱**이 **是道場**이니 **於諸衆生**에 **心無礙故**며 **精**

진 시도량 불해태고 선정 시도량 심조유
進이 **是道場**이니 **不懈怠故**며 **禪定**이 **是道場**이니 **心調柔**

고 지혜 시도량 현견제법고
故며 **智慧**가 **是道場**이니 **現見諸法故**며

'보시가 도량이니 보답을 바라지 않기 때문입니다. 지계가 도량이니 서원誓願이 구족함을 얻기 때문입니다. 인욕이 도량이니 모든 중생에게 마음이 걸림이 없기 때문입니다. 정진이 도량이니 게으르지 않기 때문입니다. 선정이 도량이니 마음이 조화롭고 부드럽기 때문입니다. 지혜가 도량이니 모든 법을 환하게 보기 때문입니다.'

육바라밀六波羅蜜 하나하나가 깨달음의 장소 즉 도량이라고 하였다. 육바라밀이란 대승불교에서 보살도를 실천하는 필수적인 덕목이다. 부파불교와 소승불교에서 대승불교로 발달하면서 가장 대표적인 실천 덕목으로 정한 것이 이 육바라밀이다. 성문聲聞불교는 그 대표적인 가르침이 사성제四聖諦이고, 연각緣覺불교는 12인연법이지만, 보살대승에서는 육바라밀이다. 대승불교운동이 일어나

서『유마경』에 이르러 크게 선양해서 가르쳐야 할 법이 이 육바라밀이다. 그러므로 육바라밀의 실천이야말로 이상理想세계며 깨달음의 장소인 보리도량菩提道場이다.

자 시도량 등중생고 비 시도량 인피고
慈가 **是道場**이니 **等衆生故**며 **悲**가 **是道場**이니 **忍疲苦**

고 희 시도량 열락법고 사 시도량 증애
故며 **喜**가 **是道場**이니 **悅樂法故**며 **捨**가 **是道場**이니 **憎愛**

단고
斷故며

'사랑이 도량이니 중생을 평등하게 생각하기 때문입니다. 어여삐 여김이 도량이니 지치고 괴로움을 참기 때문입니다. 기쁨이 도량이니 기쁘고 즐거움의 법이기 때문입니다. 차별을 버린 평등이 도량이니 미움과 애착이 끊어졌기 때문입니다.'

자비희사慈悲喜捨란 불교가 자랑하는 네 가지 큰 마음이다. 사람을 무조건 사랑하며 고통받는 어려운 중생을 어여삐 여기며 모든 사람과 기쁨을 함께하며 누구든 차별하지 않고 평등하게 대하는 마음이다. 이러한 마음이 깨달음의 장소 곧 도량이라는 것은 너무나도 당연한 설법이다. 이처럼 도량이라는 말 속에는 보살대승불교가 거의 다 들어 있다.

신통 시도량 성취육통고 해탈 시도량
神通이 **是道場**이니 **成就六通故**며 **解脫**이 **是道場**이니

능배사고 방편 시도량 교화중생고 사섭 시
能背捨故며 **方便**이 **是道場**이니 **教化衆生故**며 **四攝**이 **是**

도량 섭중생고
道場이니 **攝衆生故**며

'신통이 도량이니 여섯 가지 신통을 성취하기 때문입니다. 해탈이 도량이니 능히 편안하여 집착이 없기 때문입니다. 방편이 도량이니 중생들을 교화하기 때문입니다. 사섭법이 도량이니 중생을 거두어들이기 때문입니다.'

여섯 가지 신통을 통달하여 아무런 장애가 없고 편안하여 집착이 없는 해탈감을 누리고, 중생을 교화할 때는 온갖 방편을 써서 다 건지는 것이 곧 보리도량이다. 보시布施와 애어愛語와 이행利行과

동사同事로써 일체중생을 다 포섭하여 거두는 일이 깨달음의 장소인 보리도량이다. 깨달음의 장場, 즉 도량이란 곧 반드시 이와 같은 불행佛行과 보살행이 충만해야 한다. 유마 거사는 항상 이렇게 산다.

다문 시도량 여문행고 복심 시도량 정
多聞이 **是道場**이니 **如聞行故**며 **伏心**이 **是道場**이니 **正**

관제법고 삼십칠품 시도량 사유위법고
觀諸法故며 **三十七品**이 **是道場**이니 **捨有爲法故**며

'많이 듣는 것이 도량이니 들은 대로 행하기 때문입니다. 항복받은 마음이 도량이니 모든 법을 바르게 관찰하기 때문입니다. 37도품이 도량이니 유위有爲의 법을 다 버리기 때문입니다.'

다문多聞이란 불교공부를 많이 하는 것이다. 그리고 공부를 많이 해서 들은 대로 아는 대로 실천에 옮기는 일이다. 항복降伏받은 마음이란 아상我相과 같은 자아自我의식이 없고, 인상人相과 같은 남이라는 차별의식이 없고, 중생상衆生相과 같은 열등의식이 없고,

수자상壽者相과 같은 한계의식이 아주 없는 경지다. 그와 같은 상相이 없어야 마음을 항복받았다고 할 수 있다.

불법佛法은 모두 무위법無爲法이며 세상사는 모두 유위법有爲法이다. 『유마경』이 설해질 무렵의 불법 수행이란 37도품이 그 기본이었다. 그러므로 불교공부를 많이 해서 그 마음을 항복받고 나아가서 무위법無爲法인 불법의 여러 가지 내용을 충분히 잘 아는 일이 곧 깨달음의 보리도량이다.

사제 시도량 불광세간고 연기 시도량
四諦가 **是道場**이니 **不誑世間故**며 **緣起**가 **是道場**이니

무명 내지노사 개무진고
無明으로 **乃至老死**가 **皆無盡故**며

'사제四諦가 도량이니 세간을 속이지 않기 때문입니다. 12연기가 도량이니 무명無明에서 늙고 죽음에 이르기까지 모두 다함이 없기 때문입니다.'

앞에서는 육바라밀과 사섭법과 같은 보살의 수행 덕목을 열거하여 그것이 보리도량이라고 하였다. 이어서 소승성문의 법인 사성제

가 보리도량이라고 하면서 세상을 속이지 않기 때문이라고 하였다. 세상에는 고통이 있고, 고통의 원인이 있고, 고통의 소멸이 있고, 고통을 소멸하는 방법이 있다는 것은 불교의 가장 기본적인 가르침이다.

다시 연각緣覺의 교법에는 연기가 있다. 연기는 모든 존재는 연기로 형성되었는데 그 중심에 사람이 있기 때문에 12연기를 들었다. 이 연기의 교법도 또한 초기불교 교설에서 매우 중요한 자리를 차지하는 가르침이기 때문에 역시 보리도량이라고 하였다.

제번뇌 시도량 지여실고 중생 시도량
諸煩惱가 **是道場**이니 **知如實故**며 **衆生**이 **是道場**이니

지무아고 일체법 시도량 지제법공고 항마
知無我故며 **一切法**이 **是道場**이니 **知諸法空故**며 **降魔**가

시도량 불경동고 삼계 시도량 무소취고
是道場이니 **不傾動故**며 **三界**가 **是道場**이니 **無所趣故**며

'모든 번뇌가 도량이니 사실과 같이 알기 때문입니다. 중생이 도량이니 무아無我를 알기 때문입니다. 일체법이 도량이니 모든 법이 공空함을 알기 때문입니다. 마군을 항복받음이 도량

이니 기울거나 움직이지 않기 때문입니다. 삼계가 도량이니 나아갈 바가 없기 때문입니다.'

도량이란 깨달음의 보리도량菩提道場이다. 무엇이 깨달음의 보리도량인가. 중생의 번뇌가 곧 보리도량이다. 번뇌를 떠나서 달리 깨달음이 없기 때문이다. 그래서 모든 부처님은 다 번뇌에서 깨달음을 이루었다. 또 중생이 그대로 보리도량이다. 깨달음이란 곧 중생이 깨달으며 중생을 의지해서 깨닫는다. 중생을 떠나서는 깨달음이 있을 수 없다. 그래서 중생이 곧 깨달음의 보리도량이다. 나아가서 일체법이 다 보리도량이며 삼계가 모두 보리도량이다.

사자후 시도량 무소외고 역무외 불공법
獅子吼가 **是道場**이니 **無所畏故**며 **力無畏**와 **不共法**이

시도량 무제과고 삼명 시도량 무여애고
是道場이니 **無諸過故**며 **三明**이 **是道場**이니 **無餘礙故**며

일념 지일체법 시도량 성취일체지고
一念에 **知一切法**이 **是道場**이니 **成就一切智故**라

'사자후가 도량이니 두려워할 것이 없기 때문입니다. 열 가

지 힘과 네 가지 두려움 없음과 열여덟 가지 특별한 법이 도량이니 모든 허물이 없기 때문입니다. 삼명三明이 도량이니 다른 장애가 없기 때문입니다. 한순간에 일체법을 아는 것이 도량이니 일체 지혜를 성취하기 때문입니다.'

사자후獅子吼가 도량이다. 사자후란 무엇인가. 부처님이 깨달으신 진리의 말씀을 어리석은 중생에게 들려주는 소리다. 그 내용은 바르고 참된 이치이기 때문에 누구에게도 두려워할 것이 없다. 그리고 온갖 힘과 두려움 없음과 특별한 법들이 모두 깨달음의 보리도량이다. 삼명과 육통도 도량이다. 아무런 걸림이 없기 때문이다. 한순간에 일체의 법을 다 아는 것도 역시 깨달음의 도량이다. 그것은 뛰어난 지혜이기 때문이다.

여시선남자 보살 약응제바라밀 교화중생
如是善男子여 **菩薩**이 **若應諸波羅蜜**하야 **教化衆生**하면

제유소작 거족하족 당지개종도량래 주어불
諸有所作과 **擧足下足**이 **當知皆從道場來**하야 **住於佛**

법의　설시법시　오백천인　개발아뇩다라삼먁
法矣니라 說是法時에 五百天人이 皆發阿耨多羅三藐

삼보리심　고아불임예피문질
三菩提心일새 故我不任詣彼問疾하나이다

'이와 같아서 선남자여, 보살이 만약 모든 바라밀에 맞추어 중생을 교화하면 모든 하는 일과 발을 들고 발을 내림이 마땅히 다 도량에서 온 것임을 알아서 불법에 머무릅니다.' 라고 하였습니다. 이러한 법을 설할 때에 5백 명의 천인天人들이 다 같이 최상의 깨달음에 대한 마음을 내었습니다. 그러므로 저는 그분에게 가서 문병하는 일을 감당할 수가 없습니다."

보살이 중생을 교화하는 온갖 방법이 모두 도량이다. 만약 중생을 제도하는 일이라면 무엇이나 다 도량이다. 도량이란 부처님이 깨달음을 이룬 장소다. 또한 깨달음이란 중생을 교화하기 위한 불사佛事다. 그러므로 중생을 교화하는 일은 모두 깨달음의 도량이라고 할 수 있다. 유마 거사는 광엄동자의 질문을 통해서 이처럼 도량에 대해 대승적 관점에서 설법하였다. 이 설법을 들은 경험이 있는 광엄동자도 유마 거사에게 문병을 갈 수 없다고 사양하였다.

3. 지세보살과 마왕 파순魔王波旬

불고지세보살 여행예유마힐문질 지세
佛告持世菩薩하사대 汝行詣維摩詰問疾하라 持世가

백불언 세존 아불감임예피문질 소이
白佛言하되 世尊이시여 我不堪任詣彼問疾하나이다 所以

자하 억념 아석 주어정실 시 마파순
者何오 憶念하니 我昔에 住於靜室이러니 時에 魔波旬이

종만이천천녀 상여제석 고악현가 내예아
從萬二千天女하야 狀如帝釋하고 鼓樂絃歌로 來詣我

소 여기권속 계수아족 합장공경 어일
所하야 與其眷屬으로 稽首我足하고 合掌恭敬하야 於一

면립
面立이니라

부처님께서 지세持世보살에게 말씀하였다.

"그대가 유마힐에게 가서 문병하여라."

지세보살이 부처님께 말씀드렸다.

"세존이시여, 저도 그분에게 가서 문병하는 일을 감당할 수 없습니다. 왜냐하면 기억해 보니 제가 옛적에 조용한 방에 있었는데 그때 마왕 파순魔王波旬이 1만2천 천녀天女들을 거느리고 왔는데 그 모습은 마치 제석천왕帝釋天王과 같았습니다. 곡을 연주하고 노래를 부르며 제가 있는 곳으로 와서 그들의 권속들과 함께 저의 발에 머리 숙여 예배하고 합장 공경하여 한편에 서 있었습니다.

다음은 부처님께서 지세보살에게 문병하러 가기를 부탁하였다. 지세보살은 『지세경持世經』이라는 경전에 등장하는 보살이다. 구마라습이 번역한 4권 12품으로 된 경전이다. 지세보살도 과거에 유마 거사를 만나서 마왕 파순과의 일로 인하여 욕심에 의한 즐거움과 법에 의한 즐거움에 대한 설법을 들은 적이 있었다. 그 일을 다시 생각해 보니 도저히 문병할 수 없다는 생각이 들어서 사양하는 내용이다.

아의위시제석 이어지언 선래 교시가
我意謂是帝釋이라하야 而語之言하되 善來라 憍尸迦여

수복응유 부당자자 당관오욕무상 이구선본
雖福應有나 不當自恣니 當觀五欲無常하야 以求善本

어신명재 이수견법 즉어아언 정사 수
하며 於身命財에 而修堅法이니라 卽語我言하되 正士여 受

시만이천천녀 가비소쇄 아언교시가 무이차
是萬二千天女하야 可備掃灑니라 我言憍尸迦여 無以此

비법지물 요아사문석자 차비아의
非法之物로 要我沙門釋子니 此非我宜니라

저는 생각에 제석천帝釋天이라고 여기고 그에게 말하였습니다. '잘 오셨습니다. 교시가憍尸迦여, 비록 복이 있다고 하나 마땅히 스스로 무례하고 건방지게 하지 마십시오. 마땅히 오욕이 무상無常함을 살펴서 선善의 근본을 구할 것이며 몸과 목숨과 재물에 견고한 법을 닦으십시오.' 라고 하였더니 곧 저에게 말하였습니다. '보살님이여, 이 1만2천 천녀天女들을 받아서 가히 먼지를 쓸고 물을 뿌리고 청소하는 일을 시키십시오.' 라고 하였습니다. 제가 곧 말하기를, '교시가여, 이 법답지 못한 사람들로써 사문이며 부처님 제자에게 요구하지 말지니 이는 저의 마땅한 바가 아닙니다.'라고 하였습니다.

교시가憍尸迦란 제석이 일찍이 인간 세상에 살 때의 성性이다. 지세보살은 마왕을 제석천신이라고 잘못 알고 마왕에게 복이 비록 많더라도 함부로 무례하고 건방지게 누려서는 안 된다고 일러 주었다. 마치 법연法演 선사가 제자에게 일러 준 법연오계 중의 하나와 같다. 즉 복불가사진福不可使盡이다. 복이 비록 많더라도 그것을 다 활용하여 쓰지 말라는 뜻이다. 더구나 1만2천 명이나 되는 천녀들을 옆에 두고 시중을 들게 한다는 것은 매우 크게 감동하고 탄복할 일이다. 그래서 지세보살은 점잖게 타이른다. "법답지 못한 사람들로써 사문沙門이며 부처님 제자에게 요구하지 말지니 이는 저의 마땅한 바가 아닙니다."라고 하였다. 그러나 그가 마왕으로서 사람을 희롱하려는 것인 줄 어찌 알았으랴.

소언 미흘 시 유마힐 내위아언 비제석야
所言이 **未訖**에 **時 維摩詰**이 **來謂我言**하되 **非帝釋也**라

시위마래 요고여이 즉어마언 시제녀등
是爲魔來하야 **嬈固汝耳**니다 **卽語魔言**하되 **是諸女等**을

가이여아 여아응수 마즉경구 염 유마힐
可以與我니 如我應受니라 魔卽驚懼하야 念하되 維摩詰이

장무뇌아 욕은형거 이불능은 진기신력
將無惱我일까하야 欲隱形去나 而不能隱하고 盡其神力하되

역부득거
亦不得去라

그 말이 채 끝나기도 전에 그때에 유마힐이 저에게 와서 말하였습니다. '이들은 제석천이 아닙니다. 마귀가 변장하고 와서 오로지 그대를 희롱할 뿐입니다.' 라고 하고는 곧 마귀에게 말하기를, '이 모든 천녀를 가히 나에게 주면 내가 다 받을 것이다.' 라고 하였습니다. 마귀가 곧 놀라고 두려워서 생각하기를, '유마힐이 장차 나를 괴롭히지 않을까?' 하여 형상을 숨기고자 하였으나 숨지 못하고 모든 신통력을 다하여도 또한 할 수 없었습니다.

즉문공중성 왈파순 이여여지 내가득거
卽聞空中聲하니 曰波旬아 以女與之라가 乃可得去하라

마이외고 면앙이여 이시 유마힐 어제녀언
魔以畏故로 俛仰而與어늘 爾時에 維摩詰이 語諸女言하되

마이여등 여아 금여 개당발아뇩다라삼먁삼
魔以汝等으로 與我하니 今汝는 皆當發阿耨多羅三藐三

보리심
菩提心이니라하니라

즉시에 공중에서 나는 소리를 들으니 '파순波旬이여, 천녀天女들을 유마힐에게 주어야 떠나갈 수 있을 것이다.' 라고 하였습니다. 마왕이 두려워하면서 하는 수 없이 주었습니다. 그때 유마힐이 여러 천녀에게 말하였습니다. '마왕이 그대들을 나에게 주었으니 지금 그대들은 모두 최상의 깨달음에 대한 마음을 내어라.' 라고 하였습니다.

즉수소응 이위설법 영발도의 부언여
卽隨所應하여 而爲說法하여 令發道意케하고 復言汝

등 이발도의 유법락가이자오 불응부락오욕
等이 已發道意인댄 有法樂可以自娛요 不應復樂五欲

락 야
樂也니라

그러고는 곧 알맞은 바에 따라 그들을 위하여 법을 설하여 도道에 대한 마음을 내게 하고, 다시 말하였습니다. '그대들이 이미 도에 대한 마음을 내었으니 법의 즐거움으로 스스로 즐길 것이며 다시는 오욕락으로 즐기지 마라.' 라고 하였습니다.

지세보살과 마왕의 사이에 유마 거사가 등장하였다. 제석천으로 변장하고 온 마왕은 유마 거사의 통찰력에 들키고 말았다. 그리고 1만2천 명이나 되는 천녀들을 다 빼앗기게 되었다. 마왕의 신통력으로는 도망갈 수도 없고 숨을 수도 없었다. 유마 거사는 법력法力으로 마왕에게서 1만2천의 천녀들을 빼앗아 보리심菩提心을 발하게 하고는 드디어 지세보살장의 본론인 세속적 오욕락을 버리고 법의 즐거움[法樂]을 즐기라는 설법을 하게 되었다.

천녀즉문　하위법락　답언　낙상신불
天女卽問하되 何謂法樂이니까 答言하되 樂常信佛하며

낙욕청법 낙공양중
樂欲聽法하며 **樂供養衆**하며

천녀가 곧 물었습니다. '무엇이 법의 즐거움입니까?' 유마 거사가 답하였습니다. '법의 즐거움은 항상 부처님을 믿는 것이다. 법의 즐거움은 법문을 듣고자 하는 것이다. 법의 즐거움은 대중을 공양하는 것이다.'

보리심을 발한 천녀들이 유마 거사에게 법의 즐거움에 대해서 물었다. 법의 즐거움이란 첫째 부처님을 믿고 부처님의 가르침을 듣고 부처님의 가르침을 따르는 대중을 잘 공양하는 일이다. 불자로서의 기본이다. 이처럼 삼보를 따르고 공경하는 일에 마음이 없는 사람은 불자라고 할 수 없으며 불교에 대한 기쁨이 없는 사람이다. 불교에 대해서 어느 한구석도 기쁨이 없는 사람이라면 참으로 딱한 사람이다. 유마 거사는 천녀의 질문을 통해서 이와 같은 사실을 밝히고자 하였다.

낙이오욕 낙관오음 여원적 낙관사대독사
樂離五欲하며 **樂觀五陰**이 **如怨賊**하며 **樂觀四大毒蛇**

낙관내입 여공취
하며 樂觀內入이 如空聚하며

'법의 즐거움은 오욕락五慾樂을 떠나는 것이다. 법의 즐거움은 오음五陰을 원수나 도적처럼 관찰하는 것이다. 법의 즐거움은 지수화풍地水火風 사대四大를 독사로 관찰하는 것이다. 법의 즐거움은 밖의 경계로부터 들어오는 온갖 감정[內入]을 텅 빈 마을과 같이 관찰하는 것이다.'

세속의 길이 있고 열반涅槃의 길이 있다. 열반의 길이란 불교적 삶을 사는 길이다. 불교적 삶의 길이란 세속의 길과 달리 안이비설신眼耳鼻舌身으로 누리는 즐거움을 떠나서 차원이 다른 새로운 즐거움의 길, 즉 정신적인 즐거움의 길, 안빈낙도安貧樂道의 길을 찾는 것이다. 그리고 나를 형성하고 있는 색수상행식色受想行識을 모두 원수나 도적으로 보아 그것에 무관심하며 그 대신에 진리의 가르침을 즐기는 것이다. 육신을 이루고 있는 지수화풍地水火風도 마치 독사처럼 생각하여 멀리하는 것이다. 경계를 대하여 보는 것마다 듣는 것마다 받아들이는 것들을 아무것도 없는 텅 빈 마을처럼 여기는 것이다. 만약 이처럼 한다면 이 마음 이 몸이 얼마나 가볍겠는가. 마치 깃털과 같고 떠다니는 구름 조각과 같을 것이다.

낙수호도의 낙요익중생 낙경양사 낙광
樂隨護道意하며 樂饒益衆生하며 樂敬養師하며 樂廣

행시 낙견지계 낙인욕유화 낙근집선근
行施하며 樂堅持戒하며 樂忍辱柔和하며 樂勤集善根하며

낙선정불란 낙이구명혜 낙광보리심
樂禪定不亂하며 樂離垢明慧하며 樂廣菩提心하며

'법의 즐거움은 도에 대한 뜻을 잘 보호하는 것이다. 법의 즐거움은 중생을 유익하게 하는 것이다. 법의 즐거움은 스승을 공경하고 봉양하는 것이다. 법의 즐거움은 보시를 널리 행하는 것이다. 법의 즐거움은 계행을 굳게 지키는 것이다. 법의 즐거움은 욕됨을 참고 부드럽고 친화하는 것이다. 법의 즐거움은 선근을 부지런히 모으는 일이다. 법의 즐거움은 선정禪定에 들어 어지럽지 않은 것이다. 법의 즐거움은 번뇌를 떠나고 지혜를 밝히는 일이다. 법의 즐거움은 보리심을 넓히는 일이다.'

진실로 뜻있는 삶을 살고자 하는 사람은 인생의 가장 값지고 소중한 길이 무엇인가를 늘 마음에 간직하고 사는 사람이다. 그것을 '도道에 대한 뜻'이라고 한다. 그리고 언제나 다른 사람들의 이익을 위해서 잘 살피는 사람이다. 스승을 공경하고 봉양하고 스승에게 배우는 일은 참다운 법의 즐거움이다. 널리 보시를 하고 계戒를 잘 가지고 참을 줄 알고 언제나 부드럽고 사이좋게 지내는 일이야말로 진정한 즐거움이다. 선근과 선정과 지혜와 보리심 등은 불교가 자랑하는 사람의 삶에서 금과옥조金科玉條와 같은 소중한 덕목이다. 이와 같은 덕목을 실천하는 것이야말로 진정한 법의 즐거움이리라.

낙항복중마 낙단제번뇌 낙정불국토 낙
樂降伏衆魔하며 **樂斷諸煩惱**하며 **樂淨佛國土**하며 **樂**
성취상호고 수제공덕 낙장엄도량
成就相好故로 **修諸功德**하며 **樂莊嚴道場**하며

'법의 즐거움은 온갖 마군을 항복받는 일이다. 법의 즐거움은 모든 번뇌를 끊는 일이다. 법의 즐거움은 불국토를 청정하게 하는 일이다. 법의 즐거움은 32상三十二相과 80종호八十種好를 성취하기 위해서 모든 공덕을 닦는 일이다. 법의 즐거움은 도량을 장엄하는 일이다.'

모든 장애로부터 떠난 자리, 일체 번뇌가 사라진 자리, 이것은 모

든 수행자의 꿈이요 이상이다. 설사 중생 제도를 크게 하지는 못하더라도 장애가 없고 번뇌가 없다면 진정 수행자의 즐거움이리라. 나아가서 온 세상을 진실과 정직과 예의와 도덕으로 정화한다면 그보다 더 나은 일은 없으리라. 더구나 32상과 80종호를 다 갖추는 일체 공덕을 닦을 수 있다면 진정 수행자의 즐거움이리라. 선량한 사람, 도덕이 높은 사람, 오로지 타인을 위해서 봉사하며 사는 보살들이 내 주변과 이 국토와 전 세계에 꽉 차 있다면 그것이 진정한 불국토며 도량 장엄이리라.

낙문심법불외 낙삼탈문 불락비시 낙근
樂聞深法不畏하며 **樂三脫門**하야 **不樂非時**하며 **樂近**

동학 낙어비동학중 심무에애
同學하며 **樂於非同學中**에 **心無恚礙**하며

'법의 즐거움은 깊은 법문을 들어도 두려움이 없는 일이다. 법의 즐거움은 [공空과 무상無相과 무작無作이라는] 삼해탈을 얻어서 (수행의 결과가 나타나기 전까지는) 아직 때가 아닌 것을 즐기지 않는 것이다. 법의 즐거움은 함께 수행하는 사람을 가까이하는 것이다. 법의 즐거움은 함께 수행하지 않는 사람

과 더불어 있어도 마음에 걸림이 없는 것이다.'

공부를 할 때에 수준이 아주 높은 이치를 듣더라도 두려움 없이 다 이해하여 자신의 것으로 소화한다면 수행자의 큰 즐거움이다. 공空과 무상無常과 무작無作이라는 삼해탈을 얻었는데 설사 남이 그와 같은 수행을 알아주지 않더라도 서운해하지 않는다면 대단한 군자君子며 훌륭한 수행자다. 만약 뜻이 통하는 진정한 도반이 멀리서 오거나 옆에 있다면 그 또한 기쁘고 즐겁지 않으랴. 반대로 자신의 공부를 아무도 몰라 주고 전혀 이해가 없는 사람들과 함께 하더라도 진정한 수행자는 마음에 아무런 거리낌이 없어야 하리라. 이러한 것이 공부하는 보살의 참즐거움이리라.

낙장호악지식 낙친근선지식 낙심희청정
樂將護惡知識하며 **樂親近善知識**하며 **樂心喜清淨**하며

낙수무량도품지법 시위보살법락
樂修無量道品之法이 **是爲菩薩法樂**이니라하니라

'법의 즐거움은 악지식惡知識을 거느려 보호하는 일이다. 법의 즐거움은 선지식善知識을 친히 가까이하는 일이다. 법의 즐

거움은 마음에 청정을 기뻐하는 일이다. 법의 즐거움은 한량없는 도품道品의 법들을 닦는 것이다. 이와 같은 것들이 보살의 법의 즐거움이다.' 라고 하였습니다.

세상에는 악지식惡知識도 많다. 악지식을 꺼리거나 멀리하려고 한다면 그 또한 보살이 아니다. 그들을 잘 보호하여 선지식이 되게 하여야 한다. 불교의 정신에는 그 어떤 누구도 배척하거나 멀리해야 할 사람이란 없기 때문이다. 그들을 보호하는 일이 즐거움이 되어야 한다. 선지식을 친히 가까이하는 것이야 말해 무엇하랴. 보살은 늘 마음을 청정히 하기를 즐거움으로 삼아야 한다. 한량없는 도품道品의 법들이란 사성제, 팔정도, 십이인연, 육바라밀, 37조도품, 3승12분교, 보살52계위 등 8만4천 온갖 수행의 가르침이다. 이러한 공부를 항상 즐겁게 하여 게으르지 않고 또한 다른 사람들에게도 언제나 회향하는 일이 수행하는 보살의 진정한 법의 즐거움이다.

어시 파순 고제녀언 아욕여여 구환천궁
於是에 **波旬**이 **告諸女言**하되 **我欲與汝**로 **俱還天宮**

제녀언 이아등 여차거사 유법락 아
하노라 諸女言하되 以我等으로 與此居士일새 有法樂하야 我

등 심락 불부락오욕락야 마언거사 가사차
等이 甚樂하니 不復樂五欲樂也로다 魔言居士여 可捨此

녀 일체소유 시어피자 시위보살 유마힐
女하소서 一切所有를 施於彼者가 是爲菩薩이니다 維摩詰

언아이사의 여변장거 영일체중생 득법원
이 言我已捨矣니 汝便將去하야 令一切衆生으로 得法願

구족
具足케하라하니라

이에 파순波旬이 여러 천녀에게 말하였습니다.

'나는 그대들과 천궁天宮으로 돌아가려 하노라.'

여러 천녀가 말하였습니다.

'우리를 거사님에게 주었으므로 법의 즐거움이 있어서 우리는 매우 즐겁습니다. 다시는 세속의 오욕락五欲樂으로 즐기지 않을 것입니다.'

마군이 거사에게 말하였습니다.

'거사시여, 이 천녀들을 놓아 주소서. 일체의 소유를 다른 사람에게 베푸는 것이 보살입니다.'

유마힐이 말하였습니다.

'나는 이미 버렸으니 그대는 곧 데리고 가서 일체중생에게 법의 소원을 구족하게 하여라.'

마군이 천녀들을 유마 거사에게서 돌려받아 떠나는 광경이다. 천녀들은 이미 법의 즐거움에 대하여 설법을 들었으므로 발심發心까지 하였다. 그래서 다시는 돌아가지 않겠다는 말을 하였으나 유마 거사는 이미 발심한 천녀들이 세속으로 돌아가서 일체중생의 법의 소원을 구족하게 하라는 당부를 한다.

어시 제녀 문유마힐 아등 운하지어마궁
於是에 **諸女**가 **問維摩詰**하사대 **我等**이 **云何止於魔宮**

유마힐 언 제제 유법문 명무진등 여
이니까 **維摩詰**이 **言**하되 **諸娣**여 **有法門**하니 **名無盡燈**이라 **汝**

등 당학 무진등자 비여일등 연백천등
等은 **當學**이니라 **無盡燈者**는 **譬如一燈**이 **燃百千燈**하야

명자개명 명종부진 여시 제제 부일보살
冥者皆明하되 **明終不盡**이니 **如是**하야 **諸娣**여 **夫一菩薩**이

개도백천중생　영발아뇩다라삼먁삼보리심　어
開導百千衆生하야 令發阿耨多羅三藐三菩提心하되 於

기도　역불멸진　수소설법　이자증익일체선법
其道는 亦不滅盡하며 隨所說法하야 而自增益一切善法

시명무진등야
이 是名無盡燈也니라

이에 여러 천녀가 유마 거사에게 물었습니다.

'우리가 어떻게 마왕의 궁전에 머물러야 합니까?'

유마힐이 말하였습니다.

'여러 동생들이여, 법문이 있으니 다함이 없는 등불[無盡燈]이니라. 그대들은 마땅히 배울지니라. 다함이 없는 등불이란 비유하자면 하나의 등불이 백천百千의 등불을 밝혀서 어둠을 다 밝게 하되 그 밝음이 마침내 다하지 않는 것이니라. 이처럼 여러 동생들이여, 한 보살이 백천 중생을 가르쳐서 최상의 깨달음에 대한 마음을 내게 하되 그 도는 또한 소멸해 버리지 아니하며, 설하는 바의 법을 따라서 저절로 일체 법을 더욱 불어나게 하는 것이 이것이 이름이 다함이 없는 등불이니라.'

이 대목에서 『유마경』의 명언이 또 나왔다. "비여일등 연백천등

명자개명 명종부진譬如一燈 燃百千燈 冥者皆明 明終不盡"이라는 말이다. 수많은 조사祖師가 인용하였다. 유마 거사는 천녀들을 돌려보내면서 동생들은 가서 여기서 배운 법의 즐거움에 대하여 무수한 중생을 일깨워서 더욱 아름답고 행복한 세상을 만들라는 당부를 하나의 등불에 비유하여 가르쳤다.

불교의 전법과 포교란 곧 다함없는 등불 운동이다. 한 사람이 불법佛法을 바르게 배워서 두 사람에게 가르치고, 두 사람은 다시 네 사람에게, 네 사람은 다시 여덟 사람에게 가르치는 형식이다. 부처님오신날 기념 행사로 등불을 밝히면서 맨 처음 성냥 하나로 하나의 촛불을 밝히면 하나의 촛불이 둘로, 셋으로, 넷으로, 열[十]로, 스물로, 백百으로, 천千으로 번져서 온 도량을 순식간에 환하게 밝히는 것도 바로 『유마경』의 이 이야기에서 연유한 것이다.

여등 수주마궁 이시무진등 영무수천자천
汝等이 **雖住魔宮**이나 **以是無盡燈**하야 **令無數天子天**

녀 발아뇩다라삼먁삼보리심자 위보불은 역
女로 **發阿耨多羅三藐三菩提心者**면 **爲報佛恩**이며 **亦**

대 요 익 일 체 중 생
大饒益一切衆生이니라

'그대들은 비록 마魔의 궁전에 머물더라도 이 다함없는 등불을 활용하여 무수한 천자와 천녀들에게 최상의 깨달음에 대한 마음을 발하게 한다면 부처님의 은혜를 갚는 것이 될 것이며 또한 일체중생을 크게 요익하게 할 것이다.' 라고 하였습니다.

이시 천녀 두면례유마힐족 수마환궁 홀
爾時에 天女가 頭面禮維摩詰足하고 隨魔還宮하야 忽

연불현 세존 유마힐 유여시자재신력 지
然不現이러이다 世尊하 維摩詰이 有如是自在神力과 智

혜변재 고아불임예피문질
慧辯才일새 故我不任詣彼問疾하나이다

그때에 천녀들이 머리로써 유마 거사의 발에 예배하고 마왕을 따라 궁전으로 돌아가서 홀연히 보이지 않았습니다. 세존이시여, 유마힐이 이처럼 자재한 신력과 지혜와 변재가 있습니다. 그러므로 저는 그분에게 가서 문병하는 일을 감당할 수가 없습니다."

사람은 사는 환경이 문제가 아니라 마음가짐이 중요하다. 그래서 비록 천녀들이 마왕의 궁전에 살더라도 다함없는 법의 등불, 진리의 등불을 들고 곳곳을 밝힌다면 오히려 좋은 조건에 사는 것보다 더욱 훌륭하게 법을 전할 수 있을 것이다. 부루나 존자도 수로나라는 예의도 도덕도 없는 무지막지한 나라에 가서 법을 전하지 않았던가. 천녀들이 마왕의 궁전에서 많은 사람에게 보리심을 일으키게 한다면 그것이 부처님의 은혜를 갚는 것이며 일체중생을 유익하게 하는 일이 된다. 이러한 사실들을 보고 들은 지세보살은 도저히 자신으로서는 유마 거사에게 문병 가는 일을 감당할 수 없다고 사양하였다.

4. 선덕과 법보시法布施

불고장자자선덕 여행예유마힐문질 선덕
佛告長者子善德하사대 汝行詣維摩詰問疾하라 善德

백불언 세존 아불감임예피문질 소
이 白佛言하사대 世尊이시여 我不堪任詣彼問疾하니이다 所

이자하 억념 아석 자어부사 설대시회 공
以者何오 憶念하니 我昔에 自於父舍에 設大施會하여 供

양일체사문바라문 급제외도 빈궁하천 고독걸
養一切沙門婆羅門과 及諸外道와 貧窮下賤과 孤獨乞

인 기만칠일
人하되 期滿七日이러니다

부처님이 장자의 아들 선덕에게 말하였다.

"그대가 유마힐에게 가서 문병하여라."

선덕이 부처님께 말씀드렸다.

"세존이시여, 저도 또한 감히 그분에게 가서 문병하는 일을 감당할 수 없습니다. 왜냐하면 기억하여 생각해 보니 제가 옛적에 스스로 아버지의 집에서 큰 보시 모임을 열어서 모든 사문과 바라문과 여러 외도와 빈궁한 사람들과 하천한 사람들과 고독한 사람들과 걸인들에게 7일이 차도록 공양을 베풀었습니다.

이번에는 장자의 아들 선덕이라는 사람에게 문병 가기를 부탁하였으나 그도 역시 사양한다. 그 이유는 장자의 아들이므로 큰 보시 모임을 열었다가 유마 거사에게 진정으로 가치 있는 보시란 어떤 것인가를 들은 기억이 있어서 부처님의 부탁을 받아들일 수 없다는 것이다. 선덕은 부자이므로 재산을 풀어서 수많은 사람에게 차별 없이 7일간 공양을 대접하는 보시의 모임을 열었다. 이러한 사례는 우리나라에도 있는데 고려 때 반승飯僧이라 하여 수백 명 또는 천 명, 심지어 3천 명까지 전국 곳곳에 계신 스님들을 서울로 초청하여 공양을 올렸다는 역사 기록이 있다. 그것도 한두 번이 아니었다. 『유마경』에서 일찍이 거사의 질책이 이렇게 있었건만, 교통도 불편한 시기에 왜 꼭 그렇게 했는지 궁금하다. 고려불교가 사양길에 접어들어 조선에 와서 배불정책의 수난을 당하게 되는 한 현상이리라.

시 유마힐 내입회중 위아언 장자자 부
時에 維摩詰이 來入會中하야 謂我言하되 長者子여 夫

대시회 부당여여소설 당위법시지회 하용시
大施會는 不當如汝所設이니 當爲法施之會어늘 何用是

재시회위 아언거사 하위법시지회 법시회자
財施會爲오 我言居士여 何謂法施之會닛고 法施會者는

무전무후 일시공양일체중생 시명법시지회
無前無後로 一時供養一切衆生이 是名法施之會니라

그때에 유마힐이 보시의 모임 중에 들어와서 저에게 말하였습니다. '장자의 아들이여, 대저 큰 보시 모임이란 그대가 하듯이 해서는 안 됩니다. 마땅히 법을 보시하는 모임을 해야 합니다. 어찌하여 이런 재물을 보시하는 모임을 하였소?' 라고 하였습니다. 저는 거사에게 말하였습니다. '무엇이 법을 보시하는 모임입니까?' '법을 보시하는 모임이란 앞도 없고 뒤도 없으며 일시에 일체중생에게 공양하는 것을 일러 이름이 법을 보시하는 모임입니다.'

보시하고 공양하는 일에는 여러 가지가 있다. 일반적으로 흔히 생각할 수 있는 것이 이 장자의 아들처럼 음식을 보시하고 재물을 보시하고 약을 보시하고 의복을 보시하는 것 등이다. 이러한 것들은 사람이 살아가는 데 기본이 된다. 그러나 불교는 보시에도 차원이 다르다. 항상 권장하는 말이 법공양法供養이며 법보시法布施다. 많은 불자가 독송하는 「보현행원품普賢行願品」에 이렇게 설하였다.

"이른바 꽃과 꽃다발과 천상의 음악과 천상의 일산日傘과 천상의 옷과 천상의 여러 가지 향과 바르는 향과 사르는 향과 가루 향들이니라. 이와 같은 무더기 하나하나가 수미산과 같이 크니라. 또 여러 가지 등불을 켜는데 우유[酥]등과 기름등과 온갖 향유香油등인데 낱낱 등의 심지는 수미산須彌山과 같고, 낱낱 등의 기름은 큰 바닷물과 같은 공양거리로 항상 공양하느니라.

선남자여, 모든 공양 가운데는 법공양이 으뜸이니라. 부처님 말씀대로 수행하는 공양과 중생을 이롭게 하는 공양과 중생을 거두어 주는 공양과 중생의 고통을 대신하는 공양과 선근을 닦는 공양과 보살의 할 일을 버리지 않는 공양과 보리심을 여의지 않는 공양들이 그것이니라.

선남자여, 먼저 말한 여러 가지로 공양한 한량없는 공덕을 한순간 잠깐 법으로 공양한 공덕에 비교하면 그것은 백분의 일이 못 되고, 천분의 일이 못 되며, 백천구지나유타분의 일도 못 되며, 가라분의 일도 못 되며, 산분, 수분의 일, 우파니사타분의 일도 못 되느니라."

불자라면 당연히 법을 공양하고 법을 보시하는 일에 정진해야 하리라. 그것이 진정으로 복이 되는 일이며 공덕이 되는 일이며 부처님의 은혜를 갚는 일이다. 이와 같은 「보현행원품」의 가르침을 의지하여 필자는 1988년 봄부터 범어사에서 '일지경一紙經'이라는 이름으로 한 장짜리 경전을 만들어 부처님의 말씀을 전하는 법공양 일을 시작하여 2020년인 지금에 이르고 있다. 여러 가지 방법으로 법공양에 동참하신 모든 분들에게 진실로 감사의 말씀을 전한다.

왈하위야 위이보리 기어자심 이구중생

曰何謂也오 **謂以菩提**로 **起於慈心**하며 **以救衆生**으로

기대비심 이지정법 기어희심 이섭지혜

起大悲心하며 **以持正法**으로 **起於喜心**하며 **以攝智慧**로

행 어 사 심
行於捨心하며

'그것은 어떤 것입니까?' '이를테면 보리로써 사랑하는 마음을 일으키는 것입니다. 중생을 구제하는 것으로써 크게 연민하게 여기는 마음을 일으키는 것입니다. 바른 법을 가짐으로써 기쁜 마음을 일으키는 것입니다. 지혜를 굳건히 유지함으로써 차별심을 버리고 평등한 마음을 행하는 것입니다.'

법을 보시하는 일의 첫째는 네 가지 한량없는 마음[四無量心]을 베푸는 일이라고 하였다. 대승보살불교의 중요한 실천 덕목은 이처럼 네 가지 한량없는 마음이다. 평소에 이러한 마음을 주변 사람들에게 베풀며 사는 일이 곧 법을 보시하는 일이며 법을 공양 올리는 일이다.

이섭간탐 기단바라밀 이화범계 기시라바
以攝慳貪으로 **起檀波羅蜜**하며 **以化犯戒**로 **起尸羅波**

라밀 이무아법 기찬제바라밀 이이신심상
羅蜜하며 **以無我法**으로 **起羼提波羅蜜**하며 **以離身心相**

기 비 리 야 바 라 밀　　이 보 리 상　　기 선 바 라 밀
으로 **起毘離耶波羅蜜**하며 **以菩提相**으로 **起禪波羅蜜**하며

이 일 체 지　기 반 야 바 라 밀
以一切智로 **起般若波羅蜜**하며

'아끼고 탐하는 마음을 거두어들임으로써 보시바라밀을 일으키는 것입니다. 계율을 범하는 것을 교화함으로써 지계바라밀을 일으키는 것입니다. 무아법無我法으로써 인욕바라밀을 일으키는 것입니다. 몸과 마음의 상을 떠남으로써 정진바라밀을 일으키는 것입니다. 보리의 상으로써 선정바라밀을 일으키는 것입니다. 일체의 지혜로써 반야바라밀을 일으키는 것입니다.'

법을 보시하는 일 다음의 문제는 육바라밀을 잘 실천하는 것이다. 사무량심이나 육바라밀은 모두 이 몸으로 직접 법을 보시하는 것을 밝히고 있다. 보시를 잘하면 아끼고 탐하는 마음을 다스릴 수 있다. 아끼고 탐하는 마음 없이 보시를 잘하는 그 모습이야말로 진정한 법을 보시하는 일이다. 나머지 바라밀도 역시 말로만 하는 것이 아니라 몸소 직접 덕행을 보여 주는 것으로써 법을 보시하는 것을 밝히고 있다.

교화중생 이기어공 불사유위법 이기무
教化衆生하되 而起於空하며 不捨有爲法하고 而起無

상 시현수생 이기무작 호지정법 기방편
相하며 示現受生으로 而起無作하며 護持正法으로 起方便

력
力하며

'중생을 교화하나 텅 비어 없는 데서 하는 것입니다. 유위법을 버리지 아니하나 상이 없음에서 하는 것입니다. 태어남을 보이나 지음이 없음에서 하는 것입니다. 정법을 보호하면서 방편의 힘을 일으키는 것입니다.'

법을 보시하는 일은 중생이 본래 텅 비어 없지만 그 텅 비어 없는 중생을 교화하는 것이다. 또한 중생은 본래로 부처이지만 본래로 부처인 중생을 교화하는 것이다. 세상은 모두 유위법有爲法으로 형성되어서 유위법 안에서 생활하지만 그 근본은 아예 상相이 없는 데서 한다. 태어남을 보이지만 지음이 없음에서 태어남을 보인다. 정법正法과 방편은 어떤 면으로 상반되는 것이다. 그러나 정법을 방편을 빌려서 보호한다는 등의 가르침은 철저히 중도정견中道正見에서 하는 본보기다. 치우친 중생 교화는 법을 보시하는 것이 아니며, 치우친 유위법이나 편견에 떨어진 태어남을 보이는 것이나 편협한 마음으로 정법을 보호하는 일도 진정한 법을 보시하는 일은 못된다. 그 어떤 불사도 철저히 중도에 입각한 것이어야 한다는 것을 말하였다.

이도중생　기사섭법　이경사일체　기제만법
以度衆生으로 **起四攝法**하며 **以敬事一切**로 **起除慢法**하며

'중생을 제도함으로써 사섭법을 일으키는 것입니다. 일체중생을 공경하여 섬김으로써 아만을 제거하는 법을 일으키는 것입니다.'

부처님은 진리를 깨닫고 나서 평생을 중생을 교화하는 일로써 삶의 의미와 목적을 삼았다. 그것은 곧 『유마경』에서 말하는 법을 보시하는 일이기도 하다. 그래서 중생을 교화하는 방법을 많이 가르침으로 남겼다. 그것은 곧 사무량심四無量心과 육바라밀六波羅蜜과 여기에 소개되는 사섭법四攝法이다. 그중에서도 이 사섭법만큼 훌륭한 것이 또 있을까 싶다. 첫째, 보시다. 누구에게든 또 무엇이

든 주어서 싫어하는 사람은 없다. 둘째, 다른 사람에게 좋은 말만 하는 것이다. 셋째, 다른 사람에게 무조건 이롭게 행동하는 것이다. 누구든 자신에게 덕德이 되고 이로운 것을 싫어할 사람도 또한 없다. 넷째, 상대가 하는 일을 따라서 같이하는 것이다. 이렇게 한다면 누구나 다 좋아한다. 이처럼 상대가 좋아할 일을 가지고 교화하는 것이 법을 보시하는 것이다. 또한 모든 사람을 공경하고 받들어 섬김으로써 자신의 아만심我慢心을 제거하게 되는 일도 훌륭한 법을 보시하는 일이다.

어 신 명 재　기 삼 견 법
於身命財에 **起三堅法**하며

'몸과 목숨과 재산에서 세 가지 견고한 법을 일으키는 것입니다.'

몸과 목숨과 재산은 허망하여 무상無常하기 이를 데 없지만, 그 무상한 것으로써 무상하지 않게 하는 방법이 있으니 그것이 세 가지 견고한 법이다. 몸과 목숨과 재산은 사람이 살아가는 데 꼭 필요한 것이면서 또한 허망한 것이다. 그것이 허망한 줄을 잘 알고 그 모든 것을 부처님의 바른 법을 널리 유포하는 데 사용한다면 그 것은 무상한 것이 아니라 견고한 것이 된다. 중국 오대산의 청량淸涼 국사는 『화엄경』을 읽다가 "내가 죽을 곳을 얻었다[得其死所]." 라고 하여 평생을 『화엄경』을 연구하여 널리 전파하는 데 한 몸을 다 바쳤기 때문에 오늘 이 순간까지 더욱 청청하고 더욱 크게 살아 계신다. 그 죽을 곳을 얻었다는데 무엇인들 바치지 않았겠는가. 무엇을 아꼈겠는가. 참으로 무상한 몸으로 영원히 무너지지 않는 견고한 법을 일으킨 사례가 된다. 법을 보시하는 일은 이와 같다.

어육념중 기사념법
於六念中에 **起思念法**하며

'여섯 가지 생각하는 것에서 생각하는 법을 일으키는 것입니다.'

여섯 가지 생각하는 것이란 부처님과 부처님의 법과 부처님의 가르침을 따르는 사람들과 보시와 계율과 하늘의 이치를 생각하는 것이다. 사람은 가만히 있어도 이 생각이라는 것이 항상 일어나서 흘러가게 되어 있다. 그리고 이왕 일어나서 흘러가는 생각들을 스스로 관리하여 이 여섯 가지를 늘 생각하며 사는 것이 생각을 일으키고 관리하는 법이다. 이 또한 훌륭하게 법을 보시하는 일이다.

어 육 화 경　기 질 직 심
於六和敬에 **起質直心**하며

'육화경六和敬으로써 질박하고 정직한 마음을 일으키는 것입니다.'

육화경六和敬이란 『화엄경』에서도 나오는 말씀인데 불교 교단의 가장 기본적인 계율이며, 사원 생활에서 생기는 불화나 분열을 막는 역할을 한다. 불 · 법 · 승 삼보 가운데 승을 승가僧伽라 하고 화합중和合衆이라고 번역하는데, 이는 육화경을 실천하는 사람들이 모인 단체라는 뜻이다.

첫째, 신화동주身和同住는 몸으로 화합하여 같이 살라는 말이다. 둘째, 구화무쟁口和無諍은 입으로 화합하여 다투지 말라는 말이다. 셋째, 의화동사意和同事는 뜻으로 화합하여 함께 일하라는 뜻이다. 넷째, 계화동수戒和同修는 계율로 화합하여 같이 수행하라는 말이다. 다섯째, 견화동해見和同解는 바른 견해로 화합하여 같이 이해하며 살라는 뜻이다. 여섯째, 이화동균利和同均은 이익을 균등히 나누라는 말이다.

이처럼 질박하고 정직한 마음으로 함께 사는 그 자체가 큰 모범이 되므로 곧 법을 보시하는 일이다.

정행선법　　기어정명　　심정환희　기근현성
正行善法으로 **起於淨命**하며 **心淨歡喜**로 **起近賢聖**하며

부승악인　　기조복심
不憎惡人으로 **起調伏心**하며

'선한 법을 바르게 행함으로 청정한 생활을 하는 것입니다. 마음이 청정하고 늘 기뻐함으로 현인과 성인을 가까이하는 것입니다. 악한 사람을 미워하지 아니함으로 자신을 굴복시키는 마음을 내는 것입니다.'

법을 보시하는 일은 성인聖人의 가르침을 잘 배워서 그대로 실천하는 일이다. 선한 법을 바르게 행하여 청정한 생활을 하는 것, 기쁜 마음으로 현인賢人과 성인을 늘 가까이하는 일, 악인을 절대로 미워하지 않고 오히려 연민의 마음으로 거두어 주는 일 등이 참으

로 법을 보시하는 일이다.

이출가법 기어심심 이여설행 기어다문
以出家法으로 **起於深心**하며 **以如說行**으로 **起於多聞**

이무쟁법 기공한처
하며 **以無諍法**으로 **起空閑處**하며

'출가出家의 법으로써 깊은 마음을 일으키는 것입니다. 말씀과 같이 행함으로써 많이 들어 아는 것입니다. 다툼이 없는 법으로써 텅 비고 한가한 곳을 일으키는 것입니다.'

법을 보시한다는 것은 법으로써 사람을 감동하게 하고 사람을 성숙시키는 일이다. 그러므로 무엇보다 법을 행하고 법을 말하는 사람이 그 모범을 보이는 것이 제일이다. 모범을 보이는 것보다 더 큰 감화를 주는 것은 없기 때문이다. 출가의 법으로써 깊은 마음을 일으키는 것이나 이치에 대해 아는 것이 있어서 앎이 그만큼 중요하다는 것을 보이는 것은 모두가 모범을 보이는 일이다. 몸도 마음도 텅 비고 한가하게 산다면 세상과 다툴 일이 없다. 그 또한 일종의 모범이다.

취향불혜　기어연좌　해중생박　기수행지
趣向佛慧로 **起於宴坐**하며 **解衆生縛**으로 **起修行地**하며

이구상호　급정불토　기복덕업
以具相好와 **及淨佛土**로 **起福德業**하며

'부처님의 지혜에 향함으로 좌선을 하는 것입니다. 중생의 속박을 풀어줌으로써 수행을 하는 것입니다. 32상과 80종호를 갖추고 불국토를 청정하게 함으로써 복과 덕의 업을 일으키는 것입니다.'

연좌宴坐란 좌선이다. 좌선하여 명상이 깊어지면 부처님이 터득한 지혜에 도달할 수 있다. 불교공부나 불교적 수행이란 구경究竟에는 해탈에 이르고자 함이다. 모든 속박에서 벗어난 해탈을 누린다는 것은 진정으로 자신에게나 남에게나 법을 보시하는 본보기다. 복덕의 업業을 제대로 이치에 맞게 닦으면 잘생기게 되고 인상이 하나하나 보기 좋은 모습으로 바뀐다. 그뿐만 아니라 그가 처해 사는 환경도 훌륭한 환경으로 바뀐다. 모두가 법을 보시하는 일이다.

지 일 체 중 생 심 념 　 여 응 설 법 　 기 어 지 업 　 지
知一切衆生心念하야 如應說法으로 起於智業하며 知

일 체 법 　 불 취 불 사 　 입 일 상 문 　 기 어 혜 업 　 단
一切法이 不取不捨하야 入一相門으로 起於慧業하며 斷

일 체 번 뇌 　 일 체 장 애 　 일 체 불 선 법 　 기 일 체 선 업
一切煩惱와 一切障礙와 一切不善法하고 起一切善業
하며

'일체중생의 마음을 알아서 그들에게 맞추어 설법함으로 지업智業을 일으키는 것입니다. 일체법이 취할 것도 아니고 버릴 것도 아님을 알아서 하나의 모양으로 들어가 혜업慧業을 일으키는 것입니다. 일체 번뇌와 일체 장애와 일체 선하지 않은 법을 끊어서 일체 선업善業을 일으키는 것입니다.'

지업智業이란 깨달음, 직관적 지식, 완전히 아는 것, 지식, 이해 등의 의미다. 설법은 사람들의 근기와 수준과 성향과 하고자 하는 것과 지식과 업을 잘 헤아려 그에 맞춰서 해야 한다. 그것이 지혜로운 설법이다. 법석을 마련하고도 서로가 아무런 감동도 없고 깨달음도 없고 이익도 없이 시간만 낭비하게 된다면 어떻게 되겠는가. 법을 보시하는 것이라고 할 수가 없을 것이다.

혜업慧業이란 바른 이해에 의한 분별과 판단력이다. 즉 도리나 사물을 분별하고 판단하는 마음 작용이다. 일체법이란 취할 것도 아니고 버릴 것도 아닌 것이 있음이면서 텅 비어 공한 것이다. 그렇다면 저절로 일체 번뇌와 일체 장애와 일체 악은 사라지고 일체 선한 업은 자라나게 되리라. 이와 같은 부분까지 잘 갖추는 것도 역시 법을 보시하는 일이다.

이득일체지혜　일체선법　기어일체조불도법
以得一切智慧와 一切善法으로 起於一切助佛道法

여시　선남자　시위법시지회　약보살　주시
이니 如是하야 善男子여 是爲法施之會니 若菩薩이 住是

법시회자　위대시주　역위일체세간복전
法施會者는 爲大施主며 亦爲一切世間福田이니라

'일체 지혜와 일체 선법善法을 얻음으로써 일체의 불도佛道를 돕는 법을 일으키는 것입니다. 이처럼 선남자여, 이것이 법을 보시하는 모임입니다. 만약 보살이 이러한 법을 보시하는 모임에 머무는 사람은 대시주大施主가 되며 또한 일체 세간의 복전福田이 됩니다.'

부처님은 깨달음을 이룬 뒤 49년간 오로지 법을 보시하면서 살았다. 그것은 자신에게나 다른 사람에게나 일체를 다 알고 일체를 다 분별하고 판단하는 지혜를 얻는 일이며, 일체의 선법을 얻는 일이다. 그것은 곧 불도를 돕는 법을 통해서 가능한 일이었다. 법을 보시하는 모임이란 곧 법을 설하는 모임이며 법을 전파하는 모임이며 법을 어떤 방법으로든지 나누는 모임이다. 이러한 일을 하는 사람만이 진정한 대시주자大施主者다. 시주하면 복이 된다고 하여 세상에는 시주를 하게 하는 사람도 많고 시주하는 사람도 많다. 진정한 시주, 큰 시주는 법을 보시하는 사람이라는 사실을 분명하게 밝힌 설법이다. 부처님이나 선지식이나 보살이나 조사스님들은 평생을 법을 보시하는 대시주자로 살아간 삶이지 그 외의 다른 삶이 아니다.

세존 유마힐 설시법시 바라문중중이백인
世尊이시여 **維摩詰**이 **說是法時**에 **婆羅門衆中二百人**이

개발아뇩다라삼먁삼보리심 아시 심득청정
皆發阿耨多羅三藐三菩提心이라 **我時**에 **心得淸淨**하야

탄 미 증 유　　계 수 례 유 마 힐 족　　즉 해 영 락 가 치 백
歎未曾有하야 稽首禮維摩詰足하고 卽解瓔珞價直百

천　　이 상 지　　불 긍 취　　아 언 거 사　원 필 납 수
千하야 以上之하니 不肯取어늘 我言居士여 願必納受하야

수 의 소 여
隨意所與하소서

세존이시여, 유마힐이 이러한 법을 설할 때에 바라문의 대중 가운데 2백 명이 최상의 깨달음에 대한 마음을 내었습니다. 저는 그때에 마음이 청정하여지고 미증유를 찬탄하면서 유마힐의 발에 머리를 숙여 예배하고 곧바로 가치가 백천이나 되는 영락을 풀어서 바쳤는데 기꺼이 받지 않았습니다. 저는 말하였습니다. '거사시여, 바라건대 받아들이십시오. 그리고 마음대로 사용하십시오.'

유 마 힐　내 수 영 락　　분 작 이 분　　지 일 분　　시
維摩詰이 乃受瓔珞하야 分作二分하고 持一分하야 施

차 회 중 일 최 하 걸 인　　지 일 분　　봉 피 난 승 여 래
此會中一最下乞人하고 持一分하야 奉彼難勝如來하니

일체중회 개견광명국토 난승여래 우견주영
一切衆會가 皆見光明國土의 難勝如來하며 又見珠瓔이

재피불상 변성사주보대 사면엄식 불상장
在彼佛上하여 變成四柱寶臺하고 四面嚴飾하되 不相障

폐
蔽러라

유마힐 거사가 이에 영락을 받아서 둘로 나누어 하나는 이 법회에서 가장 가난한 걸인에게 주고 하나는 저 난승難勝여래에게 바쳤습니다. 일체 대중이 모두 광명국토의 난승여래를 친견하였습니다. 또한 영락이 저 부처님 위에서 네 개의 보배 기둥으로 변하여 사면四面에 장엄하였으나 서로 가리지 아니하였습니다.

시 유마힐 현신변이 우작시언 약시주
時에 維摩詰이 現神變已하고 又作是言하되 若施主가

등심 시일최하걸인 유여여래복전지상 무
等心으로 施一最下乞人하면 猶如如來福田之相하야 無

소분별　등어대비　불구과보　시즉명왈구족
所分別하며 等於大悲하고 不求果報하면 是則名曰具足

법시
法施니라

그때에 유마힐이 신통변화를 일으키고 나서 또 이런 말을 하였습니다. '만약 시주가 평등한 마음으로 가장 가난한 걸인乞人에게 보시하면 마치 여래에게 보시한 복과 같아서 다름이 없습니다. 큰 자비를 평등하게 행하고 과보를 구하지 아니하면 이것이 이름이 구족한 보시입니다.'

성중일최하걸인　견시신력　문기소설　개발
城中一最下乞人이 見是神力하며 聞其所說하고 皆發

아뇩다라삼막삼보리심　고아불임예피문질
阿耨多羅三藐三菩提心일새 故我不任詣彼問疾하나이다

성城 중에 있는 가장 가난한 걸인이 이러한 신력神力을 보고 그 말을 듣고는 최상의 깨달음에 대한 마음을 내었습니다. 그러므로 저는 유마힐에게 가서 문병하는 일을 감당할 수가 없습니다."

여 시 제 보 살 각 각 향 불 설 기 본 연 칭 술 유 마
如是諸菩薩이 各各向佛하야 說其本緣하며 稱述維摩

힐 소 언 개 왈 불 임 예 피 문 질
詰所言하고 皆曰不任詣彼問疾이라하니라

이처럼 모든 보살들이 각각 부처님을 향하여 그 본래의 인연을 설명하며 유마힐이 말한 것을 전하고 모두 다 말하기를, "그분에게 가서 문병하는 일을 감당하지 못합니다."라고 하였습니다.

장자의 아들 선덕이라는 사람은 재산을 내어 바라문과 외도와 가난한 사람과 외로운 사람과 거지 등 수많은 사람에게 7일간 공양을 베풀었는데 드디어 유마 거사를 만나 법보시法布施에 대한 설법을 듣게 되었다. 그 내용은 단순한 법보시가 아니라 불교 전체를 설명한 내용이었다. 불교의 가르침과 불교의 수행과 불교가 할 일과 부처님의 참다운 정신까지 다 표현하였다. 참으로 귀중한 설법이다. 이러한 설법을 들은 바라문 가운데 2백 명이 최상의 깨달음에 대한 마음을 내었다. 선덕 자신도 크게 감동하여 마음이 청정해졌다. 그래서 유마 거사에게 예배하고 가치가 백천 금이 되는 영락瓔珞을 풀어 유마 거사에게 바쳤다.

유마 거사는 영락을 받아서 둘로 나누어 하나는 그곳에 모인 사람 가운데 가장 가난한 걸인에게 주었고, 하나는 난승여래에게 바쳤다. 일체 대중은 광명국토의 난승여래를 친견하고 유마 거사는 신통변화로써 그 영락으로 네 개의 보배 기둥을 만들어 사면四面을 장엄하였다. 유마 거사는 또 설법하기를, "만약 시주施主가 평등한 마음으로 가장 가난한 걸인에게 보시하면 마치 여래에게 보시한 복과 같아서 다름이 없습니다. 큰 자비를 평등하게 행하고 과보果報를 구하지 아니하면 이것이 이름이 구족具足한 보시입니다."라고 하였다. 우리는 복을 받기 위해서 나무나 돌로 만든 불상佛像에 보시하고 공양한다. 가난한 사람에게 보시하는 것이 곧 부처님에게 보시하는 것이라는 이 명언은 가슴속에 깊이깊이 새겨서 실천에 옮겨야 할 가르침이다.

이처럼 유마 거사에게 문병 가는 일을 제자들부터 보살에 이르기까지 수많은 사람이 부탁 받았으나 누구도 감당할 수 없음을 다 말하였다. 그 이유로 대승불교의 중요한 가르침과 대승보살의 온갖 실천 덕목을 낱낱이 들어서 말하였다. 유마 거사의 설법을 통해 독자들은 참다운 불교가 무엇인가를 명백하게 공부하는 기회가 되었으리라 믿는다.

『유마경』은 옛 본에 상·중·하 세 권으로 나누어져 있다. 여기까지가 상권上卷이다.

유마경 강설 上 끝

如天 無比

1943년 영덕에서 출생하였다.
1958년 출가하여 덕홍사, 불국사, 범어사를 거쳐 1964년 해인사 강원을 졸업하고 동국역경연수원에서 수학하였다.
10여 년 선원생활을 하고 1976년 탄허 스님에게 화엄경을 수학하고 전법, 이후 통도사 강주, 범어사 강주,
은해사 승가대학원장, 대한불교조계종 교육원장, 동국역경원장, 동화사 한문불전승가대학원장 등을 역임하였다.
2018년 5월에는 수행력과 지도력을 갖춘 승랍 40년 이상 되는 스님에게 품서되는 대종사 법계를 받았다.
현재 부산 문수선원 문수경전연구회에서 150여 명의 스님과 300여 명의 재가 신도들에게 화엄경을 강의하고 있다.
또한 다음 카페 '염화실'(http://cafe.daum.net/yumhwasil)을 통해
'모든 사람을 부처님으로 받들어 섬김으로써 이 땅에 평화와 행복을 가져오게 한다.'는 인불사상人佛思想을 펼치고 있다.

저서로
『대방광불화엄경 강설』(전 81권), 『대방광불화엄경 실마리』, 『무비 스님의 왕복서 강설』,
『무비 스님이 풀어 쓴 김시습의 법성게 선해』, 『법화경 법문』, 『신금강경 강의』, 『직지 강설』(전 2권),
『법화경 강의』(전 2권), 『신심명 강의』, 『임제록 강설』, 『대승찬 강설』, 『당신은 부처님』,
『사람이 부처님이다』, 『이것이 간화선이다』, 『무비 스님과 함께하는 불교공부』, 『무비 스님의 증도가 강의』,
『일곱 번의 작별인사』, 무비 스님이 가려 뽑은 명구 100선 시리즈(전 4권) 등이 있고
편찬하고 번역한 책으로 『화엄경(한글)』(전 10권), 『화엄경(한문)』(전 4권), 『금강경 오가해』 등이 있다.

무비 스님의 유마경 강설 上

| 개정판 발행_ 2020년 2월 24일

| 지은이_ 여천 무비(如天 無比)
| 펴낸이_ 오세룡
| 편집_ 박성화 손미숙 김정은 김영미
| 기획_ 최은영 곽은영
| 디자인_ 고혜정 김효선 장혜정
| 홍보 마케팅_ 이주하
| 펴낸곳_ 담앤북스
서울특별시 종로구 새문안로3길 23 경희궁의 아침 4단지 805호
대표전화 02)765-1251 전송 02)764-1251 전자우편 damnbooks@hanmail.net
출판등록 제300-2011-115호
| ISBN 979-11-6201-207-9 (04220)
979-11-6201-206-2 (세트)

정가 55,000원(전 3권 세트)

ⓒ 무비스님 2020